Spero che Zia Mame
riesca a coinvolgerti
come ha coinvolto me!

Tanti Auguri
tesoro

Un bacio
Anna

GLI ADELPHI

393

Il 23 gennaio del 1955 *Zia Mame*, appena uscito, si guadagnò una recensione piuttosto scettica sulle pagine letterarie del «New York Times». Dopo aver concesso che la storia era divertente, l'articolista metteva in dubbio i vantaggi di un'educazione troppo aperta, e insinuava che a un orfano decenne poteva dopotutto toccare una sorte migliore che l'affidamento a una zia terribilmente eccentrica, allergica a qualsiasi forma di riverenza bigotta, e spiritosa come altri possono essere sovrappeso, o malvestiti, o permalosi. Quale tuttavia fosse, questa sorte migliore, il giornale non lo specificava, e a ogni buon conto i lettori di Patrick Dennis avrebbero manifestato un clamoroso dissenso rispetto all'opinione dell'autorevole organo di stampa. Venti giorni dopo, infatti, *Zia Mame* conquistava il primo posto nella classifica dei libri più venduti stilata dal giornale, e lo avrebbe mantenuto per centododici settimane. Due anni più o meno esatti, se si preferisce.
Di Patrick Dennis (1921-1976) Adelphi ha pubblicato, oltre a *Zia Mame* (2009), *Povera piccina* (2010), *Intorno al mondo con zia Mame* (2011) e *Genio* (2012). Tutte le sue opere principali sono in preparazione.

*Patrick Dennis*

# Zia Mame

*A cura di Matteo Codignola*

ADELPHI EDIZIONI

TITOLO ORIGINALE:
*Auntie Mame*
*An Irreverent Escapade*

*Quinta edizione: gennaio 2013*



I edizione GLI ADELPHI: giugno 2011
WWW.ADELPHI.IT

ISBN 978-88-459-2598-6

# INDICE

# ZIA MAME

*Alle peggiori dattilografe*
*di New York, V.V. e Mme A.*

# 1
# ZIA MAME E L'ORFANELLO

Aveva piovuto tutto il giorno. Di solito me ne infischio, se piove o no, ma quella volta avevo promesso di montare le tende e di portare il bambino in spiaggia. Mi ero anche riproposto di applicare quei cavolo di stencil alle pareti loro riservate nella parte della cantina che il nostro mediatore aveva definito tavernetta, e inoltre volevo capire in che modo impegnare quella soffitta che secondo il mediatore, sempre lui, andava considerata un disimpegno, passibile di trasformarsi in stanza degli ospiti, studio, o laboratorio.

Ma subito dopo colazione mi ero lasciato distogliere dai miei propositi.

Tutta colpa di un arretrato di «Selezione». È una rivista che di solito non leggo. Mica per altro, non ne ho bisogno, dato che tutte le mattine sul 751 e tutte le sere sul 603 sento analizzare ogni suo articolo nei minimi dettagli. A Verdant Green – duecento case tirate su in quattro stili differenti – ne vanno tutti pazzi. In pratica non parlano d'altro.

Eppure devo confessare che quel benedetto periodico, quando mi capita in mano, finisce per catturare anche me. Quella volta in particolare mi ero appassionato, nell'ordine, ai pericoli cui sono esposte le nostre scuole pubbliche, alle meraviglie del parto naturale e alle gesta di una comunità dell'Oregon che aveva sgominato un traffico di marijuana. Quindi ero passato a una certa figura che un certo famoso scrittore di cui ora mi sfugge il nome considerava il personaggio più indimenticabile da lui incontrato.

Un momento, un momento.

Indimenticabile? Be', era ovvio che l'autore non sapeva di cosa stesse parlando. Temo che il significato stesso della parola gli sfuggisse: a lui, come a chiunque non avesse conosciuto mia zia Mame. Però dovevo ammettere che fra il suo personaggio indimenticabile e il mio qualche parallelo si poteva tracciare. Il suo era una tenera zitella del New England che viveva in una tenera casettina bianca di legno, e che un giorno aveva aperto la sua tenera porticina verde per ritirare, come ogni mattina, la sua copia dello «Hartford Courant»: ma invece del giornale, si era ritrovata sulla soglia una tenera cesta di vimini, con dentro un tenero frugoletto. Il resto dell'articolo raccontava come e qualmente il personaggio indimenticabile avesse raccolto il frugoletto, e come negli anni successivi lo avesse cresciuto. A quel punto avevo chiuso «Selezione», e mi ero messo a pensare al tenero donnino che aveva tirato su me.

Nel 1928, dopo un leggero infarto, mio padre era stato costretto per qualche giorno a letto. Insieme alle fitte intercostali doveva avere avvertito il barlume di una consapevolezza di ordine superiore, e intuito che forse non sarebbe vissuto in eterno. Così, non avendo nulla di meglio da fare, papà aveva telefonato alla sua segretaria, che era tale e quale a Bebe

Daniels, e le aveva dettato un testamento. Appena finito di batterlo, la segretaria aveva preso con sé l'originale più quattro copie in carta carbone, si era messa la cloche e si era fatta portare in taxi da La Salle Street all'Edgewater Beach Hotel, dove aveva sottoposto il tutto alla firma di papà.

Era un testo molto breve e altrettanto singolare. Recitava così:

«Alla mia morte desidero che tutti i miei beni terreni passino al mio unico figlio, Patrick. Nel caso il mio decesso avvenga prima che Patrick abbia raggiunto la maggiore età, nomino suo tutore mia sorella Mame Dennis, residente al numero 3 di Beekman Place, a New York.

«È mio espresso desiderio che Patrick riceva un'educazione protestante e frequenti scuole *tradizionali.* Mame sa molto bene cosa intendo. Tutti i liquidi e le polizze di cui sono intestatario dovranno essere amministrati dallo Studio Knickerbocker, che ha sede a New York. Sono certo che Mame per prima coglierà la lungimiranza di questa mia disposizione. Con ciò ovviamente non intendo che mia sorella provveda di persona all'educazione di Patrick. Ogni mese, Mame presenterà allo Studio la documentazione delle spese sostenute per il vitto, l'alloggio, la scuola, i medici, i vestiti di mio figlio. Ma prima di procedere al rimborso lo Studio stesso potrà chiederle conto di ogni voce che dovesse risultare insolita, o *eccentrica.*

«Lascio altresì 5000 (cinquemila) dollari alla nostra fedele collaboratrice, Norah Muldoon, affinché possa finalmente godersi il meritato riposo in quel posto in Irlanda di cui non fa che parlarci».

Norah mi aveva spedito fuori a giocare, poi era venuta a chiamarmi e mi aveva portato da papà, che con voce rotta ci aveva dato lettura del documento. Quindi aveva aggiunto che essere affidato a una donna molto, ma *molto* particolare come zia Mame era un destino che non avrebbe augurato neanche a un cane, ma per disgrazia non avevo altri parenti, e se uno era un derelitto come me non poteva fare tanto lo schizzinoso. Alla cerimonia avevano presenziato, in veste di testimoni, la segretaria di papà e il cameriere del servizio in camera.

Una settimana, e papà stava già dimenticando i suoi guai di salute sul campo da golf. Altri dodici mesi, e giaceva cadavere in una sauna dell'Athletic Club di Chicago. A quel punto ero da considerare, a tutti gli effetti, un orfanello.

Del funerale non ricordo quasi nulla, tranne che faceva un caldo d'inferno e che gli appositi contenitori della limousine delle pompe funebri – una Pierce-Arrow – erano pieni di rose fresche. Quanto al corteo, consisteva essenzialmente in alcuni allegri omaccioni che passarono il tempo sussurrandosi a vicenda l'intenzione di farsi, una volta concluse le esequie, almeno nove buche. E naturalmente c'eravamo Norah e io.

Norah piangeva come un vitello. Io no. Nei miei primi dieci anni di vita, con papà non avevo praticamente mai parlato. Ci incontravamo solo a colazione, dove lui generalmente alternava caffè, Alka-Seltzer e «Chicago Tribune». Se per un caso mi saltava in testa di chiedergli qualcosa, la sua risposta più o meno fissa era: «Muto piccoletto, il vecchio non ne ha più» – espressione che ho cominciato a capire, con una certa difficoltà, solo qualche anno dopo la sua morte. Per il mio compleanno papà mi spediva con Norah alle matinée di un vaudeville con Joe Cook o Fred Stone, o magari al Sells-Floto Circus. Una volta, ricordo, mi portò a cena alla Casa de Alex insieme a Lucille, una signora molto bella che ci chiamava tutti e due «zucchero» e aveva un profumo buonissimo. A me piaceva, Lucille. Per il resto papà non lo vedevo quasi mai. Passavo gran parte del tempo fra la Chicago Boys' Latin School, il kinderheim dell'albergo e la nostra suite, dove vivevo attaccato alle gonnelle di Norah.

Appena papà partì per il posto che Norah chiamava «l'Eterno Riposo», gli omaccioni mossero alla volta del campo da golf, e noi due tornammo in limousine all'Edgewater Hotel. All'arrivo Norah si cavò cappello e veletta e disse che potevo togliermi il vestito di serge. Quindi mi comunicò che Mr Gilbert, il socio di papà, stava arrivando con un altro signore, e mi pregò di non allontanarmi, perché dovevo firmare certi documenti.

Andai in camera mia per esercitarmi con la firma sulla carta da lettere dell'albergo. Poco dopo di là entrarono Mr Gilbert e il suo amico. Sentivo che discutevano con Norah, ma non capivo quasi nulla. Fra un singhiozzo e l'altro, Norah parlava di un uomo caro, buono, anche generoso, e ancora caldo. Lo sconosciuto disse di chiamarsi Babcock e di essere la persona che doveva vigilare sulla mia buona condotta, il che mi mandò in sollucchero perché io e Norah avevamo appena visto un film dove un carcerato molto ammodo otteneva un certificato di buona condotta, e nel corso di una grande evasione salvava la figlioletta del direttore. Quindi Mr Babcock concluse che il testamento era un po' strano, questo sì, ma inattaccabile.

Norah disse che in quelle faccende era una capra, ma fino a capire che stavano parlando di un sacco di soldi ci arrivava anche lei.

Mr Gilbert intervenne precisando che a questo punto al ragazzo non restava che incassare, alla presenza di un rappresentante dello Studio, l'assegno intestatogli, dopodiché la transazione andava registrata presso un notaio, e la pratica si poteva considerare estinta. Che frase paurosa, pensai. Già, concluse Mr Gilbert, già già.

Ricominciando a piangere, Norah ripeté che in effetti si trattava davvero di una grande fortuna, per un ragazzo così piccolo, e Mr Babcock ammise che sì, era una somma considerevole, ma del resto lui era abituato a trattare con gente come i Wilmerding e i Gould, e lì ballavano soldi *veri*.

Secondo me anche nel nostro caso i soldi erano veri, altrimenti non sarebbero stati lì a fare tutte quelle manfrine.

Un attimo dopo Norah venne in camera per dirmi di andare da bravo ometto a stringere la mano a Mr Gilbert e all'altro signore. Obbedii. Mr Gilbert commentò che mi stavo comportando come un vero soldatino, e Mr Babcock mi comunicò che a Scarsdale, dove viveva, aveva un figlio proprio della mia età, col quale sperava facessi presto amicizia.

Mr Gilbert prese il telefono e chiese se potevano mandargli un notaio d'ufficio. Il notaio arrivò e mi fece firmare due pezzi di carta, poi borbottò qualcosa e timbrò i fogli. Mr Gilbert disse che avevamo finito e che se voleva arrivare in tempo a Winnetka doveva sbrigarsi. Mr Babcock puntualizzò che lui invece si sarebbe fermato al club, e che se Norah aveva bisogno di qualcosa lo avrebbe trovato lì. Ci stringemmo un'altra volta la mano, e Mr Gilbert ripeté la storia del soldatino. Poi presero le loro pagliette e uscirono.

Appena rimasti soli, Norah mi confermò che mi ero comportato proprio bene, che se volevo potevamo cenare nella Marine Room, e poi magari andarci a vedere un film sonoro.

E così mio padre uscì di scena.

Non c'erano gran valigie da fare. La nostra suite consisteva in un ampio soggiorno e due camere da letto, ma i mobili erano tutti dell'albergo. Gli unici bibelot appartenuti a papà erano due spazzole militari d'argento e due fotografie. «Viveva come un beduino, viveva» continuava a ripetere Norah.

Quelle due fotografie mi erano talmente familiari che non ci facevo neanche più caso. Una era di mia madre, morta nel darmi alla luce. L'altra ritraeva una signora dagli occhi sfavillanti, avvolta in una mantella spagnola e con una rosa dietro l'orecchio. «Sembra proprio un'italiana, sembra» commentò Norah. Quella era zia Mame.

Norah e Mr Babcock si occuparono degli effetti personali di papà. Lui si prese le carte, l'orologio d'oro, i gemelli di perle e anche i gioielli di mia madre, sostenendo che li avrebbe tenuti fino a quando non fossi stato abbastanza grande per apprezzarli. Al cameriere toccarono i vestiti di papà. Le sue mazze da golf, i miei vecchi libri e i miei giocattoli finirono in beneficenza. Poi Norah tolse dalle cornici le foto di mamma e di zia Mame e le tagliò in modo che mi entrassero nel taschino della giacca: «Così avrai sempre i tuoi cari vicino al cuore» spiegò.

Ormai era tutto sistemato. Passammo da Carson, Pirie e Scott, dove Norah comprò un vestito scuro più di stagione per me, e un cappellino a dir poco epico per lei. Mr Gilbert e l'ufficio ci organizzarono il viaggio a New York, e il 30 giugno eravamo pronti a muoverci.

Il giorno della partenza da Chicago me lo ricordo molto bene, anche perché era la prima volta che mi lasciavano rimanere alzato fino a così tardi. Il personale dell'albergo aveva fatto una colletta per comprare a Norah un'impeccabile valigia di coccodrillo, un rosario di malachite e un immenso mazzo di rose American Beauty, e a me un libro, *I grandi eroi del-*

*la Bibbia*, punto, *Il Vecchio Testamento*. Norah mi portò a salutare uno per uno gli altri bambini dell'albergo, poi, alle sette in punto, ci venne servita la cena in camera, che comprendeva tre dolci diversi – un pensierino dello chef. Alle nove Norah mi fece lavare un'altra volta mani e faccia, diede una spazzolata all'abito scuro nuovo di pacca, mi appuntò un san Cristoforo sul bavero, versò una prima lacrima, si infilò il cappello nuovo, raccolse le rose, fece un ultimo giro di ispezione nelle stanze, versò una seconda lacrima: e finalmente salimmo sul bus dell'albergo.

Di viaggi in prima classe Norah non aveva molta più esperienza di me, e si vedeva. Anche solo stare seduta nello scompartimento la innervosiva, e sentendomi aprire il rubinetto cacciò un urlo. Lesse ad alta voce tutte le istruzioni possibili, quindi mi raccomandò di girare alla larga dal ventilatore elettrico e di non tirare lo sciacquone prima che il treno fosse partito – anzi, di lasciare proprio perdere il gabinetto, perché vai a sapere chi ci si era seduto prima di me.

Seguì un piccolo alterco per il diritto alla cuccetta superiore. Io la volevo a tutti i costi, ma Norah fu irremovibile. Ci si arrampicò, rischiando seriamente di sfracellarsi a terra, ma disse che pur di non suonare per la scaletta, e quindi di farsi vedere in camicia da notte da quell'uomo nero, era pronta a morire. Alle dieci il treno si mosse. Me ne rimasi sdraiato in cuccetta a guardare le luci del South Side sfilare davanti al finestrino, e quando arrivammo alla Englewood Station dormivo già come un sasso. Non avrei più rivisto Chicago.

Fare colazione mentre l'enorme convoglio sfrecciava in mezzo alla campagna fu un'esperienza emozionante. Norah ormai aveva rotto il ghiaccio, e attaccò addirittura bottone col cameriere di colore del vagone ristorante.

«Eh sì, sono in America già da una trentina d'anni. Ho passato l'oceano che ero una ragazzina, innocente come l'erica, si può dire. E subito sono andata a servizio a Boston, a Commonwealth Avenue, per essere precisi. Dio, le scale che non c'erano in quella casa. Capisce, ci abitava la mamma di questo ragazzino qui, che però era ancora una bambina. Poi si è sposata e mi ha portato con sé a Chicago. Dio, la strizza. Credevo che era un posto pieno di pellerossa. Finisci il tuo uovo, tesoro» disse improvvisamente rivolta a me.

«Prima è morta lei,» riprese «poi se n'è andato anche il signor Dennis. All'Athletic Club, pensi, da un momento all'altro, così. E adesso mi spetta il triste compito di accompagnare il bambino a New York, da sua zia Mame. Ma ci pensa, a dieci anni senza più né padre né madre». Qui Norah si asciugò una lacrima.

Il cameriere disse che ero molto coraggioso.

«Tesoro, da bravo, mostra al signore la fotografia di tua zia Mame» fece Norah. Anche se mi vergognavo come un ladro, cavai dal taschino la foto della zia vestita da Carmen.

«Ma mi dica una cosa, questo quartiere, questo Beekman Place, è un posto adatto a un ragazzino come lui? Sa, lui è abituato ad avere sempre il meglio».

«Oh, ma certo, è un ottimo indirizzo. Ho un cugino che lavora a Beekman Place. Dice che ci abitano quasi solo milionari».

Ringalluzzita dai successi mondani riscossi presso il personale viaggiante, Norah ordinò una seconda tazza di tè, guardando gli altri passeggeri come volesse sfidarli a fare anche solo un ba.

Passammo il resto della mattinata nello scompartimento, che come per magia si era trasformato in una specie di salotto. Norah recitò il rosario, con una menzione d'onore alle Sette Città del Peccato, quindi si dedicò al ricamo. Dopo colazione era riuscita a ripetere prima a un facchino poi al macchinista, e ogni volta con un po' più di spocchia, che ero un ragazzo smisuratamente ricco e che mi stavo trasferendo da mia zia Mame, una signora misteriosa e anche lei ricchissima – «almeno quanto il re Comesichiama di Romania» –, che viveva a Beekman Place in un palazzo tutto di marmo.

Alle sei del pomeriggio entrammo finalmente nella Grand Central Station. Con tutte le arie da donna di mondo che si era data in carrozza, appena si ritrovò nella confusione della banchina Norah si sentì morire.

«Dammi la mano, Paddy,» strillò «per l'amordiddio non ti perdere in questo... ». Il resto della raccomandazione se lo portò via il frastuono. Una mano nella mia, l'altra a serrare il corsetto – dove, in un'apposita busta, erano custoditi tutti i nostri averi –, Norah ingaggiò una lotta persa in partenza con un portabagagli che, ignorando le sue proteste, ci sbatté le valigie su un carrello e cominciò a spingerlo, costringendoci ad arrancargli dietro.

Dopotutto il pover'uomo non era animato da cattive intenzioni. Semplicemente fermò un taxi e cominciò a stipare i bagagli sul sedile posteriore – dove bene o male riuscimmo a infilarci anche noi. E prima che il facchino avesse avuto modo di esprimere la propria riconoscenza per i dieci centesimi di mancia che Norah gli aveva allungato, il taxi era già in movimento.

«Al 3 di Beekman Place, autista, per favore» disse Norah. «Ah, e guardi che non ho l'anello al naso, quindi non allunghi la strada per far salire il tassametro».

Era ancora chiaro, e faceva molto, ma molto caldo. Però New York stava deludendo le mie aspettative, anche se non ricordo bene quali fossero. Era precisa identica a Chicago.

Su Park Avenue c'era un ingorgo bestiale, e quando vide che il tassametro era scattato di altri cinque centesimi senza che fossimo avanzati di un metro Norah perse le staffe. La Terza Strada, nonostante tutte le insegne con nomi irlandesi, non le piacque neanche un po', e la Seconda ancora meno.

«Sarebbe mica così gentile da dirci dove ci sta portando?» chiese al conducente.

«Dove mi ha chiesto lei, al 3 di Beekman Place».

«Gesù, sembra uno di quei quartieri schifosi di Dublino» gemette Norah. Ma quando effettivamente arrivammo a Beekman Place si ammorbidì un po'. «Carino» disse con una punta di sufficienza. La macchina si fermò davanti a un palazzo che non si distingueva in nulla dai suoi equivalenti di Lake Shore Drive, Sheridan Road o Astor Street, a Chicago.

«Gli fa un baffo all'Edgewater Beach, gli fa» sbuffò Norah, dimostrando una certa fedeltà alla parte del Paese in cui aveva vissuto tanti anni. «Salta giù, ragazzo, e occhio a non spettinarti».

Il portiere ci squadrò con un interesse superiore alla media, prima di comunicarci in tono glaciale che avremmo dovuto salire fino al sesto piano.

«Andiamo, Paddy, e mi raccomando comportati bene. Ricordati che tua zia è una signora molto elegante».

In ascensore gettai un'ultima, rapida occhiata alla foto della zia, tanto per ricordarmi che faccia aveva. Chissà se portava sempre rose e mantella, pensai.

La porta dell'ascensore si aprì, ci lasciò uscire, e si richiuse alle nostre spalle. Eravamo soli.

«Maria Vergine, l'antro del demonio!» esclamò Norah.

In effetti, ci trovavamo in un ingresso con le pareti nere come la pece. L'unico lume proveniva dagli occhi gialli di un bizzarro idolo pagano con due teste e otto braccia, appoggiato su un piedistallo di tek. Di fronte a noi c'era una porta rosso lacca. Non sembrava la casa di una signora spagnola. Anzi, non sembrava proprio una casa.

Anche se avevo ormai dieci anni, mi aggrappai alla mano di Norah.

«Oh Dio, è come il gabinetto delle signore all'Oriental Theater, vero o no?» gemette lei.

Subito dopo si attaccò al campanello, e quando la porta si aprì non riuscì a trattenere un gridolino: «Dio mio, un cinese!».

Sulla soglia era apparso un minuscolo domestico giapponese, poco più alto di me, che ci guardava sorridendo. «Cosa volete?».

Norah rispose in un bisbiglio sottomesso: «Ecco, io sarei la signorina, anzi, sono Norah Muldoon, e ho portato il signorino Dennis, che sarebbe lui, da sua zia».

Il giapponesino schizzò indietro come un piccolo automa. «Forse errore. Bambino non oggi».

«Ma ho spedito io stessa il telegramma per dire che saremmo arrivati oggi, 1° luglio, alle sei» disse Norah con la voce strozzata dall'ansia.

«Non importante» rispose il giapponesino facendo spallucce con suprema indifferenza orientale. «Ragazzo qui, casa qui, anche signora qui, però adesso occupata. Non importante. Voi entrate. Aspettate. Io chiamo».

«Secondo te è il caso?» sussurrai a Norah. Gettai un altro sguardo alle pareti e agli occhi gialli dell'idolo, e un'altra stretta alla vecchia manona ruvida che ancora stringevo. Tremava quanto e più della mia.

«Voi entrate. Aspettate» ripeté il giapponese con un sorrisetto sinistro. «Entrate» disse ancora. La sua voce aveva qualcosa di ipnotico.

Coi piedi pesanti come macigni ci addentrammo in una specie di anticamera. Era quasi l'opposto di quell'ingresso nero, ma faceva ancora più paura. Le pareti erano arancio carico. Un'immensa lanterna giapponese di bronzo lasciava filtrare, da dietro i fogli di pergamena gialla, una luce livida. Ai due lati dell'anticamera si aprivano grandi archi, chiusi da alti paraventi di carta. E dietro i paraventi, un sacco di persone faceva un sacco di chiasso.

Il giapponese ci indicò con un cenno una lunga panca molto bassa. «Sedete» sibilò. «Io cerco signora. Voi sedete».

Dietro la panca era appeso un enorme arazzo. Raffigurava un giapponese nell'atto di sbudellarsi con una spada da samurai.

«Sedete» ripeté il domestico ridacchiando, prima di dileguarsi dietro il paravento.

«Paganerie» mormorò Norah. Quindi depose la sua ragguardevole mole sulla panca, in uno scricchiolio di giunture. «Chissà cosa penserebbe il tuo povero papà». Dietro i paraventi il frastuono crebbe d'intensità, e a un certo punto si sentì un rumore di vetri infranti. Mi avvinghiai a Norah.

La nostra conoscenza dei bordelli orientali dipendeva interamente dalla visione di alcuni film, nei quali Hollywood ci aveva spiegato molto bene cosa aspettarci quando l'Occidente incontrava l'Oriente: truci faide tra bande rivali, orrende torture, vergini drogate, vendute e condannate a una vita mille volte peggiore della morte sulle rive del Fiume Azzurro.

«Paddy,» esclamò Norah all'improvviso «ci hanno attirato con l'inganno in una fumeria d'oppio, e se non ce ne andiamo ci uccideranno. Dobbiamo assolutamente uscirne, e subito». Si alzò di scatto trascinando anche me, ma un istante dopo si lasciò cadere di nuovo sulla panca, con un sospiro di rassegnazione.

Davanti a noi si era materializzata una bambola giapponese. Aveva i capelli cortissimi, con una frangetta tagliata dritta che arrivava a lambire l'arco, molto accentuato, delle sopracciglia. Il suo abito di seta terminava in un lungo strascico a ricami d'oro. Anche le pantofoline che calzava erano d'oro, e tintinnanti di gioielli. Ai polsi, invece, tintinnavano braccialetti e braccialetti di giada e d'avorio. Le unghie, sicuramente le più lunghe che avessi mai visto, erano coperte da un delicato smalto verde acqua. Alle labbra scarlatte era languidamente appoggiato un interminabile bocchino di bambù. Eppure, non so come, quella signora aveva qualcosa di familiare.

Guardò Norah e me con un'aria fra il sorpreso e il divertito. «Oh bella, all'agenzia mica me l'avevano detto del ragazzino. Non importa, sembra un bravo ometto. Vorrà dire che se sgarra lo buttiamo nel fiume, giusto?». Lei rise, ma noi no. Poi si rivolse di nuovo a Norah. «Cosa la aspetta qui penso lo sappia: una blanda schiavitù domestica per sei giorni alla settimana, e il giovedì libero».

Norah la fissava a bocca spalancata.

«Comunque è un po' in ritardo» continuò la signora orientale. «Avrei preferito che arrivasse in tempo per servire questa marmaglia,» disse con un vago cenno alla fonte di tutto quel baccano «ma non importa. Dato che è venuta così, le troverò qualcosa di adatto da mettersi». Fece per tornare dalla marmaglia, ma prima di andarsene aggiunse ancora: «Ah sì, adesso chiamo Ito, così vi mostra le vostre stanze. Ito! Ito!». E, chiamando Ito, uscì di quinta.

«Maria Vergine, ma l'hai sentita come si esprime? Che parole! Sembra una di quelle ballerine cinesi, sembra, sai quali. E adesso cosa facciamo, Paddy, *cosa*?».

Una coppia inquietante attraversò la stanza. L'uomo sembrava una donna, e la donna, gonnone di tweed a parte, era la copia conforme di Ramón Novarro. L'uomo disse: «Avrai saputo che vogliono mandare la povera Miriam al Coast!».

«Be', per stroncarle la carriera, povera stronza, è la scelta migliore» disse la donna con una risata perfida, prima di eclissarsi dietro il paravento.

Norah strabuzzò gli occhi – e anch'io. Ormai il frastuono era quasi assordante. All'improvviso un urlo squarciò l'aria, facendoci sobbalzare. Poi la voce di una signora che gridava come una pazza coprì tutte le altre: «Ahia, Aleck! Dài, adesso basta. Così mi fai morire!». Qualcuno rise, qualcun altro strillò. Norah mi afferrò il braccio e ci si tenne stretta. Da dietro il paravento spuntarono due uomini, uno dei quali aveva una barba rossiccia. Trascinavano una donna vestita di nero, con la testa che ciondolava all'indietro, gli occhi chiusi, e i capelli – lunghissimi – che strisciavano sul pavimento. Norah deglutì. «Povera Edna» disse uno dei due. «Scusa, povera un corno» disse il barbuto. «È tutto il pomeriggio che glielo ripeto: "Edna, se ti stracanni tutta quella robaccia a pranzo firmi la tua condanna a morte. Alle sette di sera finisci dura come uno stoccafisso". Ed eccola qui, fra la vita e la morte». Norah si fece il segno della croce.

Seguirono un altro urlo e un'altra risata folle. Il giapponesino schizzò fuori da dietro una tenda e attraversò l'ingresso a tutta birra, con in mano un coltellaccio lungo così. Norah non riuscì a trattenere un gemito.

«Santa Maria, Madre di Dio, prega per noi. Salva questo orfanello e me, non farci finire sgozzati o peggio da questi tagliagole cinesi». E qui attaccò una litania interminabile quanto sconnessa, nella quale riuscii a distinguere solo poche parole: tratta delle bianche, Shanghai, assassini.

La donna-uomo e l'uomo-donna rientrarono da dove erano usciti, attraversando la stanza in direzione opposta rispetto a prima.

«... e ovviamente *La morte viene per l'arcivescovo*» stava dicendo lui. «Stupendo, no? Da brividi!».

«Oh, mio Dio! Questa sentina di vizi non risparmia niente e nessuno».

Di nuovo la pazza di prima: «Aleck, no! Così mi uccidi!».

«Ora basta!» gridò Norah, afferrandomi la mano e tirandomi in piedi. «Finché ci resta un briciolo di fiato in corpo, usciamo da questo covo di ladri e di assassini. Meglio morire difendendo la propria virtù che finire venduti come schiavi dai cinesi. Andiamo Paddy, fuggiamo veloci come il vento, e che il buon Dio ci aiuti». E schizzò verso la porta con un'agilità sorprendente, trascinandomi con sé.

«Prego, fermi». Più che fermi, rimanemmo impietriti. Il giapponesino ci fissava con un sorriso stranito. E con il coltello ancora in mano. «Signora non vi ha trovato?».

«Senta, lei, apra bene le orecchie» disse Norah con il coraggio della disperazione. «Questa povera vecchia che le parla è disposta a pagare pur di avere salva la pelle. Anche se non sembra, ho con me qualche soldo. Anzi, tanti soldi. Cinquemila dollari, più i risparmi di tutta una vita. Mi sembrano abbastanza per lasciarci andare, no? In fondo non abbiamo fatto nulla di male».

«Oh, no, così non bene. Adesso chiamo Madame. Madame molto contenta bambino qui» rispose quello con un sorriso imperscrutabile.

«Che bassezza» piagnucolò Norah.

La bambola giapponese ricomparve. «Ito,» disse «ti stavo cercando dappertutto. Lei è la nuova cuoca, e dovresti...».

«No signora». E fece segno di no col ditino. «Nuova cuoca in cucina. Lui bambino che aspettava».

«Ma no! Allora lei è Norah Muldoon!» squittì la signora.

«Sisiora» farfugliò Norah, troppo stremata per articolare bene le parole.

«Ma scusi, perché non mi ha detto che arrivavate oggi? Non mi sarei neanche sognata di dare una festa!».

«Veramente, signora, le ho mandato un telegramma».

«Sì, ma nel telegramma si diceva che sareste arrivati il 1° luglio, domani. Oggi è solo il 31 giugno...».

Norah scosse la testa con aria grave. «Veramente, signora, oggi è il 1° luglio, mannaggia a me».

La signora esplose in una risata argentina: «Su, non facciamoci ridere dietro, lo sanno anche i bambini: "Trenta dì conta novembre, con april, giugno e...". Oh santo cielo». Pausa. «Ma caro,» disse con aria melodrammatica «allora io sono tua zia Mame!». Quindi mi abbracciò, mi baciò, e capii che ero salvo.

Una volta entrati nel cavernoso soggiorno di zia Mame, in tutto e per tutto identico al night club di *Our Dancing Daughters*, lo scoprimmo con sollievo popolato di uomini e donne normali. Be' insomma, quasi; e comunque l'unica orientale potenzialmente minacciosa era zia Mame – passata a quanto pareva dalla fase spagnoleggiante a quella nipponica.

Alcuni ospiti erano seduti su bassi divani giapponesi, altri avevano preferito il terrazzo, da cui si sporgevano per ammirare le acque limacciose del fiume che scorreva là in basso. Stavano tutti mangiando e bevendo. Baciandomi a ripetizione, zia Mame mi presentò a un sacco di sconosciuti, tra i quali un certo Mr Benchley (molto simpatico), un certo Mr Woollcott (molto antipatico), una certa Miss Charles e parecchi altri.

A tutti quanti la zia ripeteva la stessa cosa: «Questo è il figlio di mio fratello, anzi lo era, perché ora diventerà il *mio* bambino».

Quindi mi disse di «guardarmi un po' intorno» prima di andare a dormire. Ripeté che le spiaceva moltissimo avere sbagliato giorno, ma che adesso doveva andare con dell'altra gente a cena all'Acquario. A me sembrava un posto un po' strano per andarci a cena, ma per educazione chiesi se pensavano di mangiare pesce – e tutti scoppiarono a ridere.

La zia si limitò a dire che era una bettola in centro – e io finsi di aver capito.

Presi Norah per mano e me la portai a guardarci un po' intorno insieme, ma non mi riuscì di parlare con nessuno. Usavano tutti buffe parole tipo «batik», «Freud», «complesso di inferiorità» e «astrazione». Una signora coi capelli rossi raccontò che passava un'ora al giorno sul lettino del suo dottore, e che ogni volta, prima di andarsene, gli lasciava venticinque dollari. Norah mi trascinò via.

Il giapponesino le allungò un bicchiere, dicendo che era roba buona, appena sbarcata, e Norah precisò che, pur non essendo abituata allo spirito – anche se mi parlava sempre di fantasmi –, un goccetto lo avrebbe preso. Le fece subito bene, tanto che un momento dopo, di ottimo umore, ne chiese un altro.

Intanto gli ospiti cominciavano a sciamare. Un gruppo sosteneva che se volevano dare un'occhiata al caro, vecchio Texas dovevano sbrigarsi, altrimenti non avrebbero trovato posto. Io avevo sempre pensato che il Texas fosse lontanissimo da New York, ma evidentemente mi sbagliavo.

Sulla porta un altro gruppo discuteva di cose che non capivo, di Lisistrata, ad esempio, e di netsuke, e dei lapislazzuli, e di un certo Karl Marx. Boh, doveva essere un parente di Groucho, Harpo, Chico e Zeppo. Poi arrivò zia Mame, con un abito da sera giallo tale e quale a quello di Bessie Love in *The Broadway Melody*. Era molto lungo dietro, molto corto davanti, e per niente giapponese.

«Buona notte, caro» disse dandomi un altro bacio. «Ci faremo una lunga chiacchierata domattina, va bene? Ma non prestissimo». Poi chiuse la porta, e l'appartamento piombò nel silenzio.

Il giapponese mi prese teneramente la mano. «Signor bambino stanco. Signor bambino adesso cena». Poi, sempre in tono estremamente gentile: «O forse prima pipì?».

Sentii una vampata di calore, poi un lungo brivido. Con orrore, mi ero accorto di una certa cosa.

«Già... già fatta, grazie» risposi guardando la spaventosa macchia che deturpava il mio abito scuro appena comprato.

# 2
# ZIA MAME E L'ORA DEL BAMBINO

L'articolo di «Selezione» proseguiva raccontando di come la zitella del New England, che pure non aveva alcuna esperienza di bambini, avesse finito con l'affezionarsi al fagottino che le era stato deposto sulla soglia; e di come al contempo si fosse incapricciata di discipline quali puericoltura, psicologia e compagnia bella.

Al momento di mandare il pargolo a scuola, poi, Miss Indimenticabile aveva verificato il proprio dissenso dai metodi e dai princìpi educativi in auge nel villaggio. Quindi, nonostante l'occhiuta sorveglianza delle istituzioni, l'adorabile zitellina aveva tenuto duro, e con le sue sole forze aveva attuato una profonda riforma del sistema scolastico.

Per quanto mi sforzassi, non riuscivo a vederci niente di straordinario, o di unico. In fatto di educazione e di psicologia, anche zia Mame aveva idee molto personali.

Se ripenso alla farfallina sberluccicante e un po' pazza che era nel 1929, immagino che la prospettiva di tirare su l'alieno decenne che fissava sbigottito la munificenza orientale dell'appartamento di Beekman Place incutesse a zia Mame lo stesso sgomento che si leggeva nei miei occhi. Ma certo non era tipo da darsi facilmente per vinta. In qualche recesso della sua personalità allignava la suffragetta da prima linea, che batte i locali malfamati alla ricerca di casi umani da recuperare. E benché le sue idee sulla pedagogia – come del resto su qualsiasi altra cosa – non risultassero propriamente ortodosse, va detto che il suo singolarissimo sistema educativo, in un modo o nell'altro, aveva una certa efficacia.

Il nostro primo colloquio ebbe luogo nella sua monumentale camera da letto, all'una di pomeriggio del mio secondo giorno a New York. Avevo passato la mattina con Norah, a perlustrare le stanze. Mi sentivo negletto, non amato, non voluto. Ito, il camerierino giapponese, mi aveva preparato un pranzo delizioso, ma più di qualche risatina non gli avevo strappato. All'una ero talmente abbattuto che me ne andai in camera a leggere *I grandi eroi della Bibbia*, punto, *Il Vecchio Testamento*. Ma poco dopo entrò Ito, con una comunicazione secca: «Tu adesso da signora».

La camera da letto al piano di sopra in cui zia Mame mi ricevette era immensa. Aveva le pareti nere, tappeti bianchi e un soffitto oro. L'unico mobile era un gigantesco letto dorato su una pedana, con accanto un comodino da notte. Credo che chiunque avrebbe trovato quella stanza angosciante. Chiunque, tranne zia Mame. Era garrula come un uccellino. E con addosso quella vestaglia di piume di struzzo rosa lo sembrava proprio, un uccellino. Stava leggendo *Les faux-monnayeurs* di Gide, e fumava una Melachrino infilata in un lungo bocchino d'ambra.

«Bene alzato, piccolo principe» trillò. «Vieni immediatamente qui e dai un bel bacio a zia Mame, ma piano piano, caro, che la zia ha male dappertutto». La baciai più piano possibile. «Oh ma che caro, era proprio un bacino adorabile. Fra un po' di anni farai felice qualche ragazza fortunata. Adesso vieni qui e siediti sul letto di zia Mame – sempre piano, mi raccomando –, così chiacchieriamo un po'. Il mattino è il momento giusto per chiacchierare. Su, che dobbiamo conoscerci meglio».

Avrei presto scoperto che per «mattino» zia Mame intendeva l'una del pomeriggio. Le undici erano «mattino presto», mentre le nove corrispondevano a «notte fonda».

«Non adori anche tu la luce di perla dell'alba?» mi chiese con un gesto arioso, che comportò lo spargimento di un ingente quantitativo di cenere sulle lenzuola di satin nero.

«Dunque, caro,» riprese «ci sono un mucchio di cose che dobbiamo scoprire l'uno dell'altra. Io non ho mai avuto un babanetto per casa, e, ullallà, ma c'è la colazione!».

«Vediamo un po'» disse sfilando tutta contenta dalla montagna di carte sul comodino prima il testamento di papà, che aveva provveduto a decorare con parecchi numeri telefonici e un paio di liste della spesa, poi un blocco giallo e una grossa matita nera. «Bene bene, qui c'è scritto che sei affidato a me, non mi pare il caso di perder tempo a discuterne. Ora, tuo padre dice di desiderare che tu riceva un'educazione protestante. Personalmente non ho nulla in contrario, ti perderai i raffinati misteri di alcune religioni orientali, ma pazienza. D'altronde che vuoi farci, tuo papà è sempre stato un tale bacchettone, per *certi* versi. Non che voglia parlare male di mio fratello, figuriamoci. Senti caro, che chiesa frequentavi?».

«La Quarta Presbiteriana» ammisi con un certo imbarazzo.

«Oh, santo cielo. Cioè, mi stai dicendo che in un buco come Chicago ci sono *quattro* chiese presbiteriane? Boh, comunque non importa, immagino che ce ne sia una anche qui sotto, vedremo di trovarla» disse con uno sguardo al soffitto d'oro che neanche una diva del muto. «Secondo me tuo padre non se la prenderà poi tanto se ti presento a monsignor Malarky. È un tale tesoro. Un uomo coltissimo, sai, e poi... certi occhi di zaffiro... Viene a prendere l'aperitivo una sera della settimana prossima. Gli farò promettere che non te la conti su».

Tornammo subito agli affari, cioè al testamento di papà. «Bene, il problema dell'educazione religiosa l'abbiamo risolto. Adesso passiamo alla scuola. A che punto sei?».

«Al Boys' Latin ero in quinta, come classe».

«In quinta? Come in quinta? Tu dovresti essere in *prima* classe. Mi sembri abbastanza sveglio».

Con l'infinita pazienza dei decenni tentai di spiegare alla zia che a scuola le classi andavano in ordine di età, non di merito.

«Quindi scusa, se ho capito bene, non avendo ancora dieci anni dovresti essere...».

«In quarta. Ma sono un po' avanti».

«Mi stai dicendo che sei precoce?».

«Precosa?».

«Precoce, caro, più intelligente di quelli della tua età. Avanti a scuola».

«Oh sì,» risposi «sono pre... quella cosa lì».

«Dio, che gioia!» trillò zia Mame prendendo subito un appunto. «Sai caro, anche se tuo padre ha sempre fatto l'impossibile per nasconderlo, tu vieni da una famiglia molto, ma molto intellettuale».

Tornò al testamento. «Dunque, qui tuo padre mi raccomanda di iscriverti a una scuola *tradizionale*. Ti pareva. Di' un po', quella scuola di cui mi parlavi prima, Latin vattelapesca, era "tradizionale"?».

«Non capisco».

«Oh insomma, era noiosa? Faticosa? Pallosa? *Antiquata?*».

«Antiquata di sicuro».

«Tipico di tuo padre» sospirò zia Mame. «Be', per fortuna conosco una scuola nuova assolutamente divina. La sta aprendo un mio amico. È impostata su basi assolutamente paritetiche, sai. Una vera rivoluzione. Si va a lezione nudi, e la classe è piena di lampade ultraviolette. Entro il primo semestre ti sradicano tutte le inibizioni. Per forza, il mio amico è perfettamente *au courant* di tutto quel che accade a Vienna. Se solo gli nomini quella vecchia befana della Montessori gli piglia una crisi isterica. Lui punta soprattutto sulle arti non oggettive, l'euritmica e i gruppi a tema. Niente libri o roba del genere, per carità. Dio, come mi piacerebbe mandartici. Darebbe un bello scrollone alla tua libido».

Non avevo la più pallida idea di cosa stesse dicendo, ma certo sembrava una scuola a dir poco fuori dal comune.

Nel frattempo l'espressione di zia Mame si era fatta dolcissima, sognante. «Mi chiedo se non sarebbe proprio il caso di provare con Ralph. Tu pensi di avere parecchie inibizioni, caro?».

Arrossii penosamente. «Mi spiace, zia, molte delle parole che usi non le capisco».

«Oh bambino, bambino mio!» esclamò zia Mame, mentre le maniche di struzzo tracciavano fantastici arabeschi sulle lenzuola di satin nero. «Cosa, cosa possiamo fare per il tuo vocabolario? Ma scusa, tuo padre non ti parlava?».

«Praticamente mai».

«Tesoro mio, un vocabolario ampio è ciò che contraddistingue ogni vero intellettuale. D'ora in poi,» e qui tornò a rovistare nel marasma del comodino, estraendone un altro blocco e un'altra matita «ogni volta che sentirai dire, da me o da qualcun altro, una parola che non conosci, la trascriverai qui, e io ti spiegherò cosa significa. Poi la imparerai a memoria, e vedrai che in pochissimo tempo ti costruirai un vocabolario come si deve. Oh, che avventura emozionante plasmare una tenera, una giovane vita! ». Aveva un'aria rapita, e per rafforzarla si abbandonò a un altro dei suoi ampi gesti, di cui tuttavia perse il controllo, rovesciando la tazza del caffè. Io feci come mi aveva detto, e cioè annotai seduta stante le sei parole che le erano uscite di bocca, e che non conoscevo – ma mi venne ingiunto di cancellarle immediatamente, sia dal foglio sia dalla testa.

Subito dopo, zia Mame ricominciò a studiare il testamento.

« Quanto alle formule di indennizzo... ».

« Come si scrive ind... ».

« Ssst, non mi interrompere! Dei loro soldi posso fare benissimo a meno. Anzi guarda, non li voglio proprio! ». Gli occhi le erano diventati due capocchie di spillo, fisse su di me. « Ma certo, sono sicura che ti avranno messo alle costole uno di quei calcolatori umani, dicendogli di contare i soldi in tasca a te e di spiegare a me come devo tirarti su ».

« Stai parlando del mio tutore? ».

« Già, proprio di lui. Che tipo è? ».

« Be', si chiama Mr Babcock, porta la paglietta e gli occhiali, vive in un posto che si chiama Scarsdale e ha un figlio più o meno della mia età ».

« Scarsdale, ci avrei giurato ». Zia Mame si appuntò « Studio Knickerbocker » e « Babcock ». « Bene, mi par di capire che per i prossimi otto anni quel tizio sarà la mia *bête noire.* A me le gatte da pelare, e a lui l'ultima parola. Bella roba ».

« La parola che hai detto vuol dire bestia nera, vero? ». Mi sembrava una buonissima definizione di Mr Babcock.

«Oh, tesoro!» proruppe zia Mame, baciandomi d'impeto. «Vedo che il tuo vocabolario fa passi da gigante! D'ora in avanti fra di noi potremmo parlare solo francese, che ne dici?». Per il momento, tuttavia, continuò a rivolgermisi in inglese. «Bene, di quel Babcock mi occuperò a suo tempo. Dio sa se non imparerai di più in dieci minuti nel mio soggiorno che in dieci anni con tuo padre. Che modo criminale di tirar su un ragazzo!». Facendo svolazzare le piume, diede un'occhiata all'orologio. «Oh santo cielo, ma io devo assolutamente andare a comprare due cosette con Vera, mi sta aspettando. Magari puoi venire anche tu. Tanto un po' ci siamo conosciuti, no?». Poi le cadde l'occhio sul mio vestito a lutto. «Oh Dio santo, bambino mio, non avresti qualcosa da metterti che non ti faccia sembrare una cornacchia malata?».

Risposi di sì, che ce l'avevo.

«Ecco, allora se vuoi uscire con me cambiati. Ah, non dimenticare il taccuino». Ligio agli ordini, mi diressi verso la porta.

«A proposito, ragazzo...». I suoi occhi erano di nuovo due spilli. «Prima di morire tuo padre ti ha mai parlato, o meglio, ti ha mai detto qualcosa di me?».

Siccome Norah mi ripeteva sempre che i bugiardi vanno all'inferno, mi feci coraggio e sputai il rospo: «Solo che eri una persona molto strana e che finire in mano tua era un castigo che non avrebbe augurato neppure a un cane ma che i derelitti non possono fare tanto gli schizzinosi e io altri parenti non ne avevo».

Zia Mame prese fiato, con calma. Poi scandì: «Che bastardo».

Misi mano al taccuino.

«La parola che hai appena sentito, tesoro, è bastardo» disse la zia con una vocina soave. «Si scrive bi-a-esse-ti-a-erre-di-o, e per la precisione significa “il tuo defunto genitore”. Adesso vestiti e andiamo».

Trascorsi la mia prima estate a New York trotterellando dietro a zia Mame. Dal primo pomeriggio in avanti, cioè dopo la chiacchierata del mattino, la seguivo con discrezione quasi ovunque andasse – tè letterari, salotti, aperitivi. E sempre col mio blocco sottobraccio.

La gente che mi capitava di incontrare usava un sacco di parole nuove, almeno per me, e alla fine dell'estate il mio vocabolario si era parecchio arricchito. Qualche foglio pieno delle strane informazioni che raccoglievo alle *soirées* di zia Mame ce l'ho ancora. Ce n'è uno, datato 14 luglio 1929, che contiene un mucchio di termini apparentemente irrelati quali «presa della Bastiglia», «lesbica», «guerra per bande», «Zeppo Club», «Es», «daiquiri» (scritto non proprio così), «teoria della relatività», «libero amore», «complesso di Edipo» (altra trascrizione libera), «ciofeca», e poi ancora (da qui in avanti la libertà si fa licenza) «narcisista», «Biarritz», «psiconevrotico», «Schönberg» e «ninfomane». Zia Mame mi spiegava tutte le parole che riteneva dovessi sapere, suggerendomi qualche frase di contorno. Quelle stesse frasi, in seguito, le ripetevo a Ito, che però continuava a sistemare i suoi fiori e a ridacchiare.

In quell'estate del 1929, comunque, feci notevoli progressi, anche se non nel senso auspicato dal «Bollettino del Genitore». Per fine luglio ero perfettamente in grado di preparare quello che Mr Woollcott chiamava «un Martini cocktail luculliano» e non avevo più paura degli amici di zia Mame, neppure dei più strani.

Zia Mame trascorreva le giornate in un turbine di

acquisti, intrattenimenti, feste in casa e fuori, adeguamenti alla rutilante moda dell'epoca – e alla sua personale, e ancora più rutilante, versione della medesima. Questo senza contare le continue puntate a teatro – soprattutto nei teatrini sperimentali, che sbocciavano e appassivano come fiori di campo in tutta la città –, le cene offerte da una sfilza di signori tutti molto intellettuali, più le frequenti visite a gallerie di statue e dipinti pressappoco incomprensibili. Eppure, nonostante questa vita frenetica e forse un po' vuota, zia Mame mi dedicava un sacco di tempo. Mi trascinò a non so quante mostre, ad altrettante scorribande per negozi in compagnia della sua amica Vera, e in qualsiasi altra circostanza ritenesse adatta, stimolante o formativa per un ragazzino di dieci anni. Ce n'erano parecchie, come si può immaginare.

In realtà, nel più breve e indolore tempo possibile, zia Mame e io cominciammo a volerci un bene del diavolo. Del resto era più o meno inevitabile che la sua stupefacente personalità, dopo aver mietuto migliaia di vittime, finisse per conquistare anche me. Zia Mame aveva un fascino caotico, ma leggendario, e inoltre ai miei occhi rappresentava qualcosa che non avevo mai avuto – una famiglia. Certo, che le potesse importare qualcosa di un ragazzino di dieci anni come ce n'erano migliaia non cessava di stupirmi, o meglio di confondermi. Eppure era così, e ho sempre pensato che nonostante tutte le persone che aveva intorno, e i suoi interessi, e le sue mille e mille occupazioni, zia Mame in fondo si sentisse un po' sola. I suoi critici sostenevano che per lei ero solo l'ennesimo blocco di argilla da plasmare, con colpi un po' troppo energici, a sua immagine e somiglianza, e bisogna ammettere che difficilmente zia Mame si asteneva dal ficcare il naso nella vita degli altri. Ma aveva anche una sua tenace, inaffidabile affidabilità. Insomma finimmo per innamorarci, e per entrambi si trattò di un'esperienza irripetibile.

Ben presto, tuttavia, il nostro idillio fu oscurato da un nuvolone minaccioso, che aveva le sembianze del mio tutore. Accadde un mattino, cioè un pomeriggio, insomma durante la chiacchierata del risveglio. Che poi una chiacchierata non era, dal momento che, in un empito di spirito materno, zia Mame aveva deciso di leggermi alcuni passi scelti (da lei) di *Addio alle armi*. Sul più bello, però, fra noi e Hemingway si interpose una raccomandata dello Studio Knickerbocker.

Nella sua lettera, Mr Babcock sosteneva che da tempo desiderava mettersi in contatto con noi, ma gli era stato impedito prima dagli affari, eccetera eccetera, poi dal trasferimento della famiglia nel Maine, eccetera eccetera, poi al rientro da una tonsillite del figlio che aveva richiesto, nientemeno, l'intervento del dottore, eccetera eccetera. Adesso però le cose sembravano essersi rimesse a posto, eccetera eccetera, dunque era giunto il momento di discutere un'infinità di dettagli a proposito del signorino Dennis, e se quindi la signora Dennis fosse stata così gentile da accompagnare il signorino Dennis di cui sopra fino a Scarsdale per una chiacchierata alla buona, eccetera eccetera, cercando di finire presto in modo che il signorino Dennis potesse tornare a casa a un'ora decente, eccetera eccetera, i treni dalla Central Station forse non erano il massimo della comodità, però eccetera eccetera, e per favore se la signora Dennis poteva fargli pervenire un cortese cenno di riscontro. Eccetera eccetera.

Con un sospiro, zia Mame mi passò la lettera e suonò per farsi portare un whisky liscio. «Oh, tesoro,» proferì in tono lugubre «queste che senti sono campane a morto. Quel tutore! Lo vedo come se lo avessi qui davanti, lui e le sue orrende macchinazioni tese a prevaricare e snaturare tutti i piani che avevo per te! ».

Mi appuntai « prevaricare » e « snaturare », quindi cercai di rassicurarla, garantendole che Mr Babcock era un ometto pacato e anche abbastanza simpatico.

« Oh, bambino, bambino, » gemette lei « non c'è niente di peggio delle gattemorte. Hai presente Huriah Heep? ».

Come suo costume, zia Mame si concesse una mezzoretta di sceneggiata, poi si calmò e decise di prendere in mano la situazione. Chiamò Mr Babcock, e con la sua voce più impostata gli disse che saremmo stati felici di andare a cena a Scarsdale l'indomani stesso, e che non doveva preoccuparsi di venirci a prendere alla stazione, dal momento che saremmo andati in macchina. Più elegante di così. Appena posata la cornetta chiamò la sua migliore amica, Vera, ingiungendole di mollare tutto e di precipitarsi da noi.

Vera, l'amica di zia Mame, era una famosa attrice di Pittsburgh che però parlava come se fosse nata a Mayfair, il che non sempre aiutava l'ascoltatore a interpretare correttamente quello che diceva. I bambini non le piacevano e lei non piaceva a loro, ma per me, visto che zia Mame aveva investito un mare di soldi nel suo nuovo spettacolo, era disposta a fare un'eccezione.

Vera si presentò da noi in una nuvola di volpe bianca, dando la stura a una seconda, straziante pantomima, stavolta a due voci. Terminata la quale però Vera, che era più equilibrata di zia Mame, decise di rimboccarsi le maniche. In altre parole chiamò Ito, si fece portare una bottiglia di cognac, e prese il comando delle operazioni. Più o meno.

« Mia cara, » attaccò « innanzitutto calmati. Ti trovo assolutamente isterica. Adesso beviti un sorso di questo, siediti, e lasciati dire un paio di cosette. Tu hai tutto, bellezza, educazione, intelligenza, cultura, denaro, una posizione, tutto. Il problema è che temo tu sia un tantinello *troppo*, per Scarsdale. Devi solo tirarti un po' giù, ed è fatta. Vedi, quando recitavo Lady Esme in *Follie d'estate...*».

«*Follie d'estate,*» strepitò zia Mame «io le sto vivendo, le mie follie d'estate, e tu mi racconti dei tuoi trionfi a teatro! È tutto quello che hai da dire? Ma io cosa, cosa devo fare?». E intanto si mordicchiava le unghie laccate d'oro.

«Come ti stavo dicendo, mia ca-ra,» fece Vera in tono molto sostenuto, e persino più britannico del solito «i costumi per *Follie* erano di Chanel. E sai cosa mi ha detto, Coco? Mi ha detto: "*Chérie* (è così che mi chiamava, *ma chérie*), sappi che i vestiti influenzano l'umore, il carattere, tutto". E aveva ragione. Ti ricordi l'ultimo atto, quando Lady Esme scende le scale dopo che Cedric si è sparato? Bene, io lì avrei voluto un abito nero, ma Chanel mi ha detto: "*Chérie*, non se ne parla, devi essere in grigio. Giornata grigia, umore grigio, abito grigio. Al massimo, ma proprio al massimo, con un tocco di zibellino". E sai mia cara cosa ha detto Brooks Atkinson di quel costume? Oh, non me lo dimenticherò mai – ha detto che trasformava una recita da filodrammatica in puro Shakespeare».

Qualsiasi discorso sui vestiti catturava all'istante l'attenzione – spasmodica – di zia Mame, che infatti si rianimò di colpo. «Vera, hai ragione al cento per cento» disse pesando le parole. «Adesso mi è tutto chiaro. Credo che quel piccolo kimono grigio a ricami scarlatti, magari abbinato a due camelie rosso sangue dietro le ore...».

«Mame, cara,» disse Vera con tutta la delicatezza possibile «quello che avevo in mente non era che ti presentassi al giudizio di Dio vestita da geisha. Per

Scarsdale dovresti essere, come dire, un po' meno te stessa. Non so se mi spiego, dovresti mettere una cosina discreta, poco aggressiva, e con parecchio nero intorno. Non è che devi sembrare a lutto, però triste, molto triste sì. Molto triste, e soprattutto molto tradizionale. Il tutore deve sentire che può fidarsi di te».

Zia Mame non era ancora convinta, ma ascoltava con attenzione, e più il livello del cognac nella bottiglia – a quanto pareva arrivata direttamente dalle cantine dell'*Île de France*, senza passare per la dogana – precipitava, più l'immagine, vividamente tratteggiata da Vera, di una zietta rispettabile assurgeva a vette celestiali. Sul debole di zia Mame per il melodramma si poteva sempre contare, tant'è vero che di lì a poco le due signore, felici come ragazzine, si erano già buttate a capofitto nell'immenso guardaroba della mia congiunta.

Mentre io recitavo ad alta voce una mia antologia personale da *Angeli e creature terrene* di Elinor Wylie, e badavo a che il bicchiere di Vera fosse sempre pieno, un vecchio négligé di chiffon grigio veniva trasformato in un abito accettabilmente scuro, che unito al grande cappello nero, impreziosito da un velo impalpabile, di Vera, e a una collana parimenti nera, conferiva a zia Mame un'aria fragile e malinconica. Vera aveva anche disseppellito da chissà dove un vecchio toupet che pare zia Mame avesse portato a un ballo dei Beaux Arts, e che una volta sistemato andò a formare una specie di coroncina tanto decorosa quanto instabile sull'acconciatura a caschetto di zia Mame. Per le sei il costume era completo. Vera mi fabbricò un bracciale da lutto, scolò l'ultimo goccio di cognac, e perse i sensi.

Alle nove del mattino dopo – cioè in quello che lei chiamava il cuore della notte – zia Mame era già in piedi, con un'aria pallida e tirata. L'appartamento era immerso in un silenzio rotto solo, di quando in quando, dai gemiti che provenivano dalla stanza di Vera. In cucina, Ito stava riempiendo un enorme cestino da picnic di panini coi cetrioli, champagne e torta di mandorle. In Beekman Place la Mercedes luccicava minacciosa. Zia Mame ci mise quasi due ore a prepararsi, ma diceva che non sarebbe uscita finché non si fosse sentita a posto. Alla fine, suggestionata dai trionfi di Vera, e in spregio a una temperatura esterna che si aggirava intorno ai trenta gradi, prese anche la stola di zibellino.

Nel 1929 per andare a Scarsdale in treno ci voleva circa mezzora, ma zia Mame non era assolutamente in grado di adeguarsi alle pretese di puntualità delle ferrovie. Così l'enorme Mercedes lasciò Beekman Place con otto ore d'anticipo sull'appuntamento, ma visto che Ito era un autista morbosamente attratto dalle deviazioni, e che nessuno di noi aveva la minima idea di come arrivare a Scarsdale, la prudenza era più che giustificata. Nervosissima, zia Mame aveva preso posto sul sedile posteriore, dove tormentava la parrucca e giochicchiava con la stola. Ogni tanto mi agguantava la mano e mormorava: «Oh, tesoro mio, ma cosa, cosa dobbiamo fare?». Benché l'abitacolo fosse molto spazioso, dubito che fra lei e me, più l'enorme cestino da colazione, più il cestello del ghiaccio per lo champagne, più una quantità impressionante di carte stradali – quasi tutte di altre zone del Paese –, più una coperta da viaggio di pelliccia, più una raccolta di poesie con affettuosa dedica di Sara Teasdale a zia Mame, più il mio vocabolario tascabile, ci sarebbe entrato qualcos'altro.

In un primo momento Ito, che se possibile aveva ancor meno senso dell'orientamento di zia Mame, fece rotta su Long Island, poi piegò sul New Jersey, e al terzo tentativo, non prima, imboccò la direzione giusta. Dopo un'interminabile merenda a Larchmont, e un attimo di incertezza a Rye, il conducente ritrovò la retta via, e alle tre e mezzo arrivammo a Scarsdale. «Oh, mio Dio! Tre ore d'anticipo!» gemette zia Mame. Passammo il resto del pomeriggio al cinema, dove davano un film di Tom Mix. Ito e io eravamo felici, ma zia Mame si disse indignata, sostenendo che non si potevano propinare al pubblico porcherie simili, e che il governo avrebbe dovuto finanziare pellicole di un certo spessore culturale.

Alle sei e mezzo in punto eravamo davanti alla casa di Mr Babcock, una costruzione con molto legno in uno stile che zia Mame bollò subito come «pseudo-Tudor». Detto questo, riprese la sua aria dimessa.

Nel loro insieme, non si può dire che i Babcock fossero uno spasso. Dwight junior portava gli occhiali, ma per il resto era una specie di Dwight senior passato alla centrifuga. Quanto alla signora Babcock, occhialuta anche lei, accolse zia Mame intrattenendola a lungo su temi quali il giardinaggio, l'arte di preparare conserve in casa e i segreti della psicologia infantile.

Dopo aver azzardato una citazione di Freud, zia Mame si ritirò in buon ordine, e da quel momento in poi il suo contributo alla conversazione si limitò a una serie di «ah sì», «ma no» e «oh ma cosa mi dice».

Dwight junior invece mi mostrò la sua collezione di farfalle morte, raccontandomi tutto quanto c'era da sapere sulle sue tonsille e sulla trepidazione con cui aspettava di entrare al St. Boniface.

Per parte sua, Mr Babcock disse più e più volte «ecco». Poi, dopo un giro di limonata, entrò la cameriera, annunciando che era pronto in tavola.

La sala da pranzo ricordava molto l'Inghilterra, non fosse che ci si crepava di caldo. Sul mio stomaco, ormai assuefatto alle prelibatezze orientali di

Ito, l'arrosto di agnello con contorno di patatine saltate, zucca, barbabietola e fagioli planò come un blocco di cemento, e non si mosse più. Durante una delle varie pause zia Mame andò un tantino sopra le righe, lanciandosi in una lunga e coltissima dissertazione sull'architettura del periodo Tudor, che sarebbe stata assai affascinante se non se ne fosse ricavato che tutto quanto ci circondava – tutto quanto il mobilio della stanza, intendo – andava considerato una patacca. A parte questo, la zia fu un incanto, e soprattutto riuscì a sembrare una donna cui si poteva affidare un bambino a occhi chiusi.

Mentre cercavamo di inghiottire un'insalata muffida, Mrs Babcock si mise a parlare di teatro, e confessò una specie di idolatria per Vera Charles. Ignorando l'occhiataccia di zia Mame, mi lasciai scappare che si trattava della sua migliore amica, e che probabilmente in quel preciso momento stava ancora dormendo a casa nostra. Mrs Babcock era al settimo cielo: «Oh, ma dev'essere una donna di prim'ordine, straordinaria! Dio, come mi piacerebbe conoscerla».

Dopo cena Mrs Babcock e Dwight junior, come da copione, ci comunicarono che sarebbero andati a vedere un certo film con Tom Mix. Zia Mame sussultò, ma un attimo dopo era in piedi, e stava ringraziando la padrona di casa per la cena, davvero, come ripeté un po' troppe volte, squisita. Il padroncino di casa invece mi porse una mano molliccia, dicendo che contava di rivedermi presto. Io speravo di no, ma me lo tenni per me.

Appena rimanemmo soli, Mr Babcock si schiarì la gola e disse che forse era arrivato il momento della nostra famosa chiacchierata, e che a questo scopo ci conveniva rifugiarci nella sua tana, dove saremmo stati al riparo dalle orecchie indiscrete della domestica. «Tana» suonava molto bene, ma in realtà si trattava di una stanzetta qualsiasi, solo piena di libri su argomenti bancari e persino più calda del resto della casa.

Mentre tirava fuori le carte, Mr Babcock disse che zia Mame era davvero fortunata ad aver trovato un bravo ometto come me, e che forse la mia presenza avrebbe in parte, ecco, lenito il dolore per la dipartita del suo caro fratello. Zia Mame abbassò pudica lo sguardo. Quindi Mr Babcock ci disse di aver dato un'occhiata ai miei precedenti scolastici, davvero ottimi; ma della scuola avremmo parlato fra un attimo. Zia Mame si trattenne.

Mostrandoci una quantità di fogli coperti di cifre, Mr Babcock commentò che mi potevo considerare benestante. Ricco no, ma benestante sì. «A meno che quei, ecco, quei bolscevichi non vadano al governo, di fame non morirai». Quindi ci spiegò che tutti i miei soldi, fino all'ultimo centesimo, erano investiti in azioni molto solide e affidabili – come dire, tradizionali – oltre che in buoni del Tesoro, anche perché non era proprio il momento di mettersi a giocare in Borsa. A sostegno di queste sue affermazioni passò le carte a zia Mame, senza riuscire del tutto a catturarne l'attenzione.

«Riguardo alla scuola di questo giovanotto,» attaccò continuando a rovistare fra le carte «come ricorderà, il defunto genitore del ragazzo ha ritenuto, ecco, ha ritenuto saggio lasciare a me, in quanto rappresentante dello Studio, l'ultima parola». Vidi distintamente la schiena di zia Mame irrigidirsi. «Ma, eh eh eh, non credo ci siano ragioni di disaccordo, no? Lei, signorina Dennis, mi sembra una donna particolarmente fine e sensibile, dunque immagino che ci intenderemo benissimo». E senza aspettare la risposta tirò fuori un librone rosso alto così dal titolo *Annuario delle scuole private*, aprendo ufficialmente le ostilità.

Dopo alcune semplici osservazioni preliminari,

Mr Babcock sostenne che la soluzione più opportuna, quella che avrebbe consentito a zia Mame e a me di passare più tempo possibile insieme, sarebbe stata non un collegio, ma una scuola a Manhattan.

«Perfetto. Avevo pensato esattamente la stessa cosa» ribatté zia Mame con entusiasmo.

«Ora,» la interruppe Mr Babcock «mi sono preso la briga di fare qualche ricerca, e penso di avere selezionato, ecco, alcune fra le migliori scuole maschili della città».

Punta sul vivo, zia Mame si toccò la gola: «Se posso dire, preferirei una scuola mista. Se ragazze e ragazzi si abituano a stare insieme fin dalla tenera età sentono *meno* la tensione psicosessuale, non trova?».

Mr Babcock parve accusare il colpo, al punto che zia Mame riprese immediatamente l'abito liliale, rettificando in parte quanto aveva appena sostenuto: «Non mi fraintenda, volevo solo dire che siccome maschi e femmine devono comunque passare – da sposati, s'intende – parecchio tempo insieme, tanto vale... ».

«Be', sì, ecco,» balbettò Mr Babcock «ecco, è una teoria interessantissima, Miss Dennis, e sono convinto che contenga un briciolo di verità, come no. Tuttavia devo ammettere che non avevo nemmeno preso in considerazione le classi, ecco, le classi miste. Ma mi dicono tutti che la Buckley è una scuola assolutamente...».

«La Buckley, certo. Poi parliamo della Buckley. Ma prima vorrei prendesse in considerazione la scuola che sta aprendo un mio amico, Ralph Devine. Vede, Ralph è un vero tes... un uomo molto, molto colto. Conosce Freud praticamente a memoria, anzi per dire la verità lo conosce di persona, e le sue idee sull'educazione sono qualche secolo più avanti rispetto a quelle di Froebel, o persino della

Montessori. Vede, la sua scuola si basa su un presupposto assolutamente rivoluzionario...».

Mr Babcock sollevò di scatto un braccio, manco stesse dirigendo il traffico nell'ora di punta. «Ecco, Miss Dennis, qualcosa mi dice che la scuola di cui mi parla sia precisamente il tipo di istituto che il defunto Mr Dennis desiderava suo figlio *non* frequentasse. Il testamento raccomanda in modo molto esplicito una scuola tradizionale. Ora, se la Buckley non le piace potremmo pensare alla Allen-Stevenson...».

«Per carità, ci va un orrendo ragazzetto che conosco molto bene. Ma ho un'alternativa che credo sarà di suo gusto, la City and Country, sulla...».

«La conosco, era sulla lista, ma purtroppo ho dovuto scartarla. Rispetto a quello che cerchiamo è ancora un cicinino troppo sperimentale. Mentre invece mi sembra che, non so, la Browning andrebbe benissimo».

Zia Mame stava assumendo quell'aria iperdeterminata e impavida che da allora ho imparato a temere. «Senta, Mr Babcock, perché non fa un pensierino sulla Dalton? Miss Dickerman e Mrs Roosevelt, con le quali ho avuto modo di parlare, stanno facendo meraviglie...».

«La conosco, la conosco» rispose glaciale Mr Babcock. «Ma la loro impostazione mi sembra decisamente radicale. Pericolosamente radicale, se posso dire».

«E l'Istituto di Cultura Etica?» suggerì a voce un po' troppo alta zia Mame.

«Per carità, signorina Dennis, non penserà davvero di spedire il ragazzo in quel covo di ebrei». Il toupet della zia ebbe un sobbalzo minaccioso. «Vede, per quanto mi riguarda,» continuò serafico Mr Babcock «cercherei di tenere il nostro Patrick il più lontano possibile dagli influssi nefasti del West Side. A meno che non voglia mandarlo alla Collegiate, che è proprio da quelle parti e farebbe perfettamente al caso nostro».

Per la successiva ora e mezzo me ne rimasi in quella stanzetta rovente ad ascoltare zia Mame e Mr Babcock che si accapigliavano su ogni istituto scolastico newyorkese – dalla St. Bernard's alla Friends, dalla Horace Mann alla Buckley, dalla Hoffman (per lo Sviluppo Individuale del Fanciullo, come recitava la sua ragione sociale) alla Poly Prep – senza che nessuno dei due cedesse di un millimetro. Zia Mame fremeva come un cane da punta, mentre Mr Babcock si era a poco a poco trasformato in un blocco di granito. Il diverbio stava toccando un picco che temevo avrebbe spinto zia Mame clamorosamente fuori parte. Ma subito dopo, all'improvviso, le vidi balenare negli occhi un furtivo lampo di scaltrezza. Emise una specie di singulto, si nascose la faccia tra le mani, e si abbandonò a un pianto irrefrenabile. Mr Babcock ci rimase di stucco, tanto che l'elogio degli insegnanti di matematica in forza alla Browning gli morì sulle labbra. Devo dire che nemmeno io sapevo bene cosa pensare. Nella stanza si sentiva solo zia Mame piangere disperata. Mr Babcock raggiunse un punto di pallore quasi umano, e allargò con un dito il colletto floscio. «Oh, Miss Dennis,» sputacchiò «la prego, ecco, davvero, ecco, cioè, io non volevo...».

Zia Mame sollevò dalle mani un volto rapito ma anche, notai con una qualche sorpresa, completamente asciutto. «Oh, caro, caro Mr Babcock, potrà mai perdonare la mia assurda cocciutaggine? Quanto devo esserle sembrata stupida, e ostinata». Si passò un fazzoletto di pizzo sotto gli occhi, gesto che chissà perché mi ricordò un film muto con Pola Negri che avevo visto da poco. Poi tirò su col naso, ma piano piano. «Ma sì, con che diritto una povera donna semplice, sola, che non sa nulla di come si crescono i piccini, può pensare di discutere non dico con l'esecutore testamentario del nostro Patrick, ma con un padre? Penserà senz'altro che sono una donna odiosa». Chinò il capino, e appoggiò una scarpetta contro l'altra.

Mr Babcock diventò l'amabilità in persona. «Oh, la prego, Miss Dennis, non faccia così. Se davvero ritiene che il ragazzo si troverebbe meglio alla Dalton... ».

Zia Mame levò una pallida mano stremata: «No, no, Mr Babcock, mi sbagliavo. Lo dico e lo ripeto. Mi sbagliavo, e sono stata una stupida. Patrick andrà alla scuola che lei consiglierà. Non badi a me. Solo le chiedo di ignorare il mio comportamento di questa sera. Non certo di perdonarlo, perché è stato imperdonabile».

Mr Babcock tuttavia era in vena di magnanimità: «Sa, Miss Dennis, credo di conoscere un po' le donne. Qualche volta anche Eunice – voglio dire la signora Babcock – e io abbiamo le nostre piccole, ecco, le nostre piccole divergenze. Come la chiamano, guerra dei sessi, no? Eh, eh, eh... ».

Zia Mame fece una boccuccia di circostanza.

«Ora,» riprese Mr Babcock «naturalmente a New York ci sono un sacco di ottime scuole, e più o meno una vale l'altra. Ma dovendo scegliere, propenderei per la Buckley».

«Mr Babcock, non una parola di più. È la scelta migliore. Lo dico perché mi ha convinto. È senz'altro la migliore. Patrick andrà alla Buckley, e sarà fiero di indossare la loro divisa».

«Veramente portano solo un berrettino,» disse Mr Babcock in tono di disapprovazione «ma a parte questo è una scuola, ecco, di prim'ordine, assolutamente di prim'ordine. Sa, gli alunni vengono tutti da ottime famiglie... ».

«Oh ma che bellezza. Del resto,» sospirò zia Mame

«la classe è *talmente* importante... Ora però dobbiamo proprio andare» concluse con una certa impazienza.

«Allora restiamo d'accordo così, se crede. Io verso subito un assegno alla Buckley, e appena la chiamano lei si presenta col ragazzo per l'iscrizione. Che ne dice?».

«Magnifico» fece zia Mame con un sorriso spaventoso. «Andiamo, caro, non voglio che tu faccia le ore piccole». Ciò detto, aggiustandosi in qualche modo il cappello nero di Vera, si precipitò alla porta. «Dunque, Mr Babbitt... è stata una serata incantevole. E anche, *ecco*, molto istruttiva. Andiamo, Patrick».

Ito richiuse la portiera dietro di noi, e fece rombare il motore.

«Zia, ma davvero vuoi mandarmi in quella... in quella scuola di cui parlava Mr Babcock?».

«Non preoccuparti, tesoro, non preoccuparti. Zia Mame ha un piano».

E si accese felice una Melachrino, nonostante Ito facesse rotta sul Connecticut.

Ai primi di settembre zia Mame mi portò alla Buckley e mi ci iscrisse. Mr Babcock aveva già spedito i miei documenti scolastici, che a quanto pareva erano in ordine. La zia mi comprò anche uno dei famosi berretti blu, che trovava stesse molto meglio a lei, e mi mandò in un posto dalle parti di Washington Square per le prove attitudinali. Tornando a casa la trovai che chiacchierava fitto fitto con un signore biondo e decisamente bello.

«Vieni tesoro, vieni qui» gorgheggiò. «Voglio presentarti Ralph Devine. La settimana prossima comincerai le lezioni da lui».

«Ma... la Buckley?».

«Scusami un attimo solo, Ralph». Zia Mame mi fece sedere vicino a lei e mi guardò dritto negli occhi, facendomi capire che il momento era della massima importanza. «Tesoro, quello che zia Mame sta facendo potrà sembrarti un tantinello, be', truffaldino, ma col tempo imparerai che a volte nella vita è meglio non essere *troppo* onesti. Vedi, tu e io stiamo per fare un piccolo scherzetto a Mr Babbitt, nel senso che mentre lui ti penserà seduto al tuo banco in quella scuola che sappiamo, tu invece starai facendo cose divine – e molto, molto avanzate – con Ralph. Sarà il nostro piccolo segreto. Lo sapremo solo noi tre. Quanto a Mr Hitchcock, o come diavolo si chiama, lo prenderemo un pochino in giro».

«Parecchio in giro, direi».

«Adesso, da bravo, vai di sopra e leggiti un libro, mentre io finisco di parlare con Ralph».

Uscendo sentii Ralph dire qualcosa del tipo «Ma come sarebbe, Mame, lo lasci *leggere*?».

La settimana dopo zia Mame si alzò nel cuore della notte per accompagnarmi alla scuola di Ralph. La sede era all'ultimo piano di un vecchio magazzino sulla Seconda, a un paio di isolati da casa nostra. Arrivammo un po' in ritardo – zia Mame era sempre in ritardo – e aprendo la porta ci ritrovammo davanti uno stuolo di ragazzini di varie età, tutti indistintamente nudi, che correvano e strillavano. Ralph ci venne incontro nudo come mamma l'aveva fatto e ci strinse calorosamente la mano.

«Non è stupendo?» gongolò zia Mame. «Un Prassitele! Oh, tesoro, sono sicura che ti piacerà da morire».

Una donnina bionda e tracagnotta, nudissima anche lei, arrivò di corsa a baciare zia Mame. Si chiamava Nathalie, e dirigeva la scuola insieme a Ralph.

«Adesso vai con Ralph, tesoro, e divertiti. Ci rivediamo a casa per il tè».

Zia Mame si allontanò tutta contenta, facendomi ciao ciao con la manina. E così rimasi solo. Solo, e vestito.

«Vieni qui a spogliarti, vuoi?» disse Nathalie. «Poi raggiungi gli altri».

Alla scuola di Ralph mi sono sempre un po' sentito un pollo da batteria, però non era una sensazione spiacevole, anche perché non dovevo fare assolutamente nulla. La classe era uno stanzone nudo con le pareti imbiancate a calce, un pavimento riscaldato di linoleum, lucernari al quarzo e tubi ai raggi ultravioletti che correvano lungo le parti libere del soffitto. Al posto di tavoli e sedie c'era qualche materasso su cui potevamo buttarci a dormire ogni volta che ci andava. Al centro della stanza troneggiava una grande struttura bianca che ricordava il bacino di una vacca, e sulle cui superfici avremmo dovuto compiere varie acrobazie. Chi voleva poteva anche insinuarsi al suo interno, e ogni volta che uno dei bambini più piccoli ci provava Ralph mollava una gran pacca sul sederone di Nathalie, e commentava: «Un altro ritorno al ventre materno, eh Nat?».

Il bagno era comune – «stronca le inibizioni sul nascere» – e tutte le attività erano d'avanguardia. Ad esempio potevamo dipingere con le dita, o modellare la plastilina. Poi c'erano i cosiddetti gruppi di discussione guidata, dove i partecipanti raccontavano i loro sogni, oppure, a turno, dicevano a voce alta qualsiasi cosa gli passasse per la testa. Ma chi non aveva voglia di socializzare era libero di non farlo. A pranzo mangiavamo carote crude, cavolfiore crudo (causa di terribili flatulenze, almeno per me), mele crude, e latte di capra crudo. Se due bambini si mettevano a litigare, Ralph li prendeva da parte e discuteva il problema insieme a loro, e a chiunque altro volesse partecipare al dibattito. Mi sembravano tutte fesserie, ma avevo un'abbronzatura integrale perfetta.

Tuttavia non sono in grado di dire se la scuola mi abbia fatto più bene o più male, perché ci sono rimasto troppo poco. La mia carriera scolastica durò infatti solo sei settimane. Come quella di Ralph, peraltro.

Partendo dal presupposto, del tutto arbitrario, che i loro alunni sgobbassero molto, Ralph e Nathalie avevano deciso di istituire uno spazio pomeridiano dedicato al Gioco Costruttivo, grazie al quale i piccini sarebbero rientrati a casa nel migliore degli umori possibili. L'idea era che tutti i bambini, ad eccezione degli antisociali cronici, partecipassero a un gioco di gruppo, dove avrebbero cominciato a capire la vita che li aspettava oltre il portone della scuola. A volte si giocava alla Fattoria, che consisteva nel curare le striminzite pianticelle di avocado di Nathalie, altre volte alla Tintoria, che consisteva nel lavare e candeggiare le mutande di Ralph. Ma il gioco di gran lunga più popolare era la Famiglia dei Pesci, che si supponeva ci avrebbe fornito alcune utili informazioni sui meccanismi riproduttivi delle specie inferiori.

Era un gioco piuttosto semplice, e un ottimo esercizio. Nathalie e i pesci femmina si accovacciavano fingendo di deporre le uova, mentre Ralph, seguito dai pesci maschi, saltellava in mezzo a loro, remigando con le braccia e facendo vibrare le dita – «come se nuotaste, come se nuotaste» –, nel tentativo di fecondare le uova. Immancabilmente, succedeva un finimondo.

La mia ultima mezzora alla scuola di Ralph era trascorsa proprio giocando alla Famiglia dei Pesci, con Nathalie e le ragazze stese sul linoleum, e Ralph che ci guidava in mezzo a loro: «Come se nuotaste, come se nuotaste! Adesso! Spargi il seme, spargi il seme! Patrick, non dimenticare quella piccola pesciolina laggiù, spargi il seme, spargi il se...».

Improvvisamente ci accorgemmo che a qualcuno stava venendo uno stranguglione.

«Oh, mio Dio!» esclamò subito dopo una voce familiare.

Ci voltammo all'unisono e sulla porta, vestito di tutto punto e con l'aria di uno squalo feroce pronto a sbranare noi poveri pesciolini, c'era Mr Babcock. Più veloce della luce, il mio tutore mi abbrancò, trascinandomi fuori dalla mischia. «Cristo santo! Vestiti immediatamente. Voglio parlare subito con quella pazza di tua zia, e voglio che ci sia anche tu». Quasi mi scaraventò nello spogliatoio. «Quanto a te, lurido pervertito, non finisce qui, stai tranquillo!» urlò a Ralph.

Quindi venne da me, e senza lasciarmi neppure il tempo di abbottonarmi mi trascinò giù per le scale, senza mollare la presa quasi fin sotto casa.

Per colmo di sfortuna, quando Mr Babcock e io facemmo irruzione in salotto zia Mame, con addosso uno dei suoi completi più oltraggiosi, stava fumando roba un po' forte in compagnia di un celeberrimo rabbino lituano e di due ballerini del cast di *Blackbirds*.

«Mio Dio,» strepitò Mr Babcock «avrei dovuto immaginarlo! Affidare un bambino a lei è come metterlo in mano a Gezabele in persona. Ma si può sapere cosa le frulla in quella zucca bacata?».

Con un certo sforzo, zia Mame si alzò in piedi. «Prego, Mr Babbitt? Cosa intende dire?» chiese cercando, con modesti risultati, di darsi un contegno.

«Lo sa meglio di me cosa intendo dire, porca vacca. Due settimane fa ho chiamato la Buckley per sapere se per caso questo teppistello avesse voglia di venire con me e mio figlio al rodeo, e da quel momento l'ho cercato in tutte le più infami scuole per ritardati della città, fino a che oggi – dico, *oggi* – l'ho trovato nella più infame di tutte, nudo come un verme e con quello sporcaccione che spargeva... oh mio Dio, non ci posso neanche pensare! ».

Zia Mame fece un passo avanti e prese fiato, come faceva sempre prima di lanciarsi nelle sue arringhe più veementi. Ma avrebbe potuto risparmiarsi la fatica.

« Domani, » disse Mr Babcock « anzi stasera, anzi adesso, io – intendo io *personalmente* – porterò questo ragazzo in collegio. Avrei dovuto immaginarmelo, che avrebbe tentato qualche trucchetto da quattro soldi, è tipico di quelle come lei, ma le garantisco che non succederà mai più. Iscriverò il ragazzo al St. Boniface e mi assicurerò che ci rimanga. Riuscirà a mettere le sue sporche mani su di lui solo a Natale e d'estate, e con l'aiuto di Dio spero di scongiurare anche questa disgrazia. Su, ragazzo, andiamo ».

« Zia Mame, zia Mame » urlai tentando inutilmente di divincolarmi.

« Stattene buono qui, piccola canaglia. Ora ti porto al St. Boniface, e ti garantisco che farò di te un bravo ragazzo timorato di Dio, dovessi spaccarti tutte le ossa che hai in corpo. Vieni, usciamo da questa fumeria ».

Un altro strattone, ed eccomi in marcia alla volta del St. Boniface.

L'indomani la polizia fece irruzione nella scuola di Ralph, e i giornali scandalistici, momentaneamente a corto di squartatori, diedero spazio a indignate requisitorie contro l'educazione progressista. Titoli come *Chiusa la scuola del sesso* introducevano sofisticati fotomontaggi che avevano come protagonisti Ralph, Nathalie e l'intero corpo studentesco. Subito a fianco, autorevoli membri della comunità ed ecclesiastici oltraggiati pubblicavano articoli che cominciavano tutti con la stessa domanda: «Madri, è questo che volete si insegni ai vostri figli?».

Il giorno dopo ancora era il 29 ottobre 1929. Adesso i giornali avevano cose più serie di cui occuparsi, ad esempio il crollo della Borsa. Ma io ormai ero entrato in galera, cioè al St. Boniface, e la voce stridula di zia Mame era ormai solo un fioco sussurro nella cacofonia scolare che mi circondava da ogni parte.

## 3
## ZIA MAME NEL TEMPIO DI MAMMONA

Nubi di tempesta si addensano all'orizzonte dell'adorabile zitellina. Proprio a lei, abituata a una vita comoda e sicura col gatto e il ragazzino, capita l'imponderabile: la banca locale fallisce, e si inghiotte dalla sera alla mattina i risparmi di tutta una vita. Le resta solo una pensione da fame, e l'avvenire sembrerebbe a tinte fosche. Eppure l'adorabile non si perde d'animo, anzi, nella circostanza scopre di avere un autentico bernoccolo per gli affari.

Tanto per cominciare, si mette a cuocere in casa pagnotte di varie fogge e anche torte della nonna, e in men che non si dica apre una panetteria che le dà un sacco di soddisfazioni – pensate, non riesce neppure a star dietro agli ordinativi. Quindi ritorna a un hobby giovanile, la ceramica dipinta, e i suoi motivi floreali (con i nontiscordardimé in posizione privilegiata) furoreggiano in tutte le case, anche se nell'articolo non è ben chiaro in casa di chi. Quando poi l'incontenibile decide di fabbricare con le sue manine arazzi, tovagliette e coperte patchwork fa semplicemente saltare il banco.

Francamente, non ci trovo nulla di sensazionale. Anche zia Mame aveva il bernoccolo degli affari, eccome, e quando la Grande Depressione la mise in ginocchio intraprese persino più carriere dell'indimenticabile, e in un modo o nell'altro riuscì a tirarci fuori dai guai.

Quello del 1930 fu un settembre particolarmente caldo, e il giorno scelto da zia Mame per il penoso colloquio con la sua banca era stato canicolare. Tornata a casa, zia Mame lasciò scivolare la pelliccia di volpe al centro del soggiorno, si fece portare da Ito qualcosa di forte, e stramazzò con aria tragica sul divano «modernista» appena comprato. «Patrick,» mi disse con voce cavernosa «tua zia Mame è una donna povera. Rovinata, rovinata per sempre». Lanciò uno sguardo patetico verso la strada, tentando disperatamente di farsi sgorgare qualche lacrima. «In pratica,» concluse all'apice del dramma «hai davanti a te una mendicante, o giù di lì».

All'epoca zia Mame aveva già abbandonato il suo costosissimo quartierino in favore di un abituro a Murray Hill, che peraltro si era premurata di arredare con tutti i crismi e di inaugurare con un paio di feste, dove si erano ritrovati tutti i superstiti della vecchia guardia. Ah, si era anche comprata un bel po' di vestiti nuovi, appena appena più lunghi dei precedenti. Solo a quel punto aveva cominciato a farsi un'idea leggermente più concreta del fatto che la vita costava – persino nel 1930, quando ti tiravano tutto dietro. Soldi in giro ce n'erano pochi per tutti, e meno ancora per zia Mame.

Ormai era chiaro come il sole che la sua tempestosa storia d'amore con la Borsa e il suo stile di vita assiro le avevano lasciato in tasca quattromila dollari, non uno di più, non uno di meno, oltre naturalmente ai duecento mensili del suo modesto vitalizio.

«Ma chi l'avrebbe mai detto, chi, che dopo anni di sacrifici e privazioni mi sarei ritrovata sotto il giogo della miseria più nera?».

«Oh sorte ria, povera zia» ridacchiai con un certo compiacimento per la rima involontaria.

Da come mi aveva guardato, però, zia Mame non doveva trovarci niente di buffo. «Ridi, ridi, riderei anch'io, al tuo posto, cioè se fossi un ragazzino di undici anni con un'eredità che *nessuno* può toccare, e una zia a un passo dall'ospizio. Me lo spieghi come faremo a tirare avanti con duecento putridi dollari al mese?».

Ora, nel 1930 per la maggior parte della gente duecento dollari erano un mucchio di soldi, e in realtà risparmiando su alcune spese del tutto superflue zia Mame se la sarebbe tranquillamente cavata.

«D'accordo» continuò esalando un respiro che pareva l'ultimo. «Vorrei ti rendessi conto di cosa significa. Significa, ad esempio, che per mandarti a quello schifo di St. Boniface mi toccherà trovarmi un lavoro». Veramente mi risultava che le mie spese scolastiche fossero interamente a carico dello Studio, ma non mi sembrava il caso di mettere i puntini sulle i. «Del resto non c'è niente di nuovo,» continuò «è tutta la vita che tua zia si rompe la schiena».

Questo rispondeva solo in parte al vero. Zia Mame aveva effettivamente lavorato come ballerina di fila in un allestimento minore della rivista *Chu Chin Chow*, ma solo per sei settimane, fino a quando cioè, su esplicita richiesta di mio padre, la famiglia le aveva imposto il ritiro dalle scene. Da quel momento in poi, l'unica forma di attività che le si conoscesse era la preparazione dei suoi celebri gin tonic.

«Comunque sia, non abbiamo altra scelta. La tua povera zia dovrà riprendere a lavorare. Sì, se tu e io vogliamo avere di che coprirci, se non vogliamo patire i morsi della fame, mi toccherà sgomitare fra altri milioni e milioni di disoccupati. Ma non temere, tesoro, zia Mame se la caverà, dovesse mettersi a pulire i pavimenti». E quella sera si coricò presto, portandosi a letto le pagine di annunci personali del «New York Times».

L'indomani all'una, alla chiacchierata del mattino, la trovai circondata di blocchi gialli su cui spiccavano liste e liste di nomi. «Dai una festa?» provai a chiederle.

«Ma figurati un po'» mi rispose piccata. «Certo, quando avrò preso l'aire una piccola festicciola potremo anche darla, ma quelli che vedi sono contatti preziosi – amici miei che stanno nelle posizioni chiave, e che possono tornarci utili». Sfogliò brevemente il «New York Times», senza trattenere una smorfia di disgusto. «Questi qui cercano solo cameriere, commesse, operaie, stenografe. Non è pane per i miei denti, ecco. Però vedi tesoro, in questa città non conta cosa sai fare, ma a chi puoi arrivare, e grazie al cielo io posso arrivare a un sacco di gente. Oh, credo che il mercato sia pieno di organizzazioni che ci terrebbero moltissimo ad avermi con loro. Devo solo far sapere che sono su piazza, per questo ho preparato la lista».

Zia Mame trascorse la giornata in tutta una serie di lunghe e vivaci telefonate. Per primo chiamò il suo agente di Borsa, Florian McDermott, al quale inflisse la versione integrale, e piuttosto articolata, delle proprie disgrazie finanziarie – uno zelo tutto considerato superfluo, trattandosi della persona che ne era in larga misura responsabile. Zia Mame chiese anche a Florian se la sua società non fosse interessata ad assumere una donna d'affari abituata a maneggiare ingenti somme di denaro, ma venne liquidata con un fervorino sui tagli al bilancio e con la proposta d'acquisto di un centinaio di azioni che, secondo Florian, erano altrettanti assegni circolari. Due mesi dopo, Florian divideva amorosamente la cella con un illustre collega, che in circostanze diverse non l'avrebbe degnato nemmeno di uno sguardo.

Visto che tutti i suoi amici della finanza erano altrettanto sulla difensiva, zia Mame decise che il suo futuro era nel mondo dell'arte.

L'indomani andò a colazione con Frank Crowninshield, e al ritorno a casa, raggiante, ci comunicò di essere stata assunta come copy a «Vanity Fair». Per ora le avevano proposto quaranta dollari a settimana – cioè esattamente quanto spendeva per Norah e Ito –, ma questo, ci spiegò, era solo l'inizio. Quindi ordinò seduta stante una serie di abiti e cappelli che riteneva adatti alla vita di redazione. Io venni spedito al St. Boniface, lei cominciò la sua nuova carriera.

Per ricostruire quel che accadde nell'autunno del 1930, e in particolare le variegate avventure professionali di zia Mame, posso solo basarmi sui resoconti coloriti, ma non sempre del tutto imparziali, che mi spediva per lettera l'interessata. Il lavoro a «Vanity Fair» durò esattamente un mese. Allo scadere dell'ultima settimana i signori Crowninshield e Nast la invitarono a una colazione nel corso della quale le comunicarono che trovavano i suoi pezzi molto particolari, ma meno documentati di quanto pretendesse la tradizione della rivista. Rivista i cui ranghi, aggiunsero, avevano comunque deciso di sfoltire. Come premio di consolazione, pubblicarono a tutta pagina una sua foto a colori con indosso un abito da sera di Lanvin da trecento dollari, nel quale zia Mame investì vuoi la liquidazione vuoi una piccola somma vinta puntando su non so quale cavallo. Al momento del commiato, Mr Crowninshield le disse anche di non capire perché mai una donna affascinante come lei dovesse arrabattarsi in quel modo, consigliandole di trovare un marito e sistemarsi.

Anche il lavoro successivo fu di carattere letterario. Zia Mame diventò infatti lettrice per l'editore Horace Liveright, un suo vecchio amico. Nonostante le frequenti divergenze, dal punto di vista intellettuale i due si stimavano molto. Purtroppo però successe che zia Mame, partendo per una delle sue burrascose serate, si portasse dietro l'unica copia esistente del manoscritto – molto appetito – di un esploratore danese, che puzzava di grasso di balena e che andò perduto in un punto imprecisato fra il Jack Delaney's e il Cotton Club. Ne seguirono una lunga azione legale e uno scambio di epiteti non proprio affettuosi fra Mr Liveright e zia Mame. L'anno dopo una nuova versione del libro uscì presso una piccola casa editrice emergente, vendette diverse centinaia di migliaia di copie e ispirò un serissimo documentario di grande successo. Da allora zia Mame si vantò sempre di fiutare la puzza di un bestseller a chilometri di distanza.

Zia Mame passò senza batter ciglio dall'editoria a un'altra branca delle arti, la decorazione d'interni. Che avesse un suo gusto, magari un po' bizzarro, non si poteva negare. In ogni caso, alcuni tratti della sua personalità erano precisamente quelli richiesti nel settore dell'arredamento, dove fascino, originalità, maniere e buone conoscenze rappresentavano altrettanti requisiti imprescindibili. Dunque, che zia Mame venisse accolta a braccia aperte nell'atelier rococò di Elsie de Wolfe e delle sue allegre assistenti era più o meno scritto.

Grazie a quello che chiamava il suo «ascendente», e alla capacità di intrattenere l'ascoltatore su temi quali Reggenza e Direttorio, zia Mame si trovò subito a suo agio in un lavoro che le offriva, oltre a uno stipendio del tutto soddisfacente, commissioni principesche. Ma nonostante il contubernio forzoso con le arti decorative francesi, zia Mame aveva un cuore, e quel cuore batteva molto più forte per il Bauhaus di Dessau che per tutte le *rocailles* e *coquilles* di Versailles.

Per un certo periodo, comunque, riuscì a moderare i propri istinti progressisti e a mantenersi in sintonia con i colleghi della Elsie de Wolfe's, cinguettando quanto e più di loro su tristi candelabri da parete in bronzo e discutibili orologi retti da putti. Sotto l'occhio vigile di un supervisore, arredò in stile Luigi XV l'androne di un palazzo sulla Quinta Strada, una sala da pranzo nella Oyster Bay e un boudoir in Gracie Square. Poi, in un folgorante assolo, sistemò la suite della sua amica Vera all'Algonquin alla maniera di Prud'hon, e cioè inzeppandola con montagne di monnezza Impero che si era procurata sulla Avenue A. La stanza e la sua occupante finirono addirittura sulle pagine di «Home Beautiful», evento che valse a zia Mame una lettera d'encomio da parte di Elsie de Wolfe in persona, oltre a una repentina fama presso l'unica categoria che all'epoca potesse permettersi mobili d'antiquariato – i trafficanti d'alcol. All'inizio neppure lei si capacitava fino in fondo di un successo che rischiava di darle alla testa, ma dopo aver messo su tre o quattro appartamenti Bonaparte a Central Park West si stufò comunque di cariatidi e colonne, cedendo di nuovo al prurito modernista. Dal punto di vista estetico era un indubbio passo avanti; da quello finanziario, fu il tracollo.

La grande occasione le si presentò in autunno, quando i suoi servigi vennero richiesti da Mrs Riemenschneider, vedova di un imprenditore di Milwaukee che aveva fatto fortuna col surrogato di birra. Alla signora ormai Milwaukee andava stretta. Sognava New York, e il tipo di posizione sociale che un pozzo di soldi e i suoi derivati aiutano a costruire nel corso di tre o quattro generazioni. Solo che non intendeva affatto aspettare tre o quattro generazioni. Del resto poteva pagare in contanti, e questo, nel 1930, rendeva tutto molto più facile. Dopo sei o sette ore in città, la signora aveva comprato un'elegante villetta dalle parti della Sessantesima, e aveva staccato a zia Mame un assegno da centomila dollari, chiedendole di arredarle la casa «come Fontemblò». Dopodiché, strappata la promessa che i lavori sarebbero finiti entro Natale, era partita per un suo giro di sartorie parigine.

In effetti per Natale erano finiti sia i lavori che zia Mame. Il richiamo del modernismo di Dessau si era rivelato troppo forte – almeno quanto i termini usati da Mrs Riemenschneider al suo ritorno, nello scoprire che la facciata di marmo della sua deliziosa villetta era stata divelta, mentre all'interno non solo le pareti divisorie non esistevano più, ma lo spazio creato dalla loro scomparsa era occupato da mobili d'acciaio inossidabile, sculture in fil di ferro, e da ogni altra fantasmagoria cubista che il connubio di denaro e immaginazione aveva potuto partorire. Mrs Riemenschneider ripartì immediatamente per Milwaukee, non prima però di aver denunciato i responsabili dei lavori, dai quali pretendeva, oltre alla restituzione dei centomila dollari, il ripristino dello status quo.

I giornali ci andarono a nozze. Per giorni la stampa scandalistica indugiò in allitterazioni quali «arte atea», «barbarie bolscevica» e «mania modernista». Un titolista particolarmente ispirato battezzò la zia «Mame la Matta», e ben due autorevoli opinionisti aprirono i rispettivi elzeviri con una frase molto simile, il cui senso era come Picasso saprebbe dipingere anche mio figlio, che va in terza elementare. Ovviamente zia Mame venne cacciata dalla Elsie de Wolfe's.

Benché esacerbata e umiliata da quella che chiamava l'ignoranza delle masse, zia Mame non era disposta ad abbandonare la sua crociata per l'ipermodernismo. In piena mischia, al contrario, le era riuscito di stringere alcune alleanze, prima fra tutte quella con un certo Orville. Si trattava di un giovane e pensoso scultore che, seduto alla sua ruota da vasaio, pare creasse ceramiche «sconvolgenti» – almeno per zia Mame, che aveva deciso di investirci tutto il suo capitale e di mettersi in società con lui. Obiettivo, mi scrisse in una lettera, l'apertura di un punto vendita «dedicato a tutto ciò che è coraggioso, sperimentale, elettrizzante, nuovo, moderno».

«Oh, Patrick, tesoro, vedrai,» continuava la lettera «sarà diverso da tutti gli altri negozi della città. Vedrai, metteremo New York a ferro e fuoco!».

In effetti di esercizi commerciali come la Maison Moderne – così avevano deciso di chiamarlo – non se n'erano mai visti, a New York, o perlomeno non ne avevo mai visti io. Era mimetizzata in una fila di vecchie case operaie sulla Cinquantaquattresima. Aveva una grande vetrina ovoidale, e una porta circolare verzolina. Le pareti, indiscutibilmente viola, erano brutalizzate da un groviglio di tubi al neon. Ai loro piedi, e poi ovunque, una profusione di stranissimi portacenere, vassoi, spille di ceramica, oltre a quelli che zia Mame chiamava *objets d'art.*

La vernice della Maison Moderne si tenne il giorno del mio ritorno a casa per le vacanze di Natale, e attrasse una folla spaventevole. Ma quasi tutti, superato il trauma iniziale, dicevano che erano venuti giusto a dare un'occhiata. Zia Mame però era nel suo. Si aggirava fra il pubblico con un camice piuttosto vistoso e una sigaretta all'angolo della bocca. Il primo giorno si concluse con un incasso di quattordici dollari, e un'imponente copertura stampa.

Zia Mame non dava peso alle cattiverie che scrivevano i giornali: «È tutta pubblicità, tesoro. Quello spazio a comprarlo ci sarebbe costato cinquantamila dollari, se bastavano. Hai visto che l'"American" ha pubblicato una foto pazzesca del vassoio-feto di Orville? Ecco, considerala pubblicità gratuita. Finché ne parlano, non mi preoccupo, è quando *non* ne parlano che mi agito».

Forse non aveva tutti i torti, perché l'indomani c'era il doppio di gente. Zia Mame volteggiava tra i clienti cinguettando come un canarino debosciato, e mi spedì cinque volte in missione, due per il caffè e tre per le Melachrino. Verso l'una la calca e gli introiti erano tali che mandò a chiamare Norah per occuparsi della cassa, mentre io rimanevo nel retrobottega, fra montagne di carta velina, a impacchettare le inverosimili ceramiche della ditta. Tutto si poteva dire della Maison Moderne, tranne che stesse passando inosservata.

Erano già le sei quando zia Mame riuscì a espellere l'ultimo cliente, e stramazzò esanime sulle pile di carta velina che occupavano quasi per intero il retro del negozio. «Successo, successo e successo» gongolava. «Passami una sigaretta, caro, la zia è da raccogliere col cucchiaino». Si stiracchiò voluttuosamente, soffiando fuori una nuvoletta di fumo. «Quanto avremo fatto oggi Norah, un cento?».

«Oh, di più, di più. A occhio e croce saranno cinque, sei, forse anche settecento».

«Ma senti, è *divino*» gridò zia Mame. Diede un altro tiro di sigaretta, e un istante dopo balzò in piedi. «Santissimo cielo, ho promesso a Neysa McMein che ci saremmo viste all'aperitivo, e sono in ritardo di *ore.* Oh mio Dio, aveva anche promesso di fare qualche disegno per noi, e me lo sono completamente dimenticato. Su ragazzo, prendimi il cappotto e fa' un fischio a un taxi. Devo volare!».

«Cosa ci faccio con tutti questi soldi?» chiese Norah.

«Lasciali pure in cassa, tanto mettiamo tutto sotto chiave. Patrick, chiama il taxi, vi do uno strappo fino a casa». Qualche secondo dopo zia Mame chiuse baracca, e schizzammo via.

La notte stessa quello che i giornali popolari definirono «un immane rogo di origini ignote» distrusse una buona metà del palazzo sulla Cinquantaquattresima. Per domare l'incendio dovettero intervenire ben tre squadre di pompieri, e alla fine i resti della Maison Moderne si sarebbero potuti tranquillamente raccogliere in uno degli elettrizzanti portacenere in vendita il giorno prima.

«Oh, Patrick, che brutto tiro mi ha giocato il *destino*» piagnucolava zia Mame. «La mia coraggiosa impresa andata in fumo, così. Meno male che giusto la settimana scorsa ho spedito la polizza antincendio». Si soffiò educatamente il naso, poi si mise a rimestare in una scatola vuota di cristallo. «Ma che cavolo, non c'è una sigaretta in tutta la casa. Patrick, sii buono, passami la borsa».

Continuando a chiacchierare a macchinetta, la zia armeggiò per un po' con la borsetta di lucertola. Poi d'improvviso si bloccò, pallida come uno straccio. «Oh, no» disse in un sussurro. Quindi estrasse dalla borsetta una lunga busta bianca che recava sul retro, bene in vista, l'indirizzo della World Fire and Marine Insurance Company di Hartford, nel Connecticut.

Dopo la dispendiosa liquidazione della Maison Moderne, zia Mame decise che in fin dei conti la cosa migliore era trovarsi un lavoro *dipendente*. In quel periodo, data la sua passione per i tessuti esotici, comprava più o meno tutti i vestiti da Jessie Franklin Turner, un negozio di medie proporzioni frequentato da clienti con un reddito molto superiore alla media. «Sai Patrick, è talmente piacevole, talmente *intime,*» mi raccontava in una delle sue lettere «i clienti sembrano quasi vecchi amici, oppure ospiti – e in qualche modo lo sono». Dato l'ammontare dei sospesi, un bel giorno la padrona decise di proporre alla sua vecchia amica, ospite eccetera, sperando di recuperare qualcosa, un posto da commessa – anzi, come precisò per lettera zia Mame, «da *vendeuse,* che è una cosa un po' diversa».

Zia Mame adorava lavorare in mezzo a vestiti lussuosi e carissimi, e quasi ogni sera tornava a casa con una nuova creazione della Jessie Franklin Turner. Nonostante l'atroce congiuntura dell'inverno 1931, non si poteva dire che avesse perso la fiducia in se stessa.

Il problema era quel suo disgraziato candore, delizia di molti, ma croce di altrettanti. E la disarmante franchezza per cui andava famosa finì per giocarle un brutto scherzo, quando Mrs Turner la sorprese a dire a una cliente, una volubile matrona di proporzioni imbarazzanti, «cara mia, qui non abbiamo proprio nulla che le possa stare. Per lei i nostri capi sono, vede, troppo sagomati. Se vuole un consiglio da amica, si rivolga al reparto Taglie Forti di Lane Bryant». Tali affermazioni originarono un animoso scambio di vedute, al termine del quale la cliente uscì dal negozio per non farvi più ritorno. Quindici minuti più tardi, dopo avere ricevuto a sua volta dalla padrona un consiglio amichevole, e cioè quello di trovarsi alla svelta un marito – ricco, dati i conti ancora da pagare –, zia Mame era stata invitata, e non con le buone, a uscire dalla stessa porta.

L'ultima tappa di zia Mame nell'industria vestimentaria fu presso la Harry Bendel, il cui titolare, altra sua vecchia conoscenza, si era sentito in dovere di offrirle un posto, contando di valorizzarne la svelta figura. Così zia Mame aveva presentato in passerella la linea da pomeriggio per una settimana esatta, cioè fino al giorno in cui un vecchio sporcaccione dalle disponibilità pressoché illimitate aveva pensato bene di mollarle un pizzicotto sull'elegantissimo posteriore, episodio che aveva dato la stura a una discussione spiacevolissima, e al licenziamento in tronco di zia Mame. Più tardi Mr Bendel le aveva scritto una lettera accorata, in cui deplorava l'increscioso incidente, ma si dichiarava altresì convinto che una vera signora come zia Mame potesse e dovesse aspirare a qualcosa di meglio che un lavoro che lui stesso definiva da manichino. E quel qualcosa di meglio, concludeva Mr Bendel, altro non poteva essere che il matrimonio.

Zia Mame rimaneva tuttavia decisa a farsi valere anche in un mondo così ostinatamente maschile. Una sera al Twenty-one aveva conosciuto il rampollo di un'ottima famiglia di Baltimora che intendeva investire quanto possedeva in uno speakeasy. Aveva in mente un locale molto piccolo e molto esclusivo, e siccome a New York non conosceva quasi nessuno, mentre zia Mame conosceva chiunque, le aveva chiesto di dargli una mano, introducendolo negli ambienti giusti. All'inizio zia Mame era perplessa, ma aveva un disperato bisogno di soldi, senza contare che «non stiamo parlando di una bettola qualsiasi, sai caro, ma di un circolo elegante, con una clientela selezionata, dove una persona civile possa bere un bicchiere, cenare, e magari farsi due mani a bridge. Un servizio di pubblica utilità, in pratica».

I due trovarono in un vecchio palazzo dalle parti della Quarantesima uno spazio che sembrava fatto apposta – e non a caso, solo negli ultimi due anni si era chiamato Tony's, Belle's, Bar Sinister, The Ole Plantation, di nuovo Tony's, Alt Wien, Paris Soir (o Paris Sewer, non è chiaro), Victor's Vesuvius, Chez Cocotte, York House, Gay Madrid, e ancora Tony's. Senza tenere in alcun conto i precedenti, zia Mame e il ragazzotto di Baltimora gli fecero dare una mano di bianco, lo ribattezzarono Continentale, e si prepararono al debutto.

A detta di quanti ebbero modo di constatarlo personalmente, i nuovi proprietari non avevano lasciato nulla al caso. Cartoncini d'invito e tessere personalizzate erano stati recapitati ai nomi migliori della mondanità e delle arti. Erano stati assunti uno dei più celebri baristi newyorkesi, uno chef francese, un'orchestrina ungherese, un portiere irlandese, un capocameriere italiano, e una ballerina spagnola che si chiamava qualcosa come Euthanasia Gómez. E per offrire agli avventori quel qualcosina in più, zia Mame aveva dichiarato di essere pronta, se ce ne fosse stata richiesta, a strimpellare il grande piano bianco, e persino a interpretare brani dal suo repertorio francese. Ma non ebbe mai modo di farlo. Nella loro smania di perfezione, i due avevano completamente dimenticato la cosa più importante, e cioè di pagare il pizzo agli sbirri. Risultato, la sera dell'inaugurazione, nel momento in cui il vortice mondano toccava il suo apice, la polizia aveva fatto irruzione nel locale, fracassando mobili e bottiglie a colpi d'ascia e caricando zia Mame e la sua selezionatissima clientela su un cellulare.

Qualche tempo dopo, grazie ai buoni uffici di Frank Case, zia Mame aveva aperto nella hall dell'Algonquin uno sportello, cui i clienti in vena di shopping avrebbero potuto rivolgersi per sapere cosa comprare e dove. Peccato che nel 1931 i clienti dell'Algonquin si contassero sulle dita di una mano, e in ogni caso trovassero i gusti di zia Mame o troppo spinti, o troppo dispendiosi, o entrambe le cose. Finì che zia Mame trascorse gran parte della primavera nei saloni dell'albergo, a intrattenere i vecchi amici che si trovavano a passare di lì. Per pagare i debiti fu costretta a vendersi quasi tutte le perle e un anello con uno zaffiro stella; e quando tornai a casa per le vacanze estive era stufa marcia di trascorrere il suo tempo sotto le palme in vaso della hall.

Di lì a poco si mise a battere Riverside Drive, tentando di vendere porta a porta pentole di alluminio, di cui peraltro nessuno pareva sentire il bisogno. A ogni buon conto il suo datore di lavoro cercò di sedurla, lei gli allungò un ceffone e alla porta ci finì lei.

In luglio si impiegò come segretaria di un fabbricante di stringhe. Non sapeva stenografare, ma riusciva a battere a macchina abbastanza in fretta, e a produrre certe lettere che tutto si potevano dire, tranne linde e ordinate. Chi non produceva nulla, e tanto meno buste paga, era invece il suo principale, e la cosa finì lì.

In agosto zia Mame pose mano a una tragedia greca in trenta scene, che prevedeva un coro di duecento voci. Secondo l'agente cui la sottopose, Annie Laurie, non era neanche male, solo che scarseggiavano produttori vogliosi di rischiare.

Una mattina di settembre, millantando non so bene quali credenziali, zia Mame debuttò come centralinista per una compagnia di assicurazioni. Tempo di pranzo ed era già a casa, dopo aver rischiato di morire fulminata.

Quindi fu la volta di un breve interludio nel mercato immobiliare. Nel 1931 tutti, o quasi, stavano pensando di trasferirsi dai sontuosi appartamenti occupati fino ad allora in abitazioni molto più piccole, e soprattutto più abbordabili. Bene, zia Mame riuscì a intortare un suo amico al punto di fargli comprare un grande appartamento in un palazzo che di lì a poco si rivelò completamente disabitato, e del quale il neoproprietario fu costretto a sobbarcarsi per intero la manutenzione. Per salvare il disgraziato dal tracollo, zia Mame dovette rinunciare alla commissione, e in breve alcuni problemucci col mutuo della sua casa finirono per allontanarla a titolo definitivo dal mondo dell'immobiliare.

Sul finire dell'estate, mentre mi preparavo a ricominciare la scuola, la zia si ritrovava letteralmente assediata dai creditori. Dovette persino sottoporsi all'estrema umiliazione di chiedere allo Studio un rimborso spese per il mio mantenimento.

Le lettere che mi scriveva in quel periodo sembravano i messaggi di un'aspirante suicida. Ma all'inizio di ottobre ne ricevetti una in cui faceva capolino la grinta di un tempo:

Mio adorato ragazzo,

non indovinerai mai cosa sta per succedere. Be', ti aiuto: zia Mame torna a calcare le scene. Siccome Vera mi ha telefonato e mi ha invitato a colazione, ne ho approfittato per raccontarle le mie disgrazie degli ultimi mesi. Da lì, sai come va, ci siamo messe a rievocare i bei tempi del *Chu Chin Chow.* E di quell'albergo a Indianapolis, anche. Abbiamo fatto un tale pasticcio con le stanze che il poliziotto è diventato scemo. Le risate!

Be', per fartela breve, Vera sta per debuttare con un nuovo spettacolo, e mi ha fatto fare un provino per uno dei ruoli minori. Sarò un'aristocratica inglese, Lady Iris. Oh, è come tornare ragazze, in compagnia insieme!

Ma tesoro mio tieniti forte, adesso viene il bello. Lo spettacolo debutta il mese prossimo, e sai dove?

A Boston! Capisci, potrai vedere la tua zietta la sera della prima! Non muori dalla voglia? E adesso via, alle prove, alle prove!

In teoria, Vera Charles era la migliore amica di zia Mame. Non era una grande attrice, forse non era neppure una brava attrice, ma una star sì. Come si dice, piaceva soprattutto alle donne. Era un idolo delle matinée.

«Vera Charles è forse l'unica attrice vivente a possedere più abiti di scena che espressioni facciali» scrisse una volta Woollcott in una recensione. Da quel momento in poi Vera gli aveva tolto il saluto, ma sostanzialmente Woollcott aveva ragione. Vera faceva più o meno sempre la stessa parte, quella di un'incantevole nobildonna originaria di uno sconosciuto reame balcanico, toccata in sorte a un marito che la trascurava, e concupita da un terzo uomo. Spazzatura sulla pagina, ma oro puro in palcoscenico, tanto che le *Hausfrauen* risalivano sui vecchi torpedoni per Montclair stremate, l'ultima lacrima di passione e di invidia ancora sulla gota.

Il grande giorno della prima, ottenuto dal preside l'esonero dall'allenamento di hockey, mi precipitai a Boston, dove zia Mame aveva preso alloggio al Ritz. Il fattorino mi guidò fino in camera della zia; la trovai immersa nella vasca da bagno, che cantava: «Sono Chu Chin Chow / e vengo dalla Cina / anzi da Shanghai».

Emerse dalle acque calda e rosea. «Tesoro, che gioia vederti. Attento, attento che mi spettini. Adesso, piccinino, mi devi procurare delle caramelle al mentolo contro la tosse. Poi bisogna assolutamente che io mi corichi in una stanza al buio con un bell'astringente sulla faccia – una tiratina male non fa –, mi riposi la gola, e ripassi la parte. Quando ho finito, prima di andare a teatro, ci beviamo un bel brodo con qualche crostino qui in camera, vuoi? Dio, la gioia di avere di nuovo il nome in cartellone! Vera mi ha assegnato una scena con lei nell'ultimo atto. Ehi, guai a te se mi fai dimenticare la trousse dei gioielli. L'altro giorno alla prova costumi con solo il vestito da ballo ero di un triste che non ti immagini».

Cenammo alle sei, e subito dopo zia Mame telefonò a Vera per l'in bocca al lupo di rito. Alle sette ci presentammo al Colonial Theater. Dal mio posto in prima fila rimasi a guardare la sala che si riempiva di volitive matrone bostoniane, ognuna con riluttante marito al piede, e di studenti, in arrivo da Harvard e non particolarmente bendisposti.

Finalmente si alzò il sipario. Era il solito spettacolo di Vera, che dodici minuti esatti dopo l'inizio del primo atto, fasciata in un magnifico abito beige con manicotti di martora, si presentò in scena, andò a occuparne il centro, e attese graziosamente che la furia degli applausi si placasse. Da lì in poi tutto procedette secondo un copione che, almeno per il momento, non prevedeva la partecipazione di zia Mame.

Nel secondo atto Vera, tutta in velluto verde oliva, era addirittura irresistibile. E quando lasciò il velluto per un fluttuante négligé di seta blu le signore in sala si abbandonarono a guaiti e gridolini francamente imbarazzanti. Di zia Mame, intanto, neanche l'ombra.

Quando il sipario si alzò per la terza volta, in scena c'erano solo Vera, con un abito da sera che le valse un applauso fragoroso, e l'Altro. Intanto fuori scena era in corso una festa: si udivano le note di un valzerino molto vivace e lo scoppiettio di una conversazione molto animata. Poi all'improvviso una voce familiare, almeno a me, sovrastò tutte le altre: «Oooh, Lord Dudley! Un altro po' di champagne, prego!». In sottofondo, un tintinnio di campanelli.

Vera sembrava un po' sulle spine, ma andava avanti lo stesso, solo accentuando ancora quella sua parlata quasi incomprensibile: «Ba, Reginald, cosa bi dici? Andare via così... Sarebbe uda pazzia, uda stupenda, stupenda pazzia».

«Oooh, Lord Dudley, potrei ballare tutta la notte» sentii l'inconfondibile voce di zia Mame proclamare dietro le quinte. E continuavo a sentire anche quel misterioso scampanellio. Era una nota stridente, che staccava sul brusio dell'aristocratica festa fuori scena. Dal loggione partì uno sghignazzo.

Vera si diede una toccatina all'acconciatura scolpita, e ricominciò.

«Sì, Reginald, sarebbe uda pazzia. Apparteniabo a bondi diversi. La dostra felicità sarebbe breve – il dostro odio eterdo, sì. Ci odierebbo per quello che abbiabo fatto. Dunque lasciaboci. Lasciaboci e portiabo con noi questo bobento di estasi. Lo terrebo caro per senpre, senpre. Oh, Reginald, baciabi – e diciaboci addio. Ascolta, arrivado gli altri».

La musica riattaccò, e i festaioli, a coppie, entrarono in scena dal grande arco in quinta. Poi uno scampanellio molto, molto più forte di prima annunciò il lampo scarlatto che di lì a qualche secondo irruppe a sua volta sul palco. «Oooh, ma Lord Dudley, ballate divinamente il valzer» stava dicendo zia Mame.

Vera si irrigidì. I campanelli tinnivano sempre più forte. Con una voce che ricordava distintamente una sirena, o un corno, Vera urlò: «Vedite qui! Devo fare ud adduncio che vi riguarda!».

Gli ospiti blasonati fecero un passo in avanti, andando a disporsi in un'elegante coreografia intorno a lei. Ma in quel preciso momento arrivò alle orecchie di tutti, ben avvertibile, un rumore di ferraglie. Appena la piccionaia cominciò a rumoreggiare spostai lo sguardo su zia Mame. L'abito scarlatto era bello e le stava anche bene, il problema erano i polsi. Purtroppo aveva deciso di avvilupparli in spire e spire di braccialetti ricavati dai campanacci d'argento di un celebre tempio buddhista del Siam, dono di un ammiratore ormai dimenticato.

La crisi di riso si stava propagando alle prime file, e Vera era talmente infuriata che urlò la battuta successiva con quanto fiato aveva in corpo. Niente da fare: lo scampanellio, e le risate di accompagnamento, avrebbero coperto una sirena antinebbia. Vera avanzò di nuovo verso i riflettori, fissò le travi del soffitto, e ripeté imperterrita la sua battuta: «Ho appeda detto a Regidald che don intendo sposarlo. Il bio posto è a casa, vicino al principe Alexis. Devo tornare, tornare al mio bondo». A questo punto si voltò verso zia Mame, con un'occhiata che avrebbe paralizzato una tigre del Bengala e sibilò: «Lady Irisss, sareste così gentile da suodare il campanello e farbi portare la bantella?».

«Ma certo, Principessa» disse zia Mame con un profondo inchino, e un conseguente clangore.

Il campanello avrebbe potuto fare a meno di nominarlo, ma la platea mostrò di apprezzare. Tutti ridevano come pazzi, e parecchi pestavano i piedi a terra.

L'ennesimo dlendlen e zia Mame, con un certo nervosismo, avanzò verso Vera reggendo un'immensa mantella di cincillà, le cui pieghe se non altro attutirono per qualche istante – in parte – il rumore di campane.

«Lasciate che vi aiuti, Principessa» disse zia Mame con la sua voce stentorea. Per aiutarla le porse la pelliccia, che srotolandosi come una tapparella liberò i campanacci dalla loro voluminosa sordina: ma che era, notai con raccapriccio, nel verso sbagliato.

«Grazie, Lady Iris» ruggì Vera, drappeggiandosi la mantella sulle spalle. E quando si rese conto che in pugno stringeva l'orlo, mentre il cappuccio si trascinava miseramente ai suoi piedi, fece una faccia che francamente non mi sento di descrivere.

Persino a me scappò una specie di risatina isterica, che durò fino a quando mi accorsi che zia Mame sembrava proprio non volere – o non potere – staccarsi dalla mantella. Vera fece un passo avanti per pronunciare la battuta finale, seguita a ruota da zia Mame, il braccio inspiegabilmente teso, e incollato al sedere della sua amica. Lì ebbi un'illuminazione: uno dei braccialetti doveva essere rimasto impigliato nella pelliccia.

Vera fece un altro passo verso il proscenio, senza riuscire a scrollarsi di dosso zia Mame, e accompagnata dall'ormai consueto scampanio.

Poi finalmente si fermò. «Lasciami» grugnì. «Non posso» gemette zia Mame.

Tra fischi, risate e schiamazzi rischiava di venir giù il teatro. Vera esalò l'ultima battuta mentre zia Mame tentava ancora di districarsi, finché per grazia di Dio calò il sipario, avvolgendo le due signore – che ormai si stavano praticamente accapigliando – in ettari ed ettari di velluto polveroso.

Dovessi campare cent'anni non dimenticherò mai quella serata. Riesumando l'accento piuttosto rude della natia Pittsburgh, Vera riversò su zia Mame tutti gli improperi di mia conoscenza, e anche parecchi di cui fino a quel momento ero stato all'oscuro. Zia Mame era stravolta. Piangeva disperatamente, con la testa appoggiata fra i vasetti e i flaconi che ingombravano la toletta. «Ma Ve-Vera,» singhiozzava «erano gli ultimi braccialetti che avevo. Non me ne sono rimasti altri». Vera strillava come una pescivendola: «Brutta troietta arrampicatrice, hai mandato in vacca la mia prima, sei contenta? Ti odio! Te e tutta la gentaglia che ti circonda». E continuò a inveire fino a quando il suo impresario non la trascinò via a forza, sbattendo sulla toletta di zia Mame un foglio in cui le comunicava che con la compagnia aveva chiuso.

Le luci del teatro si spensero su zia Mame in lacrime, che continuava a ripetere: «Erano gli unici braccialetti che avevo, gli unici». E quando finalmente riuscii a buttarle il visone sulle spalle, a trascinarla su un taxi e a portarla al Ritz si erano fatte le due. Piangendo senza ritegno, la zia si lasciò mettere a letto. Non avrei mai immaginato che un corpo umano potesse contenere tante lacrime, e prendendole la mano mi resi conto che scottava. A quel punto mi spaventai e mandai a chiamare il medico dell'albergo.

L'indomani trasportai zia Mame a New York in autoambulanza. Piangeva ancora, e aveva sempre la febbre alta. Mi stringeva la mano talmente forte che a un certo punto pensai me l'avesse fratturata in più punti. E soprattutto continuava a delirare: «Ma Vera, erano gli unici braccialetti che avevo, gli unici. Tutti gli altri me li hanno portati via. Mi sono rimasti solo questi. *Solo questi*».

Appena arrivati a New York la misi a letto. Era in stato di incoscienza, con una febbre da cavallo. Norah e Ito, come molti domestici durante la Depressione, lavoravano per nient'altro che vitto e alloggio, ma adoravano zia Mame. Norah arrivò a pagare di tasca sua l'ambulanza, e anche il biglietto dell'autobus per farmi tornare in collegio. Quanto a me, me ne stavo seduto al capezzale di zia Mame, rigirandomi mestamente fra le dita il berretto del St. Boniface. Quando mi alzai per andarmene, zia Mame era ancora lì che piangeva e mormorava frasi incomprensibili sui braccialetti. Al suo fianco c'era Norah, che le accarezzava la mano: «Ssst cara, zitta adesso, basta piangere. A una signora così bella serve una cosa sola, un brav'uomo, una persona ammodo che pensi a tutto. Vedrà che adesso lo troviamo, tesoro, ma fino a quel momento lei deve stare tranquilla e riposarsi».

Ero talmente preoccupato che non riuscivo neanche a studiare. Ma il giorno del Ringraziamento la zia mi mandò un bigliettino molto formale, col quale mi comunicava di avere accettato «il posto offertomi da Macy's. Fino alle vacanze natalizie si tratterà essenzialmente di vendere pattini, ma ci sono ottime prospettive di carriera. Il direttore del personale mi ha detto che è espresso desiderio dell'azienda assumere dipendenti che abbiano frequentato con profitto le migliori scuole».

A partire da quel momento zia Mame mi spedì lettere sempre più euforiche, in cui mi raccontava storie di volta in volta divertenti o toccanti sulla vita al reparto giocattoli del grande magazzino sotto Natale, come quella della baronessa austriaca in disgrazia che vendeva bambole di pannolenci, o dell'ex professore del MIT che illustrava ai clienti il funzionamento del Piccolo Chimico. Quindi, regredendo improvvisamente all'età scolare, ammetteva che il corso di formazione era stato un tormento, e che tenere i registri la faceva diventare matta. «Ma adesso,» spiegava «sono convinta di aver trovato la soluzione perfetta: il contrassegno. È molto più comodo sia per me che per i clienti, che non sono costretti a tirar fuori subito i soldi. Comprano oggi e pagano domani. Lo trovo praticissimo». Ancora, le facevano male i piedi e detestava girare tutto il giorno vestita di nero, però si divertiva anche molto e non vedeva l'ora che arrivasse Natale per poter passare un po' di tempo con me.

Senza di lei la casa era vuota. Stava via tutto il giorno, e la sera tornava pallida e stanca. Però il negozio, il lavoro in generale e soprattutto il contrassegno la tenevano su.

Il problema erano sempre i debiti. La domenica prima di Natale sentii che, parlando con non so chi al telefono, piangeva: «... ma come può pretendere che entro gennaio riesca a mettere insieme tutti quei soldi? Dovremo andarcene, non c'è altro da fare». Più tardi Norah le comunicò che se non avessimo pagato i conti fino all'ultimo centesimo entro Capodanno Shaffer's ci avrebbe fatto causa. Zia Mame pianse un altro po', poi disse: «Diciotto dollari alla settimana, e quella miseria di mensile... Santo cielo, non ci compro neanche il regalo di Natale a Patrick».

A me non importava. Non avevo speso un centesimo della paghetta, mi ero venduto il microscopio, e così io il regalo a lei lo avevo fatto. Memore dei disgraziatissimi campanelli le avevo comprato il braccialetto di strass più grosso che fossi riuscito a farmi dare per dodici dollari. Ero sicuro che portato sul visone autentico – anche se un po' consumato al sedere – sarebbe passato per vero, e che finalmente zia Mame avrebbe ritrovato la felicità.

La mazzata finale arrivò alla vigilia di Natale. Proprio mentre stavo impacchettando il regalo sentii la porta di casa che si chiudeva, e subito dopo un paio di tacchi alti che si trascinavano in soggiorno, ma senza l'abituale guaito di saluto.

Mi avvicinai in punta di piedi, e vidi zia Mame accasciata su un pouf, col visone ancora sulle spalle. Teneva la faccia tra le mani, e piangeva sommessamente.

«Zia,» le dissi «come mai già a casa?».

«Oh, Patrick» singhiozzò. «Mi hanno... mi hanno... mi hanno licenziata. Mi hanno buttata fuori da Macy's».

Era uno strazio vederla seduta lì a dondolarsi avanti e indietro, in lacrime.

«Patrick, non è stata colpa mia. È lui che non ha voluto i pattini in contrassegno».

«Lui chi?».

«Quel signore del Sud. Sembrava una persona tanto perbene, tanto gentile, e carino. Piuttosto un bell'uomo, sai? Ha ordinato ve-venti paia di pattini. E allora, allora,» ricominciò a piangere «allora stavo per riempire i moduli del contrassegno, ma lui mi ha detto di no, che preferiva pagarli e portarseli via. Io gliel'ho detto che sapevo fare solo i pagamenti in contrassegno, ma lui... Oh Patrick, certo non era in bolletta. Uno stupendo cappotto di cammello, un Cavanaugh in testa... e fra l'altro aveva una stanza al St. Regis, il contrassegno gliel'avrebbero pagato loro... erano solo cinquantun dollari...».

«Ma insomma cos'è successo, cos'ha fatto quel signore?».

«Oh sai Patrick, era un sudista molto gentile, e poi aveva comprato tutti quei pattini, e sembrava così alla mano, e allora gli ho detto che glieli avrei spediti contrassegno, ma lui mi ha risposto che siccome erano per un orf... orfanotrofio preferiva ritirarli subito, e così gli ho dovuto confessare che purtroppo io sapevo fare solo le spedizioni contrassegno, e che siccome Miss Kaufmann era andata... era andata in bagno, non poteva aiutarmi col registro, e allora quel signore ha detto che ci avrebbe pensato lui, che poteva aiutarmi lui, e... allora ha fatto il giro della cassa e mi ha dato una mano con le ricevute, e sai, finalmente cominciavo a capire come funziona la faccenda dei contanti, e poi quel signore era simpaticissimo, e ci stavamo facendo anche un sacco di risate, solo che a un certo punto arriva il direttore del piano e mi fa: "Cosa sta succedendo, signorina

Dennis?". Allora il sudista si è messo a ridere e gli ha spiegato il problema, e il direttore ha detto di trovare semplicemente in-cre-di-bi-le che un'impiegata di Macy's non sapesse riempire una ricevuta. Poi mi ha preso per un braccio e mi ha trascinato da quelli del personale, e gli ha detto che ero l'impiegata più stu... stu... stupida di tutto il reparto». E qui il pianto si era trasformato in un singhiozzo irrefrenabile.

«Continua, zia. Il signore del Sud cos'ha fatto?».

«Oh, ma lui... non c'era. Il direttore mi ha portato via in un secondo, sai? E pensa che avevo venduto molti più pattini di tutte le altre».

«E poi cos'è successo?».

«Niente, hanno detto che volevano dare un e... un esempio, e mi hanno licenziata così, su due piedi».

Sul soggiorno, nel crepuscolo precoce di dicembre, stava calando il buio. Ma zia Mame, disperata, non accennava a muoversi – continuava a piangere e a dondolarsi avanti e indietro. Alle sei entrò Ito per accendere le luci, e un minuto dopo arrivò anche Norah, tentando in tutti i modi di consolare la zia, che però rimaneva seduta a piangere.

Non me la sentivo di lasciarla sola, temevo compisse un gesto irreparabile. Così mi accoccolai ai suoi piedi. Il visone le era scivolato dalle spalle. Sotto portava ancora l'abituccio nero da commessa. La faccia era cerea, le guance inondate di lacrime.

Poi suonarono alla porta. Un attimo dopo arrivò Ito in giacca bianca, impeccabile come sempre. «Mr Burnside per signora».

«Di... digli che non sono in casa» rispose piatta zia Mame.

«Provato a dire Madame non riceve, ma lui insiste essere importante. Viene da Macy's».

Zia Mame sollevò lo sguardo. «Ma allora bisogna che lo veda. Magari mi rivogliono» disse rianimandosi.

E così Ito fece entrare un omone, molto alto e molto bello, che non avevamo mai visto prima. Portava un cappotto di cammello e un cappello marrone. «Oh, ma è *lei*! Non le basta avermi fatto perdere il posto? Vuole continuare a perseguitarmi? Adesso cos'altro ha in mente, buttarmi in mezzo alla strada?».

«Per favore, signora, la prego» disse lo sconosciuto. «Ho girato il negozio in lungo e in largo per scoprire come si chiamava, e come potevo mettermi in contatto con lei. Quando il suo capo è tornato indietro gli ho chiesto cosa stava succedendo, e lui mi ha detto che l'avevano appena licenziata. Gli ho risposto che avevano commesso un errore, ho cercato di spiegargli che era tutta colpa mia, e quando l'ho pregato di dirmi almeno il suo nome sa cosa ha risposto? Che per principio l'azienda non rende noti i dati dei suoi collaboratori. Ho provato a insistere, a fargli capire che non aveva alcun senso mettere alla porta una personcina deliziosa come lei. Sa cosa gli ho detto? Gli ho detto: "Ragazzi, è la prima volta in vita mia che mi diverto a comprare qualcosa". Neppure all'ufficio del personale hanno voluto dirmi niente, ma alla fine ho chiesto a una piccola, gentilissima signora tedesca del reparto bambole, e finalmente sono riuscito a sapere il suo cognome, ma solo quello, né il nome né l'indirizzo, altrimenti non ci avrei messo tutto questo tempo a trovarla. Ragazzi, ho provato tutti i Dennis dell'elenco telefonico.

«Signorina Dennis, dato che ho battuto tutta la città in taxi, potrei dire all'autista qui fuori di tornarsene a casa dai suoi cari? Le spiace?».

«Prego. Tanto, peggio di così» rispose zia Mame. Sembrava Jean Valjean quando è intrappolato nelle fogne, eppure approfittò della pausa per darsi un'incipriata al naso e una passatina di pettine.

Mr Burnside tornò indietro e si tolse il cappotto. «Ehi,» disse inginocchiandosi di fianco a zia Mame «non voglio assolutamente che lei sia in collera con me per questa storia del lavoro. Siccome la sola idea che l'avessero licenziata per causa mia mi faceva ammattire, ero venuto a offrirle un posto da me, alla Dixie Belle Enterprise. Però adesso vedo» continuò studiando con una certa attenzione la stanza «che in realtà il problema non sono i soldi, vero? Anzi, una signora che vive in un posticino come questo non dovrebbe proprio lavorare da Macy's».

Zia Mame rovesciò indietro la testa, scoppiando in una risata senza freni, e rise fino a che le lacrime tornarono a solcarle le guance. Quanto a Mr Burnside, avvampò di rabbia, e il suo sguardo faceva una certa paura.

«Miss Dennis, se tutto questo è una specie di scherzo, guardi che non lo trovo affatto divertente. Ragazzi, mi sono fatto un coso così per tutto il pomeriggio a cercarla nell'ordine alfabetico, e... ».

Zia Mame si mise a rovistare nel portafoglio. «Ma certo, Mr Burnside,» disse continuando a ridere come una pazza «certo che i soldi non sono un problema, e adesso glielo dimostro. Glieli faccio vedere tutti, guardi qui: un dollaro e trentacinque... trentasei... trentasett... trentotto centesimi».

Sentii Norah che mi sibilava qualcosa dal corridoio, facendomi cenno con l'indice di andare subito da lei. Così mi alzai, dileguandomi in punta di piedi. «Vai via da lì, signorino. Madame ha un ospite. E mica un signore qualsiasi, un signore del Sud! ».

Me ne andai al piano di sopra, in camera, dove rimasi a leggere *Bring' Em Back Alive* fino a quando zia Mame mi raggiunse, con gli occhi tutti lucidi. «Tesoro, volevo dirti che siamo salvi. Mi offre un posto alla Dixie Belle Enterprise. È una grande compagnia petrolifera. Starò al banco di accoglienza, per trenta dollari la settimana. Oh, è una persona *molto* carina. Pensa, mi ha anche invitato a cena da Armando. Credo che ci andrò, sai, è talmente gentile. E a parte tutto, » concluse con un'alzata di spalle « una cena gratis mica ci fa schifo, no? ».

Mentre si infilava uno dei vestiti di Turner ancora da pagare, le feci scivolare al polso il braccialetto. « Buon Natale, zia Mame » le dissi. E aggiunsi subito: « Guarda che non sono diamanti veri ».

« Oh, ma caro, caro Patrick. È il più bel braccialetto che abbia visto in vita mia! ». Portato insieme al suo visone autentico, e al suo autentico sorriso felice, pareva proprio vero anche lui.

L'indomani zia Mame, assolutamente radiosa benché ancora un po' alticcia, mi consegnò uno scatolone di Brooks Brothers, con dentro il mio primo vestito da grande. « Buon Natale, tesoro mio, buon Natale! ».

« Accipicchia zia Mame, ma grazie! ». Più tardi notai che dalla camera da letto era scomparso un certo disegno di Tiepolo raffigurante alcune persone molto pie, ma anche molto nude. Era uno dei suoi pezzi preferiti, ma la zia sembrava contenta lo stesso.

« Patrick, caro, non mi hai chiesto niente di quel signore del Sud ». Era vero, non lo avevo fatto, ma mi aggiornò lei. « È un uomo adorabile. Sai, siamo andati da Armando, ci siamo fatti una bistecca e abbiamo riso per ore, ore ti dico. Il suo nome completo è Beauregard Jackson Pickett Burnside, e discende da ben quattro generali sudisti, non chiedermi come. Oh, il prode, coraggioso Sud. Comunque è un signore molto, molto gentile, e ha delle ciglia bellissime. Ah, fra l'altro stasera viene a cena da noi ».

Mr Burnside non si presentò a mani vuote: diede venti dollari a me, una mancia principesca a Ito e a Norah, dopodiché portò zia Mame a vedere Marylin Miller.

Per tutta la settimana successiva zia Mame fu una specie di fantasma. Lei e Mr Burnside passavano senza sosta da un tè a una cena a un teatro. Per il cenone di Capodanno avevano un tavolo prenotato al Central Park Casino, che però rimase vuoto. Mr Burnside e zia Mame andarono infatti nel Maryland – o, come lo chiamò la zia da quel momento in poi, nel *Matri*land.

Il 1° mi arrivò una telefonata dal St. Regis: «Pronto tesorino, parla la signora Burnside. Vieni subito qui, che zio Beau e io ti portiamo a colazione!».

# 4
# ZIA MAME E LA BELLA DEL SUD

Volendo farne un personaggio a tutto tondo, l'articolo sosteneva che l'adorabile fosse anche una sportivona. O se non altro che lo fosse diventata precipitevolissimevolmente.

A quanto pare il suo cruccio era che, pur primeggiando a scuola, e pur essendosi rivelato di grande compagnia e per lei stessa e per il gatto, il frugoletto non avesse un padre in grado di istruirlo nelle arti più maschie. In sostanza, temeva che senza un po' di movimento le diventasse una specie di topo di biblioteca, con quel che ne segue in fatto di scarsa prestanza. Così era andata da Spalding, si era procurata l'attrezzatura necessaria, e aveva cominciato a insegnare al ragazzo tutto ciò che riteneva potesse essergli utile. La prima beneficiaria di quegli allenamenti, tuttavia, doveva essere stata proprio lei, se era arrivata ad aggiudicarsi una buona metà dei premi alla fiera di Danbury, e a stabilire il record assoluto di lancio del peso nella categoria signore.

Be', non mi azzarderò a sostenere che zia Mame

abbia mai portato a termine alcunché di paragonabile, ma devo dire che nel settore si guadagnò comunque una certa reputazione. Anzi, delle imprese sportive che la videro protagonista dopo il matrimonio con Mr Burnside si continua a parlare, in molte zone del Paese, con un misto di stupore e ammirazione.

Alcuni osservatori malevoli sostenevano che zia Mame avesse sposato Mr Burnside per una questione di soldi. Ora, che Beau fosse di gran lunga lo scapolo sotto i quarant'anni più facoltoso a sud di Washington poteva avere avuto il suo peso nella scelta, non dico di no. Ma zia Mame lo amava davvero. In lui aveva trovato contemporaneamente un padre, un figlio, un fratello, un Babbo Natale e un amante.

Il nuovo marito di zia Mame era il tipico sudista grande e grosso, simpatico, espansivo, di buon carattere. Non si poteva non volergli bene. Veniva da un'ottima, antica e naturalmente decaduta famiglia della Georgia, ma a suo onore va detto che era l'unico fra quei discendenti di generali a non ciabattare per il profondo Sud vaneggiando del bel tempo andato in cui quei cani di yankee non si erano ancora portati via la terra e le donne. Mentre i vecchi feudatari della zona ancora piagnucolavano perché il cotone non rendeva più, Beau si era messo a coltivare prima soia e poi arachidi. Al compimento del diciannovesimo anno, e senza dover ringraziare nessuno, aveva liberato la terra dei Burnside sia dai gravami che dall'erosione, e non solo, aveva cominciato a farla fruttare. Durante l'ultimo anno al Politecnico della Georgia Beau era andato in Texas per rimettere ordine nella proprietà abbandonata di un suo cugino migrato altrove, e aveva scoperto il petrolio. A ventun anni era un milionario. Zio Beau sembrava trasformare in oro tutto quello che toccava. Era il primo a stupirsene, anche se certo la cosa non lo metteva di malumore. «Tutta fortuna, cocca» ripeteva sempre a zia Mame. Per lui comunque il denaro aveva senso solo se poteva condividerlo. Oltre a provvedere al mantenimento della vecchia madre, e dello sterminato branco di fannulloni con cui aveva legami di parentela, contribuiva in modo sostanziale a tutti i principali enti di beneficenza del Paese. E chiunque fosse in grado di rappattumare una storia lacrimevole che stesse vagamente in piedi poteva contare sul suo aiuto.

Zio Beau aveva pagato tutti i debiti di zia Mame, venduto la bicocca di Murray Hill – una donna perbene non viveva in un posto del genere, secondo lui –, rispedito Norah nella contea di Meath con una pensione più che rispettabile e il libretto di risparmio di nuovo integro. Quindi aveva sistemato zia Mame in una decina di stanze al Regis, incoraggiandola a riprendere il suo tenore di vita di un tempo. E lei non se l'era fatto ripetere due volte.

Zia Mame in effetti era tornata zia Mame, anche se con qualche lieve variazione sul tema. Nel 1932 un certo romanticismo era di moda, ma la zia si spingeva decisamente oltre; aveva i capelli più morbidi e più voluminosi di prima; in ogni sua stanza c'era un numero eccessivo di camelie; sui vestiti spiccavano organza e balze; sotto le gonne frusciavano le crinoline. Quando zio Beau insistette perché si lasciasse fare un ritratto, zia Mame scelse un pittore da salotto, e non uno dei modernisti a oltranza che le circolavano per casa. Però il quadro finito sembrava dipinto, anziché col pennello, direttamente col tubetto, e zia Mame ebbe più volte occasione di rimpiangere a voce alta la dipartita di Winterhalter.

Anche il suo modo di parlare era un po' diverso: più biascicato, più morbido, meno scandito. Mi chiamava quasi sempre «ciccino» e, uno o tanti che fossimo, usava molto spesso la locuzione «voialtri».

Per il mio tredicesimo compleanno mi fece recapitare una balla di regali, fra i quali spiccavano un'importante collezione di soldatini confederati d'antiquariato – che possiedo ancora –, tre volumi sul generale Lee, e addirittura una prima edizione molto ingiallita del *Piccolo colonnello*. Dove stesse andando a parare mi era perfettamente chiaro.

Nel giugno di quell'anno dovevano consegnarmi il diploma. Me la sarei cavata benissimo da solo, ma zia Mame mi scrisse una lettera debordante comunicandomi che lei e zio Beau avevano deciso di prendere la macchina e venire al St. Boniface, in modo da essere presenti alla grande cerimonia. «E ho una grande sorpresa in serbo per te, ciccino» continuava. «Appena finito con la scuola tu, tuo zio Beauregard e io partiremo direttamente per la Georgia, dove passeremo l'estate in una grande piantagione e potremo finalmente conoscere la mia adorata, tenerissima suocera. Scusa se vado un po' di fretta, ma stanno per arrivare le Figlie della Confederazione – abbiamo organizzato una riunioncina qui da noi. Non vedo l'ora di passare un po' di tempo insieme a voialtri».

Alla consegna dei diplomi si presentò l'incarnazione stessa della Donna del Sud. Zia Mame portava infatti un abito da cocktail bianco che pareva fatto di zucchero filato, con guanti, cappello e persino un parasole di pizzo da roteare vezzosamente, mentre il ventaglio – anch'esso di pizzo – le scivolava di mano a intervalli regolari, scatenando ogni volta una gara di salamelecchi fra i cicisbei del St. Boniface. E quando le fu comunicato che avevo vinto il premio di Inglese, zia Mame apostrofò il mio professore di inglese in questi termini: «Oh, se voialtri sapeste fino a che punto siamo fieri di questo ragazzo. Del resto alla sua età anche il suo povero genitore ebbe modo di distinguersi per meriti letterari, giù da noi».

In Georgia ci andammo sull'immane catafalco di zio Beau, una Dusenberg, fermandoci di tanto in tanto per ammirare un augusto monumento su questo o quel venerato campo di battaglia dove i nostri valorosi ragazzi del Sud erano andati incontro alla morte battendosi per gli ideali in cui credevano. Il panorama a me pareva una fetecchia, ma zia Mame, che aveva già avuto modo di ammirarlo in precedenza dai finestrini di un vagone letto, ci intrattenne a lungo sui nobili valori e le antiche memorie che permeavano quella terra.

Quando la macchina si fermò davanti al colonnato di Peckerwood, la piantagione dei Burnside, un meraviglioso, decrepito maggiordomo ci si fece incontro per occuparsi delle valigie, mentre una gigantesca signora dalla pelle nera, che sembrava uscita dalla réclame di un budino, ci ballonzolò intorno ripetendo qualcosa come «'envenudi, 'envenudi» almeno una trentina di volte. Zia Mame era completamente a suo agio.

Grazie al petrolio texano, allo zucchero di Cuba, al mercato azionario di New York e alle miniere canadesi, che contribuivano in varia misura al suo benessere, zio Beau era riuscito a riportare Peckerwood allo splendore anteguerra. Oltre alle piantane di cristallo, c'erano tende di damasco, sedie di palissandro e tavoli Sheraton. Zia Mame disse che era proprio carino. Mi accompagnarono nei miei appartamenti – una stanza enorme, con un letto a baldacchino, un comò Chippendale, e le finestre che affacciavano sullo smisurato terrazzo del secondo piano. L'unico tocco moderno, ahimè nordista, era una sontuosa vasca da bagno.

Lì per lì zia Mame non parve gradire fino in fondo la sua sistemazione. Come da tradizione di famiglia, il primogenito e la sua sposa erano infatti stati alloggiati nel cosiddetto Cottage Nuziale, subito dietro il labirinto, mentre lei avrebbe preferito la casa padronale. Ma ritengo che in un secondo momento abbia ringraziato i suoi santi.

«Scusa, Beau, ciccino,» cominciò a protestare già disfacendo le valigie «a quando l'incontro con quella deliziosa vecchiettina della tua mamma?».

Ora, la madre di Beau si poteva definire in molti modi, ma «deliziosa» no, e qualsiasi forma di diminutivo suonava decisamente fuori luogo, se applicata a lei. Vecchia invece lo era, e suppongo che Dio, nella sua infinita misericordia, avesse avuto le sue ragioni per concederle la gioia tardiva della maternità – anche se, a costo di sembrare blasfemo, mi sono spesso sorpreso a domandarmi quali. Come impianto, la madre di Beau ricordava molto da vicino un frigorifero General Electric, e più in generale sembrava un incrocio fra Caligola e un cacatua. Mamma Burnside aveva due occhietti a spillo, un imperioso naso aquilino, la pelle cadente e l'alito cattivo. Portava una parrucca nera dura come un baccalà e un vestito nero anch'esso, e non molto più morbido. Trascorreva le sue giornate in un soggiorno oscurato, le mani grassocce – con le dita tempestate di anelli, sotto la cui cracia a volte si intravedevano brillanti – appoggiate sul ventre pingue. Pur essendo una donna cupa e taciturna, qualora gliene saltasse il ghiribizzo era in grado di trattare i seguenti argomenti: a) i suoi leggendari antenati; b) la crescente testardaggine dei negri; c) gli yankee; d) lo squallore umano di chiunque avesse mai avuto modo di conoscere, a eccezione di se stessa; e) le deplorevoli condizioni dei suoi intestini. Ma in genere rimaneva in silenzio, le labbra serrate in segno di disapprovazione, gli occhietti neri e perfidi che dardeggiavano come quelli di una vecchia cocorita cattiva.

La dimora di Peckerwood aveva anche un altro occupante. Si trattava dell'inevitabile parente povera, la cugina Fan – una scialba, timida, rinsecchita zitella che espiava la propria miseria sottoponendosi alle ininterrotte vessazioni di Mamma Burnside. A suo modo – un modo assai masochistico – la cugina Fan era un esserino tenero e patetico. Avrà avuto un QI non superiore a trentacinque, e nel poco tempo libero che le lasciava il soddisfacimento degli stolidi capricci di Mrs Burnside si divideva tra la beneficenza a favore dei negri e le preghiere a un suo Dio episcopale, forse anche benevolo, ma a quanto pare sordo come una campana.

Dopo essere stato in bagno, e avere disfatto la valigia, sentii bussare alla porta. «Mi presento» disse. «Sono Fanny Burnside, la cugina di Beau. Mi spiace non essere venuta ad accogliervi, ma ero di sopra. La cugina Eufemia – scusate, volevo dire Mrs Burnside – aveva bisogno di me per la purga. Voi siete il nipotino di Beau, vero?».

Risposi in senso affermativo, e le chiesi come andava.

«Forse potremmo scendere in veranda a fare due chiacchiere. Fino alle quattro Mrs Burnside riposa».

Così la cugina Fan e io andammo a sederci nel portico, ognuno sulla sua dondolo, e là rimanemmo fino a quando, dalla parte del cottage, vedemmo arrivare zia Mame e zio Beau. Zia Mame, spaventosamente su di giri, baciò più e più volte Miss Fan, chiamandola sempre e solo cugina Fanny. Il vecchio domestico di colore portò una grande caraffa di bourbon e qualche bottiglia di Coca. Col passare dei minuti, zia Mame diventava sempre più affabile. «Ma sapete cugina Fanny che siete proprio un'adorabile pulcettina?» trillò.

Miss Fan rise per pochi secondi.

Si vedeva benissimo che zio Beau era smisuratamente orgoglioso di zia Mame, la quale ricambiava chiamandolo micione e sistemandogli i capelli ramati in tanti artistici riccetti. In evidente imbarazzo, Miss Fan ridacchiava, dichiarandosi felice che suo cugino avesse trovato una mogliettina così deliziosa.

Un istante dopo, dalle viscere della dimora arrivarono fino a noi dei colpi spaventosi, e il volto incolore di Miss Fan assunse una sfumatura grigiastra. «Spero che le nostre chiacchiere non abbiano svegliato la cugina Eufemia. Non si alza mai così presto». Ciò detto, si alzò ed entrò in casa.

L'incontro fra zia Mame e sua suocera ebbe qualcosa di epico. Miss Fan infatti riapparve ciabattando in veranda, nel momento esatto in cui zio Beau proponeva un altro giro di bourbon. «È pronta a ricevervi, voialtri».

«Oh, Beau, ciccino, che emozione!» gongolò zia Mame. «Non posso aspettare un minuto di più». Per quanto mi riguardava avrei aspettato fino alla fine dei tempi, ma pazienza.

Con qualche apprensione, Miss Fan ci scortò tutti e tre nel salone sul retro dove Mrs Burnside, assisa in trono, ci stava aspettando.

«Oh mamma, mammina» squittì zia Mame, precipitandosi a baciarla. Nel caso la sua pestilenziale fiatella non fosse bastata a spegnere gli ardori della nuora, Mrs Burnside esordì come segue:

«Sembrate più vecchia di quanto pensassi».

Zia Mame vacillò. Non diceva mai quanti anni aveva, e i suoi documenti, all'apposita voce, riportavano solo la dicitura «maggiorenne», cui nessuno trovava mai niente da ridire. Sospetto che all'epoca fosse fra i trentacinque e i quaranta, ma ne dimostrava molti meno.

Mrs Burnside rivolse a suo figlio una delle sue occhiate più torve. «Sì, Beauregard, mi avevi indotto a ritenere che fosse più giovane, assai più giovane. E figliolo mio, lascia che te lo dica, sembri stanco, stanco *morto*». Dopo averla baciata sulla fronte, Beau mi presentò. Io le agguantai quella sua mano grassoccia, producendomi in un inchino da scuola di ballo.

«Sembri abbastanza a posto. Per essere uno yankee, chiaro» mi disse.

Nel frattempo, ripresasi dalla prima bordata, zia Mame ripartì valorosamente alla carica. «Ma che bella, anzi, che magnifica casa neoclassica mam – volevo dire Mrs Burnside». Dalla sua parlata erano improvvisamente scomparsi i «ciccino», i «voialtri» e tutti i manierismi sudisti.

«A noi piace» disse piatta Mrs Burnside, voltandosi verso Beau per dare la stura, è il caso di dire, a un torrenziale aneddoto sui suoi intestini.

La cena fu una specie di veglia funebre. C'era una zuppa indicibilmente densa, un enorme arrosto di maiale, patate al forno, patate dolci, polenta d'avena, pane integrale e una torta di ananas scodellata a rovescio, tutte squisitezze che avremmo pagato io con incubi tremendi, zia Mame con un'acidità di stomaco a quanto pare molto fastidiosa. La conversazione, a tavola, procedeva a strappi. Zia Mame si lanciò impavida in una dissertazione sul neoclassico americano, e in particolare sull'influsso di Vitruvio, mutuato attraverso Palladio, Castle, Jones, Adam, giù giù fino a Thomas Jefferson. Beau ripeté cinque o sei volte, senza molta convinzione, quanto fosse contento di trovarsi a casa. Miss Fan cinguettò parecchio, almeno fino a quando Mrs Burnside non la punse a tradimento con una forchetta, ingiungendole di tacere. E questo – oltre a una serie di rutti squassanti – fu il suo contributo più rimarchevole al buon andamento della serata. Appena ingurgitato l'ultimo boccone si alzò e prese congedo. Miss Fan le trotterellò dietro, per aiutarla a svestirsi e leggerle ad alta voce un passo della Bibbia. La visita di zia Mame non era cominciata sotto i migliori auspici.

Toccò a Beau organizzare la grande riunione di famiglia. Fosse dipeso da lei, Mrs Burnside non si sarebbe presa tutto quel disturbo per la sua nuova nuora, ma dato che se il domicilio suo e di tutti i suoi aristocratici congiunti non era l'ospizio bisognava ringraziare Beau, e nessun altro, non le era rimasto che fare buon viso a cattiva sorte e assecondare il desiderio del suo bambino, che poi era di spendere un po' del *proprio* denaro per organizzare in casa *propria* una festa in onore della *propria* moglie. Ed ecco come si arrivò alla seduta plenaria del clan.

La sposina venne presentata in società la domenica successiva, nel corso di un immane barbecue cui il parentado presenziò *en masse.* A mezzogiorno eravamo già schierati in veranda. In vestito a pois gialli e cappello di paglia, zia Mame era un'incantevole bambolina, come con tutta evidenza e altrettanto compiacimento pensava zio Beau, in completo crema al suo fianco. Mrs Burnside invece si era vestita in previsione della prossima èra glaciale. Portava un voluminoso abito di seta nera, stivaletti neri, scialle nero, più occhiali neri, parasole nero, guanti neri e cappello nero, ed era sprofondata in una dondolo. E da quella postazione emise, vedendomi arrivare, un luttuoso rutto: subito dopo il quale spedì Miss Fan a prenderle la sua pozione.

I parenti stavano lentamente affluendo. Le macchine risalivano il viale in fila indiana, andando poi a sistemarsi sul prato. «Rovinano l'erba» grugnì Mrs Burnside con un inquietante borborigmo d'accompagnamento.

Devo dire che non avevo mai visto tanti sudisti tutti insieme – né mi è più capitato di vederne, in seguito. Sembrava quasi impossibile che facessero tutti parte della stessa famiglia, o addirittura della stessa contea: ma effettivamente era così. Per prime arrivarono le sorelle di Beau, Willy Mae, Sally Randolph e Georgia Lee, accompagnate dai rispettivi mariti. E siccome ognuna era riuscita nell'impresa di sfornare sei pupi nello spazio di cinque anni, agnizioni, sbaciucchiamenti e raffiche di «voialtri» si protrassero per un pezzo. Nonostante i Burnside, nell'insieme, fossero persone abbastanza qualsiasi, zia Mame faceva quanto in suo potere per sedurli. Non altrettanto si può dire di Mrs Burnside, il cui apparato digerente accoglieva ogni faccia nuova con una fragorosa, e inequivocabile, nota di protesta.

Gli invitati continuavano ad arrivare. Avevano tutti due nomi, e qualcuno anche due cognomi. C'erano circa sei Moultrie, quattro Calhoun, otto Randolph – e un «Lee» infilato da qualche parte non se l'era negato nessuno. A complicare ulteriormente le cose, circa metà delle signore portavano nomi maschili. C'erano una Sarah John, una Liza William, una Suzie Carter e una Lizzie Beaufort – da pronunciare rigorosamente Biuford –, una Mary Arnold, una Annie Bryan e una Lois Dwight.

Entro l'una i familiari a zonzo per Peckerwood ammontavano a circa centoventi. Parlavano tutti insieme, e tutti *a voce alta* – comportamento che Mrs Burnside riteneva di stigmatizzare con una sventagliata di flatulenze.

Gli arrivi si susseguivano senza posa. Del resto, essendo Beau il tipo d'uomo che si fa voler bene, e i suoi ospiti, in varia misura, anche suoi saprofiti, il tutto esaurito andava messo in conto. Zia Mame comunque era nel suo, e nonostante il fitto fuoco di sbarramento di Mrs Burnside la sentivo chiacchierare col solito piglio.

All'una e un quarto entrarono in scena i Clay-Pickett, che costituivano il ramo equestre della famiglia. Si presentarono tutti in completo da equitazione, accompagnati da un segugio pezzato che pensò bene di saltare subito in braccio a Mrs Burnside, scatenando una tempesta originariamente riservata, ne sono certo, al culmine dei festeggiamenti. Una scena irresistibile – e infatti provai a resistere, ma invano.

«Giù, signore. Ho detto giù» urlò Van Buren Clay-Pickett, mollando al bracco un pattone sulle scapole che strappò a Mrs Burnside l'ennesimo ruttino. «Scusate, zia Eufemia. Siamo molto in ritardo, ma Sally Cato McDougall è stata disarcionata, e credevamo si fosse rotta l'osso del collo. Cuccia, signore». Ce l'aveva di nuovo col cane, che si diede alla fuga stendendo tre bambini, per poi alzare la zampa contro una delle sei colonne ioniche di Peckerwood. «Abbiamo dovuto abbattere la giumenta. Il cugino Clytie e Alice-Richard hanno voluto portare subito Sally dal dottore, ma ci raggiungeranno. E Sally si è raccomandata di dirvi che le spiace moltissimo non poter partecipare al ricevimento. Giù, signore, che cavolo – oh, scusate, zia Eufemia. Giù, ho detto». Il bracco era di nuovo saltato in braccio a Mrs Burnside, insinuando il tartufo fra le pieghe di seta nera del suo vestito. E di nuovo il manone del cavallerizzo andò ad abbattersi sulla groppa dell'animale, provocando l'ennesima, miserevole eruzione, che stavolta dava voce a una virtù oltraggiata. Per riprendere un minimo di controllo fui costretto a riparare per qualche minuto in casa. «Giù, signore, ma dico, *ohu*».

Quando tornai fuori i Clay-Pickett mancanti – nove, tutti vestiti da cavallerizzi – si erano ricongiunti al gruppo: sportivissimi. Bourbon e acqua brillante scorrevano a fiumi, e intorno a zia Mame si era raccolto un gruppo di suoi nuovi, entusiastici ammiratori. Mrs Burnside scuoteva dispepticamente la testa, cacciandosi in bocca a intervalli ravvicinati caramelle frizzanti alla menta.

All'improvviso, annunciata da un fragoroso colpo di clacson, una Packard decappottabile verde oliva risalì il viale. Il tettuccio era abbassato, e al volante c'era un ragazzino di colore in divisa verde scuro da stalliere. Seduta sulla capote, la donna più bella che avessi mai visto in vita mia. Era vestita da amazzone, e aveva il braccio legato in qualche modo al collo con una sciarpa di seta.

«Iu-uh, ciao a tutti!» strillò. «Scusate tanto il ritardo, ma il mio cavallo ha litigato con un ostacolo».

Il parentado prima ammutolì, quindi manifestò il proprio sconcerto con una specie di brusio collettivo. «Oh Signore» sibilò un vecchio zio con tanto di cornetto acustico. «Ma non è Sally Cato McDougall, l'ex fidanzata del giovane Beau?».

«Chiudi un po' la bocca, zio Moultrie» urlò Willie Mae. «Comunque certo che sì. E mi piacerebbe proprio sapere chi ha avuto la bella idea di invitarla».

La curiosità di Willie Mae fu subito soddisfatta. Con la sua aluccia spezzata, la meravigliosa creatura saltò giù dalla macchina, correndo incontro a Mrs Burnside. «Mrs Burnside,» disse con la sua stupenda vocina «mi spiace tantissimo per il ritardo, soprattutto se penso a quanto avete insistito perché fossi dei vostri. Sapete, i dottori volevano mettermi a letto, ma io gli ho detto chiaro e tondo che questa festa non me la sarei persa neanche per un milione di dollari».

Mrs Burnside le rivolse un sorriso da un orecchio all'altro. «Benvenuta a Peckerwood, Sally Cato. Senza di voi non sarebbe stata una vera festa».

Zio Beau sembrava un po' interdetto.

«Congratulazioni, Beau Burnside!» disse la fata.

«Su, adesso mostrami questa sposina che sei andato a prenderti fino a New York, nientemeno». E sorrise a zia Mame, porgendole la sua elegantissima mano destra. «Come state, signora. Avete preso al laccio uno stallone selvaggio, ma sono certa che una donna bella come voi lo trasformerà in un lipizzano senza che neanche se ne accorga».

Zia Mame si illuminò. «Beau caro, ma perché non mi hai mai parlato di Miss McDougall? È una pura meraviglia». Ci fu uno scambio di sorrisi, e all'improvviso tutti gli altri invitati – come sempre fanno le masse dopo uno scampato pericolo – cominciarono a rumoreggiare di sollievo.

L'annuncio del pranzo strappò a Mrs Burnside un rutto assai sonoro, che venne interpretato come il segnale d'inizio del grande barbecue.

Dal punto di vista sociale per zia Mame fu un autentico trionfo. I parenti tutti la trovavano la newyorkese più simpatica al mondo, e i loro apprezzamenti erano così convinti ed entusiastici che Mrs Burnside si mise a letto, e ci rimase per settantadue ore di fila. Nel frattempo zia Mame si godeva il momento di gloria, dividendosi con una certa fatica fra i vari cugini, che se la contendevano. Va però detto che dell'intera popolazione della contea di Richmond la sua prediletta era di gran lunga Sally Cato. E come darle torto. Che Sally fosse stata la fidanzata di Beau, e che Beau l'avesse piantata da un momento all'altro con un brillante da cinque carati come unica consolazione non le sembrava niente di straordinario, dato il numero di volte in cui lei stessa era entrata e uscita da situazioni analoghe. E visto che dell'esistenza di Sally aveva appreso solo il giorno del grande barbecue, non si sentiva neppure in colpa.

Anche Sally del resto era pazza di zia Mame, e tempo una settimana le due divennero inseparabili. Sally aveva studiato al Nord – quindi parlava un inglese accettabile –, era stata un paio di volte in Europa, ed era di gran lunga la venticinquenne più colta che zia Mame avesse mai incontrato. La sua franchezza e il suo candore conquistavano tutti. Nuotava, ballava, guidava, giocava benissimo a tennis, a golf e a bridge, ma le sue vere passioni erano l'equitazione e la caccia.

La mattina dopo il barbecue, la ghiaia davanti al Cottage Nuziale fu arata dalla Packard decappottabile. Ne discese, espansiva e piena di vita come sempre, Sally Cato, che in un balzo raggiunse la terrazza dove zia Mame e io stavamo facendo la nostra conversazione mattutina. «Buon giorno a voialtri tutti» trillò. «Mi scuso dell'improvvisata, ma con questo braccino non mi lasciano né cavalcare né nuotare. Secondo loro dovrei starmene seduta e guardare nel vuoto. Dio, c'è da crepare di noia».

Neanche Peckerwood, in assenza di zio Beau, era precisamente uno spasso, quindi zia Mame accolse Sally a braccia aperte. Le due signore si misero subito a chiacchierare fitto fitto, ed era chiaro che in comune non avevano solo zio Beau. «Be', ciccina mia, direi proprio che ha vinto la migliore» concesse generosamente Sally Cato. Poi continuò: «Ascolta, visto che Beau è sempre via, non credo che tu e il ragazzino moriate dalla voglia di starvene qui tutto il giorno, e io da me mi sento talmente sola che sbatterei la testa al muro. Dunque, perché non venite a colazione a Foxglove? Ho un fratellino che avrà più o meno la tua età, Patrick. È una vera peste, ma sarà sempre più divertente che passare il tempo con Mrs Burnside e con quella vecchia gallina di Fanny». Zia Mame colse al volo l'opportunità di un po' di conversazione intellettuale, e venti minuti dopo le due signore stavano già sorseggiando un bourbon sulla veranda di Foxglove.

L'alloggio dei McDougall era sontuoso quanto

Peckerwood, ma il vitto era decisamente più assimilabile. E all'ora di colazione da dietro la siepe di bosso sbucò, lanciandomi un'occhiata gelida, uno dei ragazzini più strani che avessi mai incontrato.

«Oh,» sobbalzò Sally Cato «sei tu. Se la pianti di girare come un fantasma mi fai un favore. Ogni volta mi piglia un colpo. Patrick, questo è mio fratello, Emory Oglethorpe. Vedete di non finire al gabbio, se ci riuscite».

Se non aveste saputo che nelle sue vene scorreva un sangue blu come la bandiera confederata, avreste giurato che Emory Oglethorpe era un trovatello, probabilmente figlio di qualche sventurata vagabonda georgiana. Era piccolo e riccioluto, con un'incredibile testa di capelli color carota e gli occhi più grandi e più verdi del mondo. E benché avesse solo sei mesi più di me, quanto a conoscenza diretta del male mi precedeva di circa un secolo.

Dopo aver comunicato a Emory Oglethorpe che no, dopo mangiato non avrebbe avuto diritto a un brandy, Sally Cato ci ingiunse di andare a giocare da qualche altra parte.

«Tua sorella è carinissima» dissi, tanto per fare conversazione.

«E tu ci credi? Allora sei fuori come un davanzale. È una stronza di prima». Testuale. Poi riprese: «Vieni al buco? Se mi molli un ghello ti faccio vedere le figu». Emory Oglethorpe si era costruito un rifugio tra i vigneti sulle rive del Savannah. L'unico ambiente, illuminato da steariche, conteneva alcune cassette da frutta e una branda militare – dell'esercito confederato, immagino – sfondata, sulla quale Emory pretendeva di aver sedotto un congruo numero di ragazzine di colore.

«Per cinquanta centesimi,» gracchiò con aria maligna «ti procuro una bella cioccolatina. Dammi retta, come una bistecchina bruciacchiata non ce n'è».

Purtroppo per il centesimo che avevo in tasca poteva offrirmi solo una rapida scorsa alla sua collezione di foto pornografiche primo Novecento. I signori e le signore raffigurati avevano un'aria piuttosto antica, ma le attività cui si dedicavano sembravano invece decisamente moderne. E tuttavia, dal momento che com'è noto la biologia limita il sesso – e le sue variazioni – a una dozzina circa di intrattenimenti possibili, le figure avrebbero finito per annoiarmi, non mi fosse caduto l'occhio su un'immagine di Sally Cato e zio Beau in atteggiamenti molto, ma molto intimi. Trasalii.

«Ci sei rimasto, eh?» gracchiò perfido Emory Oglethorpe. «Ho solo ritagliato e appiccicato le teste, ma pare vero, eh? Tanto l'avranno fatto tale e quale, ci scommetto. Dio santo, dovevi vederla Sally quando le hanno spifferato che Beau si sposava su al Nord. Le scalmane, le sono venute. Girava per casa bestemmiando come una turca e diceva che se prendeva quella yankee la cioncava. Mai sentita cristare in quel modo. Fico però. A me voialtri mi fate schifo. Siga?».

Ero orrificato, ma incamerai comunque l'informazione appena ricevuta, riponendola in una mia personale collezione che fra me e me chiamavo «Fatti poco noti riguardanti persone molto note».

Al ritorno a casa, Emory Oglethorpe e io trovammo zia Mame che, stimolata in parti uguali dall'alcol e dall'intelligenza dell'interlocutrice, era piuttosto su di giri e rilasciava dichiarazioni pericolose: «Oh, io *adoro* andare a cavallo, sai. Sono praticamente nata in sella. A New York non passa giorno che non mi faccia una bella sgroppatina. Ci si alza al canto del gallo e via, al trotto per Central Park». Rimasi letteralmente a bocca aperta. Mi sembrava di ricordare che nel suo passato nordista zia Mame avesse preso *qualche* lezione di equitazione, ma da quando la conoscevo io, e ormai erano anni, non l'avevo mai vista avvicinarsi a un cavallo.

«Senti, ma questo è un notizione, Mame. Fammici pensare. Bisogna solo che convinca il cugino Van Buren Clay-Pickett – sai, il capocaccia è lui – a organizzare una battuta in tuo onore».

«Oh, ma che peccato, vedi a saperlo,» ribatté fulminea zia Mame «ho lasciato il mio completo su al Nord».

«Oh bah, questo è l'ultimo dei problemi, posso prestarti tutto quello che vuoi. Che numero porti di scarpe?».

«Trentasei» rispose zia Mame, cercando di nascondere il piede.

«Fantastico, anch'io! Bene, gli stivali ce li hai».

Vidi zia Mame impallidire, sotto l'abbronzatura.

«E senti Mame, come cavalchi, normale?».

Un barlume di speranza illuminò gli occhi della zia. «Oh, assolutamente no! Mai; sempre e solo all'amazzone. Papà, il Colonnello, diceva che per una signora era l'unico modo accettabile. E poi era di uno chic pazzesco, secondo lui. Certo, a pensarci oggi era un'idea un po' stupidina, me ne rendo conto, perché ormai *nessuno* cavalca più così. D'altronde, che posso farci?» concluse con un sospiro di sollievo. Ma la sua esultanza fu di breve durata.

«Grande!» esclamò Sally Cato. «Guarda, proprio per caso ho qui con me una vecchia sella Champion & Wilton pronta per te, e ho anche il vestito adatto. Sei proprio fortunata. Sai, anch'io ho cominciato all'amazzone, ma poi ho cambiato, anche perché in arcione si sta molto più sicuri. Adesso vado dentro e chiamo Van Buren Clay-Pickett. Di solito con questo caldo non usciamo, ma sono certa che sarà felice di fare uno strappo per te».

Zia Mame aveva voluto la bicicletta, e adesso doveva pedalare. In un lampo la notizia delle sue eccezionali doti di cavallerizza aveva fatto il giro del circondario, e a ogni riunione di famiglia si parlava solo ed esclusivamente di selle e finimenti, di garrese e di garretti.

L'intera contea fremeva nell'attesa del debutto di zia Mame, e zio Beau se ne andava in giro a petto in fuori. In quattro e quattr'otto Van Buren Clay-Pickett si procurò una vecchia volpe pulciosa, e organizzò una battuta per la domenica successiva. Ignoravo cosa avesse in testa zia Mame, e comunque avevo sottovalutato le sue risorse. In effetti, alla vigilia del grande giorno la zia si spalmò in faccia tre dita di biacca, in modo da assumere un pallore cadaverico, e sussurrò confidenzialmente a Sally Cato di certe mitologiche, e un po' imbarazzanti, magagne femminili. La battuta venne rinviata di una settimana.

Zia Mame sfruttò la tregua concessale per cercare di procurarsi un malessere nuovo e di un qualche significato, ma la sua salute di ferro restringeva il campo delle possibilità. Fortunatamente il venerdì prima del grande giorno subì un incidente al cospetto dell'intera famiglia, Sally Cato inclusa, e cioè scivolò sul parquet appena incerato di Peckerwood, procurandosi una distorsione alla caviglia. Zio Beau e Sally la portarono di corsa dal medico condotto, che dopo avere palpeggiato la paziente le prescrisse due giorni di riposo assoluto. «Intendete dire che domenica non potrò montare a cavallo?» chiese zia Mame.

«È escluso, signora. Potrete partecipare alla caccia, ma solo in macchina».

Zia Mame sospirò – non precisamente costernata – e chiuse gli occhi.

L'indomani Sally Cato venne a colazione da noi. Rivolse infinite premure a zia Mame, e in particolare alla sua caviglia. Per parte sua, la convalescente tentava con estrema dignità di dominare il dolore – che a giudicare dal complicato passo di tango che l'avevo vista provare di nascosto non doveva essere insopportabile. Dopo colazione, Sally Cato srotolò una grande mappa disegnata a mano della campagna circostante. «Mame cara, mi spiace davvero tanto non averti con noi, domenica. Morivamo tutti dalla voglia di vederti in sella, *specialmente io*, devo dire». Il suo tono non mi piaceva neanche un po'. «Comunque, siccome so benissimo quanto desidereresti essere della partita, ho fatto le ore piccole per prepararti questa mappa. Ecco, la caccia generalmente comincia in questo punto, e di solito la volpe scende di qui...». In effetti, la mappa di Sally sembrava molto accurata, e le sue spiegazioni più che esaurienti.

Zio Beau aveva le lacrime agli occhi, dall'ammirazione. «Accidenti, Sally Cato, ma c'è qualcosa che tu non faccia bene? È uno dei più mirabili esercizi cartografici che abbia mai visto. Sai,» continuò rivolto a zia Mame «Sally conosce i dintorni talmente bene che potrebbe cavalcarci anche bendata. Sally Cato, sei proprio un tesoro, lasciatelo dire. Mai mi sarei immaginato che qualcuno potesse prendersi tutto questo disturbo per far sentire una sposina a casa sua».

L'indomani mattina il viale d'accesso a Peckerwood risuonava di scalpiccii, nitriti e «voialtri!». Ritto in sella, con la sua giacchetta rosa, zio Beau faceva un figurone, tanto che sei differenti cavalieri gli dissero più o meno in coro: «Bello essere di nuovo in arcione, eh Beau? Altro che lo struscio a New York!». Simpatici, vero? Sembravano comparse di una filodrammatica, ma le giacche da caccia le portavano da dio.

Quanto a zia Mame, entrò in scena in completo

scozzese, e appoggiandosi con infinita cautela a una canna d'avorio. La folla si lasciò andare a un brusio di delusione, ma Sally Cato salì subito sui blocchi per arringarla: «Cacciatori, colleghi, amici. Devo comunicarvi una brutta notizia. L'altra sera la signora Burnside si è procurata una distorsione alla caviglia, in conseguenza della quale il dottore le ha proibito di montare. Ma data la sua nota passione per i cavalli e la caccia, ci seguirà comunque in macchina, in modo da poter vivere insieme a noi il momento fatidico». Il discorso si concluse fra gli applausi.

Emory Oglethorpe McDougall, che vestito da equitazione sembrava la caricatura di un fantino impazzito, mi si materializzò al fianco. «'azz, preferirei una mappa del demonio che una di Sally. Se non sei rincoppato di' alla zietta che tenti di *perdersi*».

«Tu sei fuori».

«Va be', fa' come ti pare, brutto scemo. Va' pure all'inferno, c'è ancora posto».

Dimostrando una sorprendente agilità, zia Mame si mise al volante della decappottabile di zio Beau, e io mi sistemai accanto a lei, con l'incarico di aprire e chiudere le migliaia di cancelli che bloccavano le centinaia di sterrati più o meno fangosi che avremmo dovuto imboccare. Zia Mame non sembrava avere il pieno controllo del mezzo, e i cavalli sembravano saperlo, almeno a giudicare dalle loro reazioni. Eppure, in un modo o nell'altro riuscimmo finalmente a partire, allontanandoci in una nuvola azzurrina di monossido. Mentre ruzzolavamo allegramente verso il terreno di caccia, cercando di tenere dietro alla muta, zia Mame mi diede un'affettuosa strizzatina al ginocchio: «Caro, non puoi sapere la gioia di questa storta. Forse adesso la pianteranno di rompere col cavallo. Però Sally Cato è stata proprio gentile a prepararmi questa magnifica mappa.

Spero solo che non mi venga da vomitare quando ammazzeranno quella povera piccina di una volpe».

Non senza difficoltà, zia Mame riuscì a puntare la macchina nella direzione giusta, e la caccia ebbe inizio. Per un'oretta, sobbalzando paurosamente, avanzammo in un intrico di tratturi argillosi. Ogni tanto perdevamo di vista i cacciatori, ma un attimo dopo eccoli di nuovo lì. Credo di essere sceso circa un milione di volte per aprire cancelletti uno più scassato e cigolante dell'altro, e poi richiuderli dopo che la macchina, traballando, li aveva attraversati. Ma sulla mappa niente da dire, bastava seguirla per essere sempre un passo avanti alla muta. Non so, Sally doveva avere una specie di sesto senso, che le consentiva di leggere in anticipo le mosse della volpe. Su quelle strade orrende, tutte buche e polvere rossa, zia Mame guidava come una lepre impazzita, con pesanti ripercussioni sul mio povero fegato. Sembrava anche un filo agitata, il che non le impedì di ululare un paio di volte alla muta, e una terza addirittura di lanciare, sa Dio perché, il tipico grido di battaglia della caccia alla volpe.

Dopo qualche miliardo di scossoni imboccammo lo sterrato peggiore che avessimo visto in tutto il giorno. Attraversava un prato molto scosceso, e correva fra due alte sponde. Cavalli e cani erano spariti. Zia Mame fermò la macchina e tirò fuori lo specchietto per il trucco. «Se Dio vuole li abbiamo seminati» disse.

Poi, all'improvviso, un rombo di zoccoli in avvicinamento, accompagnato dai latrati dei segugi. Vedemmo una piccola volpe nera precipitarsi giù dalla collina, e subito dopo i cani, che la tallonavano. Puntavano dritto verso di noi. «Zia Mame, ci vengono addosso!» urlai. La zia lasciò cadere il rossetto. Da dietro la cresta spuntarono i cavalli. Zia Mame tentò disperatamente di accendere il motore, senza ricavarne altro che una sequenza di scoppi e sputacchi. Provò di nuovo, ma ormai i cavalli scendevano la collina al galoppo, ed erano vicinissimi.

«Gira la chiave, zia Mame, gira la chiave» gridai.

«La sto girando, la sto girando» mi rispose fuori di sé. La volpe era a pochi metri. Finalmente zia Mame riuscì a mettere in moto, e la macchina scattò in avanti nel preciso istante in cui una piccola palla di pelo nero attraversava la strada. La zia inchiodò, scaraventandomi contro il parabrezza. Subito dopo si scatenò l'inferno. Fummo travolti da una valanga di cani, cavalli e cavalieri. Circa tre dozzine di questi ultimi vennero disarcionati, mentre due immense giumente baie colpivano la Dusenberg con tale violenza da divellere parafango anteriore e capote, e una terza cavalcatura, fra nitriti orribili, andava a incastrarsi metà dentro e metà fuori dall'abitacolo. Secondo me quel giorno vennero abbattuti più cavalli che a Gettysburg, e il bollettino sanitario, quando fu stilato, annoverava sei caviglie e due braccia rotte, una frattura esposta a una gamba, tre commozioni cerebrali, un'anca lussata e una quantità imprecisata di lividi e abrasioni. I cavalieri in grado di reggersi in piedi, e di parlare, si avventarono contro la macchina, ma invano, perché zia Mame era svenuta da un pezzo. Benché sull'orlo di una crisi di nervi, riuscii distintamente a sentire Emory Oglethorpe che grugniva un «Cosa ti avevo detto» e a notare un sorrisetto perfido sulle labbra di Sally Cato. Però zia Mame aveva presenziato al momento fatidico, questo sì: la volpe giaceva infatti cadavere sotto la macchina.

Se già prima la buona società equestre aveva rivolto parecchie attenzioni a zia Mame, dopo quel disgraziato episodio, in preda a una sorta di mania collettiva, parlava solo e ossessivamente di lei. In quali termini («quella sciroccata di una yankee che ci ha sterminato i cavalli») si premurò di farmelo sapere, con la consueta franchezza, Emory Oglethorpe. Nel raggio di decine di chilometri le conversazioni non avevano altro argomento, e ogni giorno telefonava qualcuno che biascicando scuse più o meno implausibili sosteneva di non poter venire, purtroppo, a colazione da noi, o di essere costretto a rinviare a data da destinarsi la cenetta che si era offerto di organizzare. In altre parole la popolarità della zia, per due settimane incontrastata reginetta della contea, stava precipitando ai livelli del generale Sheridan.

La notizia della caduta in disgrazia aveva agito come un tonico su Mrs Burnside, che adesso si trasportava a cena sulle sue gambe, e fra una mentina effervescente e una sventolata ci faceva dono delle sue reminiscenze, tutte generalmente incentrate sullo stesso tema: «Quando *io* ero una giovane sposa nulla mi piaceva di più della caccia, ci andavo proprio matta. Diana, non so se avete presente». Beau se ne rimaneva seduto con le labbra strette in un'espressione cupa e imbarazzata. E una sera in cui i ricordi e le flatulenze di Mrs Burnside risultavano particolarmente molesti, Miss Fan, passando un fazzoletto a zia Mame, le mormorò: «Non starla a sentire. *Odiava* la caccia, e montava anche peggio di me». Ma a zia Mame la sollecitudine di quel topolino non poteva bastare. Ormai era ritenuta *persona non grata* dall'intera comunità, e lo sapeva. L'unica che continuava a dimostrarle amicizia era Sally Cato McDougall.

«Mame, cara, non piangere così. Non è stata colpa tua, un incidente può capitare a chiunque. Se quelli sono troppo meschini per perdonare, che se ne vadano al diavolo. Sappi che io ero tua amica prima e sono tua amica adesso, non è cambiato niente».

Zia Mame le era profondamente grata. Sally Cato la veniva a trovare tutti i giorni, ed era l'unica persona carina con lei. Persino zio Beau sembrava un po' distante.

Durante quel periodo di quarantena frequentai parecchio Emory, che mi insegnò varie cosette, ad esempio a masticare tabacco, a fumare e a trangugiare un suo schifoso distillato di tarassaco, che cercava di spacciare per vino. «Non mi credevi, eh? Te l'avevo detto o no che Sally Cato se la sarebbe sbranata tua zia? Senti bello, quella aveva calcolato tutto, lo sapeva benissimo che voialtri vi sareste trovati lì quando passava la muta. Conosce i posti come le sue tasche, te lo assicuro. E avresti dovuto vederla come ghignava quando i cavalli sono usciti di testa e sono andati a scrociarsi sulla macchina, non so come non se l'è fatta addosso. Ouh, in effetti era una scena da pisciarsi sotto. Comunque sta' sereno, Sally Cato se lo riprende, Beau, dovesse passare sulla carogna della zietta». Qui Emory tossicchiò con aria maliziosa. «'scolta me, Sally Cato non ha mai perso una scommessa, o una corsa, o un uomo in tutta la sua vita, e non comincerà proprio adesso. Tienti pure le Lucky, ce ne sono ancora».

Anche se stentavo a credere che Sally Cato potesse arrivare a tanto, iniziavo a sospettare che un filo di ragione Emory ce l'avesse.

E presto dovetti ammettere che il ragazzo conosceva piuttosto bene la sua sorellina. Quella sera stessa infatti Sally Cato, che era la cocca di Mrs Burnside, venne a cena a Peckerwood. Coperta da capo a piedi di merletto bianco, era molto romantica, molto sudista, e molto bella. Il fascino in persona, insomma, mentre zia Mame, che nel pomeriggio era stata crudelmente maltrattata nel reparto biancheria di J.B. White, sembrava stanca, e soprattutto non più tanto giovane.

Nella circostanza Mrs Burnside fu insolitamente loquace, e nel suo modo consueto, cioè indirettamente, caricò zia Mame a testa bassa. Per tutta la sera si parlò sempre e soltanto di quanto Sally Cato fosse bella, e giovane, e ricca, e di buona famiglia – e di come montasse bene a cavallo, fra l'altro, e di come avesse spopolato all'ultimo ballo dei cacciatori, e ancora della sua aria sana e vitale, che ne faceva l'incarnazione della tipica, radiosa, incantevole donna del Sud: «Un'autentica, grande, genuina figlia della nostra terra. Un giovane, aristocratico virgulto di questa gloriosa comunità, dove ogni famiglia affonda le radici in un passato antichissimo, e dove nessuno straniero ha più osato metter piede dalla Guerra di Secessione».

Zia Mame si congedò subito dopo cena, accusando un mal di testa atroce. Quelle emicranie cominciavano a essere un po' troppo frequenti, tanto che Beau si lasciò sfuggire un «Ma come, di nuovo?».

Anch'io mi ritirai per tempo, ma c'era un'afa tale che di dormire non se ne parlava, quindi mi cacciai in bocca una delle sigarette di Emory e me ne andai in terrazza. Dove la cicca mi rimase a penzolare dalle labbra, dato che subito sotto di me, nel buio, ne vidi altre due accese. Un istante dopo sentii, bassa e fremente, la voce di Sally Cato: «Oh, Beau, l'unica cosa che mi sta a cuore è la tua felicità. Non hai bisogno di spiegarmi che delizia sia Mame, lo vedo da sola. Credimi, mi piace moltissimo, eppure non posso fare a meno di domandarmi se sia la persona giusta *per te*. Sono sincera, Beau, io voglio solo che tu sia felice. È vero, quando ho saputo che avevi sposato lei ci sono rimasta molto male, ma ormai è acqua passata. Mame è una gran donna, però il punto è un altro. Intendo dire, pensi che sia come noi?».

«Mame è una yankee, e gli yankee sono diversi» tagliò corto Beau.

«Oh, Beau, questo lo capisco benissimo. Dopotutto sono la sua *unica* amica. Ma mi domando se è in grado di darti ciò di cui hai bisogno: una famiglia, una casa, dei figli. Sono cose importanti, per noi del Sud. Pensi che te le possa dare, Beau?».

«Non vedo perché no» rispose Beau con una punta di incertezza.

«D'accordo, Beau, e ricordati, io lo dico solo per te. Adesso fammi andare, domattina devo alzarmi prestissimo, c'è una battuta. Senti, non è che mi daresti un bacetto, in ricordo dei vecchi tempi?». Le sigarette caddero sull'erba, e le voci si spensero. I due rimasero nell'ombra, appolipati l'uno all'altro, immobili, per un tempo interminabile.

Ero fuori di me. Mi voltai di scatto, andando a strusciare contro una superficie lanosa. Avevo troppa paura per emettere anche solo un suono. Poi una mano ossuta mi afferrò il braccio, e una voce mi sussurrò: «Ragazzo, vieni dentro». Era Miss Fan.

Mi portò nella sua stanzetta, dove si crepava di caldo. «Dammi una sigaretta» bisbigliò. «Lo so che ce l'hai, le ho viste nel tuo armadio».

Per un po' fumammo in silenzio. Lei era molto più esperta di me, devo ammetterlo.

«Penso tu abbia sentito Beau e quell'orrenda Sally Cato, vero?».

Annuii gravemente.

«Ora capisci perché devi portare via di qui tua zia, e anche Beau?».

Feci di nuovo sì con la testa, come un idiota.

«Lo sa il Signore se non sono solo una povera zitella – poco più di una serva, qui dentro, ventiquattr'ore su ventiquattro al servizio di quella vecchia bisbetica schifosa. Non so perché te lo sto dicendo, ma in questa landa dimenticata da Dio tua zia è forse l'unica persona che mi abbia mai trattato come un essere umano. Anche Beau è un ragazzo tanto perbene, ma tanto. Per questo devi portarli via prima che sia troppo tardi, prima che quella vecchia sporcacciona e quell'altra sgualdrina mandino tutto per aria. Le sento, sai, tutti i giorni. Si chiudono in camera da letto e non fanno che tramare, tramare, tramare. Capisci, ragazzo? Hai idea di cosa sta succedendo? *Portati via tua zia.* E alla svelta, prima che quelle due la facciano a pezzi. Adesso fila a letto. E lasciami le sigarette».

L'indomani, pur non sapendo da che parte cominciare, tentai di mettere in guardia zia Mame, con l'unico risultato di beccarmi una bella ripassata. «Che cosa?» urlò la zia saltando su come l'avesse morsa una tarantola.

«Sì, insomma, hai mai pensato che Sally Cato potrebbe non essere *così* tua amica? In fondo era la fidanzata di zio Beau, e poi è stata lei a disegnare la mappa che ti ha fatto uccidere tutti quei cavalli, e Emory Oglethorpe dice...».

«"Emory Oglethorpe dice", ma sentilo» strillò facendomi il verso. «"Emory Oglethorpe dice...". Scusa caro, ma chi se ne frega di cosa dice quel piccolo piantagrane con gli occhi da capra. Quanto a te, io mi vergogno – sì, mi vergogno – che un *mio* nipote possa essere talmente meschino, e squallido, e malvagio da gingillarsi anche solo per un istante con un'idea così sporca e volgare. Che roba». La decappottabile di Sally Cato era entrata nel viale. «Ecco che arriva Sally Cato. Ti risparmierò l'imbarazzo di incontrarla. Vattene, e non farti rivedere fino a quando non sarai in grado di parlare e di comportarti come una persona decente. Sally Cato è l'unica amica che mi è rimasta, e non intendo ascoltare una sola parola contro di lei. Sparisci».

Mortificato, mi dileguai. Per non ferirla non avevo neppure accennato alla scenetta della sera prima. Se sopportava Peckerwood, pensavo, doveva essere innamorata persa di zio Beau.

Ma appena Sally Cato ripartì zia Mame mi richiamò immediatamente al cottage. Sembrava molto nervosa e molto arrabbiata. «Oh, Patrick, adesso come faccio?» attaccò.

«In che senso, zia Mame?».

«Nel senso che un secondo fa Sally Cato mi ha detto che sta organizzando un altro di quegli orribili... rodei, o cosa diavolo sono. Sostiene che l'unico modo per riscattarmi agli occhi della gente di qui è dimostrare che razza di cavallerizza io sia. Insomma dovrò di nuovo montare in sella, e sai Patrick, tutta la storia della mia passione per i cavalli non è mica vera. Io le odio, quelle bestiacce».

«E allora perché non glielo dici e basta, che scherzavi» buttai lì con un candore quasi infantile. «Così la pianteranno di aspettarsi chissà che».

«Cosa? Bravo, così divento definitivamente il loro zimbello. Mai, preferisco morire».

«Che è esattamente quello che ti succederà se partecipi alla caccia».

«Comunque, preferisco morire in sella» disse con un'aria altera, e un brivido.

«Adesso non esagerare, puoi sempre beccarti un raffreddore, o storcerti l'altra caviglia».

«Mi pare difficile. *L'appuntamento è domattina alle sei e mezzo*».

Quella sera, siccome zio Beau era a non so quale raduno di proprietari terrieri, cenammo da soli, senza scambiare una parola o quasi. Appena finito zia Mame tentò di leggere qualche pagina delle *Fleurs du mal*, ma quasi subito arrivò una giardinetta da Foxglove. Ne scese, anzi ne saltellò giù Emory Oglethorpe, scaricando nell'ordine uno scatolone, un paio di stivali, un cappello di seta, e una sella di cuoio da amazzone. «'sera» grugnì con la sua inconfondibile voce rasposa. «La Sally Cato dice di dare 'sti robi da cavallo alla zietta. Ouh, dovresti vederla, la Sally Cato. Zompa per le stalle manco avesse ficcato il dito nella presa. Dice così che stavolta la zietta si prende una bella giostra. Sta raccogliendo scommesse, caspita, cento a uno la paga la zietta. Il cavallo che le ha scelto te lo porto domattina col furgone. Meglio che dici alla zietta di rompersi una gamba o un braccio se non vuole rompersi il collo. Ben, te lo saluto. Ho un bel pezzo di quella roba che sai giù al capanno».

Il completo nero da equitazione sembrava, più che altro, un sudario, e quando glielo consegnai zia Mame lo fissò inorridita, cominciando a tremare tutta. «Oh mio Dio. Sally Cato non ha lasciato nulla al caso». Poi gettò uno sguardo alla sella. «E io dovrei sedermi lì sopra? Non sono mica un fantino!». Qui scoppiò in lacrime, e quando mi mossi per raggiungere la casa madre era ancora lì, con la testa sul cuscino, che tirava su di naso.

L'indomani mattina, appena finito di vestirmi, sentii i cavalli su per il viale. A eccezione dei convalescenti dall'ultima performance di zia Mame, l'intera contea sembrava essersi data convegno a Peckerwood. Qualcuno era addirittura venuto dalla Carolina, passando il confine. Nel complesso parevano molto meno espansivi dell'ultima volta, anzi, la sensazione era che stessero tramando qualcosa di poco piacevole.

Né zia Mame né io sembravamo usciti dalle pagine di una rivista d'alta moda, temo. Personalmente sfoggiavo un completo piuttosto scalcinato passatomi da Emory Oglethorpe McDougall, che era una spanna più basso di me. Da certe angolazioni zia Mame, vestita da amazzone, poteva anche sembrare elegantissima, e a un'occhiata superficiale la sua fronte, sotto l'alto cilindro di seta, appariva forse serena. Ma nella giacchetta, a seconda dei punti, un po' strippava e un po' navigava, mentre la gonna non si può dire le cadesse alla perfezione. Senza contare che gli stivali numero trentasei dovevano essere una specie di tortura. Sta di fatto che fumava una sigaretta via l'altra, e si attaccava un po' troppo spesso alla sua fiaschetta d'argento. Tentava di trasmettere allegria e spensieratezza, ma si vedeva lontano un miglio che stava sulle spine. E tutti la guardavano con sospetto.

Sally Cato si presentò in groppa a una magnifica e imponente puledra, seguita da Emory Oglethorpe alla guida di un furgone. Dall'interno si sentiva qualcosa pestare e scalciare con una violenza impressionante, e poco dopo due stallieri, non senza fatica, trascinarono giù dalla passerella il cavallo più grosso e con l'aria più cattiva mai apparso sul pianeta.

Sally Cato baciò molto affettuosamente zia Mame: «Ma come sembri *strana*, stamattina, Mame cara. Scusami, entro un attimo perché devo dire una parola a Mrs Burnside».

Un minuto dopo era di ritorno. Alzando lo sguardo verso la terrazza del secondo piano vidi Mrs Burnside ritta in piedi, e soprattutto vidi la sua espressione, divertita e per nulla rassicurante. Sally Cato tornò saltellando da zia Mame. «Mame cara,» disse con un sorriso scaltro «ecco il cavallo che ho scelto fra mille appositamente per te. Si chiama Parafulmine, ed è tenero come un agnellino».

Parafulmine era un cacciatore irlandese alto un metro e ottanta al garrese. Nato per la monta, non si era mai rassegnato fino in fondo alla vita da scapolo cui veniva costretto. Guardò zia Mame con gli occhi iniettati di sangue, dando un paio di tremendi pestoni a terra. Sally Cato gli accarezzò il muso. «È proprio un tesorone, *ecco cos'è*».

Emory Oglethorpe mi si avvicinò: «È la più schifosa carogna a quattro zampe che si sia mai vista da queste parti, *ecco cos'è*. Dovevano farlo secco già due anni fa, 'sto figlio di puttana, quando poco ci manca che fa fuori zio Grady. Almeno così aveva detto il veterinario. Invece lo lasciano libero a dare in scalmane, 'sto cornuto, matto com'è. Ieri i negri ci si sono messi in sei per acchiapparlo, e gli ci è voluto tutto il pomeriggio».

Sally Cato batté i soliti, elegantissimi guanti. «Un attimo di attenzione, prego. Stiamo per avere il rarissimo privilegio di andare a caccia con una delle più celebri amazzoni newyorkesi, Mrs Burnside». Seguì un ammicco malizioso, ma non abbastanza rapido da sfuggire a zia Mame, che fece tanto d'occhi. I cavalieri si trattenevano a stento. L'unico innocente sembrava zio Beau.

Ero già montato sul mio vecchio ronzino spastico quando tre stallieri trascinarono Parafulmine ai blocchi, dove zia Mame gli salì cautamente in sella. Mentre mormoravo tra me e me una preghiera, notai che anche le sue labbra si muovevano.

Sul sentiero verso il campo di caccia tentai di tenermi il più vicino possibile a zia Mame, ma Parafulmine aveva il pernicioso vezzo di scalciare, facendosi il vuoto intorno. Ormai la mia unica speranza era che zia Mame riuscisse a cadere senza farsi troppo male. Per un po' trotterellammo abbastanza tranquilli, anche se avevo la netta sensazione che tutti i cani, gran parte delle persone e alcuni cavalli dessero parecchio sui nervi a Parafulmine. Finalmente raggiungemmo il punto di partenza. Parafulmine nitriva selvaggiamente, e scartava di lato. Zia Mame, con mia grande sorpresa, teneva duro. Un paio di compagni la guardavano con una certa ammirazione. Sally Cato sogghignava.

Un attimo prima della partenza arrivò la giardinetta di Peckerwood, guidata da un negro terrorizzato. Ne scese Miss Fan, urlando: «Fermatevi! Quel cavallo è pazzo!». Troppo tardi. La volpe era stata liberata e correva disperatamente sul prato, inseguita dalla muta dei cani; nello stesso momento il cugino Van Buren Clay-Pickett e zia Mame erano partiti a razzo, dando ufficialmente il via alla caccia. E adesso più nulla avrebbe potuto fermarla.

Ero convinto che zia Mame avrebbe avuto il buon senso di scegliersi un montarozzo abbastanza morbido e di buttarcisi sopra, ma mi sbagliavo. Lei e Parafulmine correvano ventre a terra sulle piste del cugino Van Buren. «Accidenti che posizione Mrs Burnside» gridò qualcuno del gruppo. Mi voltai di scatto per capire chi fosse il demente, e intercettai un'espressione di Sally Cato che non dimenticherò mai.

Scattammo anche noi, lasciando la povera Miss Fan a urlare frasi ormai incomprensibili. Pur non essendo quel che si dice una scheggia, il vecchio ronzino che mi avevano affibbiato teneva più o meno il passo degli altri. Così riuscii a vedere zia Mame e Parafulmine saltare, a differenza di due compagni rovinati a terra, un muro di pietra a secco. Nella circostanza la zia perse il cilindro, e con lui qualsiasi speranza di controllare i capelli, che ora le fluttuavano tutt'intorno alla testa. Ma rimase in sella.

«Visto come ha zompato il muro?» disse qualcuno. «Quella nordista ha stile. Un'amazzone coi controcosi, proprio!».

Cavalcammo per più di un'ora, scalpitando sull'erba elastica, graffiandoci contro i rami bassi, alzando spruzzi di fango ogni volta che attraversavamo un ruscello. Zia Mame era quasi sempre in testa, e persino zio Beau e Sally Cato faticavano a starle dietro. A un certo punto Parafulmine deviò su un campo di grano, ma neppure allora si lasciò distanziare dal capocaccia. Poi si infilò a testa bassa in un capanno, uscendo dalla parte opposta con la zia ancora in arcione. Penne per aria, starnazzi, e polli che correvano da tutte le parti. Per un attimo vidi una gallina decrepita, ma più sportiva delle altre, appollaiarsi sulla spalla della zia, prima che lo spostamento d'aria la costringesse ad allontanarsi sbattendo freneticamente le ali.

Poi Parafulmine si infilò in un bosco. Zia Mame scomparve momentaneamente alla vista, ma un istante dopo eccola spuntare con una specie di corona d'alloro, e senza neppure più tenere le briglie.

«Accidenti, non è una dea greca sputata?» strillò un cugino di buone letture.

«Cavoli, sì» ruggì un altro. «Senza mani! Che vuoi di più?».

Quindi zia Mame ripartì di scatto, e sparì di nuovo.

Alla fine raggiungemmo un vasto pianoro verde, bruscamente interrotto da un muro di contenimento del Savannah. In quel punto, a meno che la povera volpe non riuscisse a scalare un metro e ottanta di parete, la caccia si sarebbe dovuta concludere.

Ormai la volpe, i cani, Van Buren Clay-Pickett e zia Mame avevano accumulato un vantaggio incolmabile, anche se Beau e Sally Cato McDougall li seguivano a circa quattrocento metri. All'improvviso Parafulmine allungò ancora, e sembrò sul punto di superare il cugino Van Buren.

«Ohu, ma che sistemi usano 'sti yankee?» gridò uno dei cacciatori. «Superare il capocaccia, non s'è mai visto».

«Non è colpa sua,» gli rispose un altro «è quel cavallo schizzato della McDougall che se la sta portando via!».

«Signore, mi sa che hai ragione!».

Avrei voluto chiudere gli occhi e non riaprirli mai più, ma la scena emanava una fascinazione irresistibile. Così li socchiusi quel tanto che bastava per vedere che Parafulmine aveva superato non solo il capocaccia, ma anche i cani, e persino la volpe. Ormai era a pochi metri dal muro, e non accennava a fermarsi.

«Oh Signore, ma quello la stende, la yankee!».

«Moultrie, io non posso guardare» gridò la donna vicino a me, accartocciandosi sulla sella.

Parafulmine caricò a testa bassa, con zia Mame che non mollava la presa. Staccò gli zoccoli da terra e tentò di saltare il muro, che però era troppo persino per lui: urtò la sommità con l'immane petto, e ricadde al suolo con un botto che riecheggiò per tutta la contea. Ma zia Mame no, non si fermò. Superò il muro di un metro abbondante e sparì alla vista. Sentimmo solo il tonfo di un corpo che cade in acqua, poi più nulla. Un'altra signora svenne, nell'indifferenza generale. Ci precipitammo tutti verso la riva, giusto in tempo per vedere zia Mame emergere dal Savannah.

Nel frattempo una vecchia Chevrolet, dopo aver attraversato sobbalzando tutto il prato, si era fermata a poca distanza da noi. Ne scese un ometto paonazzo, che si avvicinò al gruppo di cavalli ansimanti. Era il veterinario della contea. «Che cavolo di giornata, eh? È mezzora che sto alle calcagna della povera signora. Mai visto nessuno cavalcare così. Incredibile. Come ha fatto a non lasciarci le penne non lo capirò mai. Mi sembrava di conoscerlo, quel cavallo, ma adesso sono sicuro. È Parafulmine, vero?». I suoi furibondi occhietti azzurri cercavano Sally Cato. «Sally Cato,» strillò «te l'ho detto due anni fa che quel cavallo è matto. Ti avevo ordinato di farlo abbattere!». Guardò l'animale, che stava agonizzando a terra. «Vorrà dire che ci penso io». Estrasse la 45 dalla fondina. «Sally Cato, è a te che dovrei sparare, lo sai vero? Permettere a qualcuno – anche a una campionessa come questa signora – di montarlo è tentato omicidio. Anzi, omicidio premeditato. Dovrebbero espellerti da tutte le cacce della contea». E con un colpo mise fine alle sofferenze di Parafulmine. Zia Mame scoppiò a piangere.

Zio Beau la issò così com'era – sporca, fradicia e

graffiata – in sella, e cominciò a baciarla e accarezzarla, chiamandola «la mia piccola valchiria yankee».

Gli altri assistevano elettrizzati al trionfo di zia Mame, e mentre trottavamo verso il padiglione dove era stato allestito il rinfresco notai che cavalcavano tutti a distanza di sicurezza da Sally Cato. A un certo punto la reproba spronò il cavallo, avvicinandosi a Beau. «Beau, lascia che ti spieghi» disse molto agitata. Ma Beau la incenerì con lo sguardo, e si allontanò, teneramente avvinto a zia Mame.

Il rinfresco fu sensazionale. L'unico argomento di conversazione era il magnifico stile di zia Mame, ribattezzata a furor di popolo «la Cacciatrice». Ci furono non so quanti brindisi alla più straordinaria amazzone che avesse mai visitato la contea di Richmond. La festeggiata si prese una tremenda ciucca di bourbon, ma quando a un certo punto riuscii ad avvicinarmi mi si avvinghiò, sussurrandomi: «Patrick, caro, sono ancora viva? Sai, mi ero talmente conficcata in quella sella che credevo di non staccarmi mai più».

E proprio mentre il cugino Van Buren Clay-Pickett saltava sul tavolo del buffet per proporre un'altra battuta per la domenica successiva, un fattorino della Western Union recapitò a zia Mame un telegramma dove si leggeva:

RICHIESTO IMMEDIATO RIENTRO A NEW YORK – STOP
IMPRESCINDIBILE SUA PRESENZA IN GIURIA
MOSTRA EQUINA INTERNAZIONALE – STOP
UN AMMIRATORE HA MOLTO INSISTITO – STOP

IL COMITATO

«Oh santo cielo,» esclamò zia Mame con aria petulante, scolandosi l'ennesimo bourbon «che seccatura. Be', a quanto pare dobbiamo tornare al Nord. Mi spiace ragazzi, ma il dovere mi chiama. E allora via, in sella, verso nuovi trionfi!».

## 5
## ZIA MAME LETTERATA

Né l'Indimenticabile era sprovvista di un suo talento letterario. Nell'articolo si sostiene anzi fosse solita buttar giù per piacer suo racconti brevi, che avevano per oggetto vuoi se stessa, vuoi alcune toccanti scene di vita quotidiana che le era accaduto di osservare. Tutto materiale che non disdegnava di mostrare agli amici, e che di tanto in tanto si dice apparisse persino su un settimanale del posto. Mi sembra di intuire che quei brevi testi fossero altrettanti capolavori, o non si spiega perché gli editori newyorkesi suonassero più o meno in massa alla porta della vecchia ragazza, scongiurandola di concedere loro anche solo poche pagine.

Sai che roba. Vorrei solo si considerasse che zia Mame, prima ancora di posare la penna sulla carta, aveva un editore, una segretaria e un'agente.

Zia Mame si era data alla letteratura confidando nel suo valore terapeutico, sperando cioè che l'avrebbe aiutata a uscire dalla terribile depressione indottale dalla vedovanza. Fosse dipeso da lei la luna di miele e il conseguente status di Mrs Burnside sarebbero durati in eterno. Ma a non durare in eterno era stato zio Beau.

Beau era affascinante, maschio, bello e ricco. Era anche straordinariamente generoso. Per il primo anniversario di matrimonio aveva coperto zia Mame di regalini: una grande Rolls-Royce, una pelliccia di zibellino, uno smeraldo grezzo e una magione in Washington Square abbastanza vasta da contenere tutti i mobili che zia Mame comprava. Ma proprio il giorno in cui avrebbero dovuto inaugurarla, tredici mesi esatti dopo il matrimonio, zio Beau era andato incontro a una fine assai romantica. Era stato infatti colpito alla testa da un cavallo in Central Park. E un'ora dopo era morto.

Zia Mame era quasi impazzita dal dolore. Aveva trascorso l'intero funerale fra crisi di pianto e svenimenti, e aveva proseguito su quella falsariga per tutto l'inverno successivo. Be' no, di svenire aveva smesso, si limitava a piangere come una fontana. A parte la sua infinita tristezza nulla sembrava toccarla – neppure il nono posto in classifica fra le vedove più ricche di New York. E alla fine la sua vecchia amica, Vera Charles, si era impietosita.

Col matrimonio, Vera aveva vinto un terno al lotto. Era infatti andata in sposa a un aristocratico inglese, l'onorevole Basil Fitz-Hugh, che oltre a essere un ricco signore aveva ottime frequentazioni nel mondo delle lettere. Conosceva addirittura Virginia Woolf. In ogni caso Vera aveva deciso che l'unica, per zia Mame, fosse cambiare completamente aria. Di conseguenza se l'era portata in Europa, dove l'aveva trattenuta per un biennio abbondante, mentre Mr Babcock sballottava il sottoscritto fra il St. Boniface e un sordido campo estivo.

Il lutto permanente tuttavia non si addice a nessuno, e tanto meno a chi sappiamo. E infatti un bel giorno zia Mame era tornata a casa con un elegantissimo crespo nero, un pacco di fotografie autografate da altrettanti scrittori – ciascuno dei quali le aveva asciugato almeno una lacrima – e la ferma determinazione di inventarsi qualcosa di nuovo.

Nel frattempo io avevo compiuto sedici anni, e da un giorno all'altro mi ero ritrovato alto un metro e ottanta. Le divise del St. Boniface non mi stavano più, e avevo dovuto trascorrere gli ultimi giorni di libertà estiva sulla pedana di un sarto, tentando di stiracchiare giacche e calzoni in modo da esporre al pubblico la minore porzione possibile di polsi e caviglie. Una volta risistemato il guardaroba mi restava meno di una settimana prima che le campanelle del St. Boniface segnassero l'inizio di un altro anno equamente suddiviso fra sbobba e note di demerito. In qualche modo speravo che zia Mame ne avrebbe tenuto conto e mi avrebbe portato a teatro, o a divertirmi da qualche altra parte. Mi sbagliavo di grosso.

Appena entrato nell'enorme appartamento di Washington Square sentii un essere di sesso femminile che stava affermando qualcosa di cui sembrava molto convinta: «Mrs Burnside, "Il giornalino della signora" non pubblicherà un episodio come questo neppure fra un milione di anni».

Mi avvicinai in punta di piedi. Zia Mame era seduta in soggiorno, con un abito scuro molto austero, occhialoni di corno in una mano e un Martini nell'altra. Aveva in grembo una risma di fogli, e parlava con due signore che non avevo mai visto. «Be', comunque sembra fatta apposta per Hollywood» stava dicendo. «All'inizio ci vedevo molto Claudette Colbert, o forse anche Irene Dunne, ma alla fine ho pensato che, be', francamente nessuna può recitare questa parte meglio di me».

«Certo. Ma vede, Mrs Burnside,» disse una delle due signore, che era piccola, rossa di capelli e piuttosto nervosa «fossi in lei non metterei il carro davanti ai buoi».

«Eh, sì, Mame, Elizabeth non ha tutti i torti» intervenne la seconda signora. «Prima dovresti scrivere qualcosa, in modo che possiamo farla vedere ai tuoi editori. Di diritti cinematografici, di prepubblicazione e tutto quanto magari parliamo dopo, no?».

«Oh, di questo non dovete preoccuparvi, care» trillò zia Mame. «La mia segretaria, di sopra, sta già battendo il...».

E qui, sempre in punta di piedi, feci dietrofront.

Salii al piano di sopra, in quella che avrebbe dovuto essere camera mia. Non che mi fossi aspettato ogni cosa al suo posto, ma certo quello che avevo davanti non me lo sarei mai immaginato. C'erano schedari metallici contro le pareti, due grandi scrivanie, tre telefoni, pile di dizionari, e poi fogli, fogli ovunque. Un dittafono gracchiava, e una ragazza a me ignota batteva come un'ossessa sui tasti della macchina per scrivere. Uscii subito, ripiegando sul salottino di zia Mame. La situazione non era molto migliore. Ogni centimetro quadro era occupato da vecchi programmi di serate danzanti, pacchi di foto, arretrati dell'«Evening News» di Buffalo. Buttate alla rinfusa, strisce di fogli protocollo ricoperte di appunti del tipo «ricordarsi la retata al night» o «accennare al dottor Cornell e alla gotta di papà». Mi accesi una sigaretta di zia Mame e crollai a sedere, completamente stordito. Poi sentii la porta di casa che si apriva: «Bene, mie care, pa-pam. Ora lasciatemi tornare al mio *écritoire* e al mio lumino a olio. Ti chiamo domattina, Mary. Noi vecchie glorie di Buffalo dobbiamo fare quadrato, vero? *À bientôt*». La porta si richiuse, e vidi le due signore collassare su un taxi.

Pochi istanti dopo nell'altra stanza ci fu una certa agitazione. Sentii zia Mame che diceva: «Allora Agnes, cara, come procede?».

«Oh è tutto fantastico, Mrs Burnside, giuro. Mai stata in un ambiente migliore, e il lavoro è in-te-ressan-ti-ssi-mo. Santo cielo, si figuri che alle assicurazioni Prudential, dove lavoravo prima, il massimo che ci davano da battere erano polizze lunghe da qui a lì, e poi sempre con Mrs Montgomery – sa, la supervisora – sulle corna, lì a vedere che noi ragazze non sbagliassimo, e come facevamo a non sbagliare, le stenografe scrivevano come galline e noi...».

«Va bene va bene, Agnes, ho capito, grazie» la interruppe zia Mame. «Senti, la cuoca ti ha preparato qualcosa?».

«Oh Gesù santo sì, Mrs Burnside. Dunque, mi ha portato prima il brodo, poi uno stufato di agnello con i piselli *petits pois*, poi...».

«Divino, cara, divino. Adesso dico a Ito che ti accompagni a casa».

«Oh, ma Mrs Burnside...».

«Agnes cara, non una parola di più. Su da brava, copri la macchina per scrivere, e vedrai che *in un lampo* ti ritrovi a Kew Gardens. Su, metti il rossetto e vai!».

«Oh Gesù santo, ma se mammina mi vede con le labbra pittate ci schiatta, Mrs Burnside!».

«Be', fa' come ti pare. La pagnotta oggi te la sei guadagnata, adesso fila a casa e basta». E qui zia Mame fece irruzione nel salottino, buttandomi le braccia al collo: «Oh il mio caro, caro, caro ragazzo! Sapessi, l'arte... l'arte è come una febbre, e mi sta consumando, ma ne vale la pena, Dio se ne vale la pena!».

«Ma di che parli?».

«Del mio *libro*, caro, di cosa vuoi che parli?».

«Quale libro? E chi sono tutte queste strane signore?».

In quel preciso momento, la signorina che avevo visto armeggiare con la macchina per scrivere si affacciò timidamente alla porta. «Allora io andrei. Buona sera».

«Agnes cara, entra che ti presento mio nipote. Anche se dopo il capitolo che hai battuto oggi penso che tu lo conosca già abbastanza bene».

«Gesù santo, Mrs Burnside, vuol dire che è il ragazzo che ha trovato nella cesta di vimini davanti alla porta di casa?». Figuratevi come ci rimasi.

«Lui in persona. Patrick, vorrei presentarti la mia segretaria, il mio braccio destro, il mio critico più severo, la mia... la mia Alice B. Toklas. Miss Gooch – Agnes cara – questo è mio nipote Patrick».

«Ma che piacere conoscerla, davvero» disse Miss Gooch accennando a una riverenza. Ero troppo annichilito per farci caso, e comunque non c'era un granché cui far caso. Miss Gooch era una di quelle donne che potrebbero avere, nell'indifferenza generale, fra i quindici e i cinquant'anni. Aveva capelli incolori, una pelle incolore, occhi incolori. Portava occhiali senza montatura, e un berretto d'angora bianco un paio di misure più della sua. Il resto dell'abbigliamento consisteva in uno scamiciato blu all'uncinetto, una blusa di rayon salmone con le maniche a palloncino, calze di rayon e mocassini ortopedici.

«Come va?» le chiesi.

«Oh, vedo già che voi due diventerete amiconi» intervenne zia Mame. «Adesso però smamma, Agnes cara. *À demain*».

«Allora ci si vede» disse Agnes, e uscì.

«Tesoro caro, lo diresti mai che quella povera bambina – ma tu pensa, ha appena diciannove anni – oltre a battere a macchina come un angelo e a stenografare non so quanti miliardi di parole al minuto si occupa anche di una madre con l'artrite e di una sorella mezzo sciancata?».

«Ma tu pensa» risposi. Poi mi voltai, in modo da

guardarla dritta negli occhi. «Cosa sarebbe questa storia del cestino?».

«Oh caro, vedi, a volte gli scrittori esagerano un po'. *Devono* farlo, altrimenti la storia non funziona. Per questo racconto di averti trovato in una cesta di vimini, davanti alla mia casetta di campagna».

«Vorrei solo ricordarti che quando mi hai trovato avevo dieci anni, e che la casetta di campagna era nel bel mezzo di Beekman Place. Adesso mi spieghi che cosa stai scrivendo? E chi erano quelle donne? E cosa te ne fai di un'Alice B. Toklas?».

«Oh, tesoro,» disse zia Mame, stiracchiandosi sulla chaise longue «speravo rimanesse un piccolo segreto, almeno fino al giorno in cui tu avessi visto il mio nome in cima alla classifica dei libri più venduti, ma temo che ormai non mi resti altra scelta che confessare. Ebbene sì, sto scrivendo la storia della mia vita».

«E perché?».

«Ma come perché? Perché è stata una vita molto interessante, ecco perché, e come mi ha detto l'altro giorno Lindsay – il mio editore – quando Mary Lord Bishop e io stavamo firmando il contratto...».

«Lindsay chi?».

«Lindsay Woolsey. È lui che mi pubblica. Oh, tesoro, sapessi che scherzo mi ha combinato il destino».

«Che scherzo ti ha combinato il destino?».

«Ecco, la settimana scorsa, passeggiando in Madison Avenue, vedo una faccia che mi sembrava familiare, e non faccio in tempo a pensare "Ma tu guarda, è il ritratto sputato di Bella Shuttleworth, quella che viveva in Delaware Avenue a Buffalo" che la faccia mi rivolge la parola, e fa: "Ma tu non sei mica Mame Dennis, di Delaware Avenue?". Senti, ci siamo abbracciate manco fossimo due amiche d'infanzia che non si vedono da secoli – be', in effetti era proprio così. Insomma ci siamo fiondate al Plaza a bere qualcosa e, sai com'è, ci siamo messe a parlare dei vecchi tempi, delle svitate di Delaware Avenue – era il nostro soprannome – e delle retate alla scuola di Miss Rushaway, che era a due passi da Soldier's Place, e di questo e di quello, di tutti i ricordi. Certo che ci si divertiva a Buffalo. Va be', per fartela breve a un certo punto Bella se ne esce dicendo che le sarebbe piaciuto da pazzi invitare a cena le altre ragazze di Buffalo che vivono in città. E l'ha fatto, sai? Uh, dovresti vedere com'è ingrassata Bella, non ci si crede».

«Continua».

«Oh, la cena era squisita. Sella di montone. Un po' dura. C'erano anche Mary Lord Bishop – quella che hai visto prima –, che è un'importantissima agente, e Lindsay Woolsey con sua moglie – moglie, un uccellino che più che a fare il punto croce non la vedi –, e qualcun altro che adesso non ricordo. Veramente Bella aveva invitato anche Kit Cornell, ma pare fosse raffreddata come un cane, e *malheureusement* non è potuta venire. Be', è stata una serata fantastica. Io devo aver alzato un po' il gomito, se no non mi sarei messa a raccontare a Lindsay tutto quello che ho combinato dai tempi di Buffalo a oggi. Lui però si è divertito parecchio, tant'è vero che alla fine mi ha detto "Mame, ma tu queste cose devi scriverle". E Mary Bishop, subito: "Certo, ha ragione, devi". È stato lì che ho pensato "Ma scusa, in fondo perché no?". Insomma, abbiamo continuato a parlare del libro, e dei vecchi tempi, delle risate che ci eravamo fatte coi ragazzi del Saturn Club, di tutto, e Lindsay Woolsey ha detto "Mame, mi raccomando, parla soprattutto di Buffalo". Mary gli ha fatto presente che di Buffalo avrei parlato per forza, e che comunque qualsiasi cosa avessi scritto sarebbe stata originalissima. Poi si è offerta di rappresentarmi. E sai cosa? Ci siamo messi in tre, ci siamo spremuti per bene le meningi, e abbiamo trovato un titolo: *Le pupe di Buffalo.* Non è carino?».

«Molto azzeccato».

«Be', ci lavoro solo da un paio di giorni, ma hai visto come erano entusiaste Mary e Elizabeth. Pensa, la mia vita su giornali, riviste, al cinema, e tradotta in non so quante lingue straniere».

«Emozionante».

«Emozionante? Io non sto nella pelle, credimi. Adesso devo vestirmi».

Mentre si vestiva la sentii cantare l'inno ufficiale delle sue imprese giovanili, che faceva più o meno così: «Le pupe di Buffalo siamo noi / anche stanotte a caccia di guai». E capii che si era lanciata in una nuova impresa.

Negli ultimi giorni di vacanza mi dedicai a tempo pieno alla sua carriera letteraria, tanto che l'immagine del St. Boniface – preghiere incluse – non mi sembrava più così terrificante. Miss Gooch e io non avevamo un attimo di respiro. A me erano toccate le ricerche storiche alla Public Library, che proseguii fino al momento in cui mi azzardai a chiedere a zia Mame se sapeva che il presidente McKinley era stato assassinato durante una visita all'Esposizione Universale indovinate di dove? Di Buffalo. Venni espulso all'istante dalla stanza, e non posso dire di aver vissuto il ritorno al St. Boniface come una iattura.

Durante il primo trimestre zia Mame mi mandava una lettera al giorno o quasi, anche se adesso, anziché vergarle di suo pugno, le dettava a Miss Gooch. E in ognuna, con sfumature diverse, innalzava un peana al proprio talento letterario. Quando era troppo occupata per scrivermi di persona affidava il compito a Miss Gooch, che a sua volta si dilungava sulla fenomenale parabola della zia. In due distinte occasioni, Miss Gooch provvide altresì a recapitarmi un centrino beige all'uncinetto, col quale avrei dovuto adornare la mia stanza al college, e una scatola di croccante preparato, o meglio bruciacchiato, da sua sorella Edna.

Nonostante l'autrice me ne parlasse ininterrottamente, né io né nessun altro avevamo avuto il bene di dare anche solo un'occhiata alle *Pupe di Buffalo*, che recava come sottotitolo *Storia di una George Sand dei giorni nostri*. Ma in novembre mi arrivò un manoscritto alto così, una delle numerose copie battute a macchina dall'infaticabile Agnes Gooch. Ora, che zia Mame avesse scritto un *grosso* libro era innegabile, dato che sfiorava le novecento cartelle. Ma, con tutto l'affetto, non stava in piedi. Zia Mame era un'intrattenitrice formidabile, conosceva un sacco di persone interessanti, leggeva solo libri di prim'ordine, ma sulla pagina tutto questo non veniva fuori, e il suo talento emergeva solo a sprazzi. Aveva uno stile dilettantesco, ampolloso, poco controllato, che spesso la esponeva al comico involontario. Come cronista poi era anche troppo accurata, e si addentrava nella vita dei suoi amici più intimi molto oltre il necessario. Non ci voleva un genio per capire che all'uscita del libro sarebbero piovute querele, e in numero tale da mettere alla prova persino le sue ingenti risorse economiche. Nel complesso, *Le pupe di Buffalo* era un libro anche interessante, ma sicuramente non riuscito. Comunque, mi ero seduto alla scrivania per scrivere una compita quanto ipocrita lettera di congratulazioni, quando mi venne recapitato il seguente telegramma:

TORNA A CASA – STOP<br>
IN PUNTO DI MORTE – STOP<br>
ZIA MAME

Mi precipitai a Washington Square, dove mi venne ad aprire Agnes Gooch, pallida come un cencio e con le labbra ridotte a una fessura: «Gesù, Patrick, meno male che sei arrivato. Sono tre giorni che la povera Mrs Burnside ti invoca». Mi gettò un'occhiata lugubre da dietro le lenti, e attaccò: «Non torno a casa da mercoledì e mia sorella Edna ha dovuto occuparsi di tutto e mammina...».

«Ma cosa è successo alla zia?».

«Oh, Patrick, il libro... L'editore l'ha rifiutato!».

«Tutto qui?».

«Guarda che è un affare serissimo. In questo momento sono tutti di sopra. C'è Mr Woolsey, e c'è anche Mrs Bishop. Dicono – ma rimanga tra noi, mi raccomando – che deve cercarsi un negro. Oh, sapessi come c'è rimasta male. Eppure sia Edna che mammina che io lo trovavamo così carino, così elegante. Comunque quell'... quell'uomo di colore sarà qui a minuti. Tua zia sarà felice di avere accanto una persona cara come te in un momento così difficile».

Mentre correvo di sopra sentii che nella stanza di zia Mame era in corso una discussione piuttosto animata. Parlavano tutti insieme, ma la voce della zia sovrastava le altre: «... quanto a te, Mary Lord, in che senso lo trovi fasullo?».

«Zia, sono a casa» dissi.

«Tesoro,» gridò zia Mame dal suo letto di dolore, spalancando drammaticamente le braccia in uno sfarfallio di chiffon rosa «almeno ti ho al mio fianco mentre questi avvoltoi sbranano l'opera della mia vita. Siediti qui vicino a me, e lasciami attingere un po' del tuo vigore giovanile».

«Ascolta, Mame, non stai un po' esagerando?» disse Mary Bishop, con qualche ragione. Stava cercando di recuperare un tantino della sua celeberrima imperturbabilità, ma era una battaglia persa in partenza.

«Senti, Mame, non è mandando a quel paese Mary o me che il libro migliora, o diventa più vendibile». Anche Woolsey, che in genere era il tatto e l'eleganza in persona, dava chiari segni di cedimento. «Sono sicuro che con un piccolo sforzo noi tre riusciamo a parlare come persone adulte».

«Oh, ma certo che ci riusciamo,» ruggì la zia «certo. A chiacchiere tu e Mary siete due fenomeni. A forza di chiacchiere mi avete convinto a scrivere questo libro, e adesso a forza di chiacchiere vorreste convincermi che non vi interessa più, solo perché è un'opera di *alto valore letterario*. Be', non è con le chiacchiere che mi farete recedere dalle mie convinzioni, né tu, Lindsay Woolsey, né una qualsiasi parvenue di Linwood Avenue...».

«Senti, Mame,» la interruppe Woolsey, tentando di ingraziarsela «noi non stiamo rifiutando le *Pupe*, ti stiamo solo dicendo che dovresti farti dare una mano. L'idea ci è sembrata magnifica fin dall'inizio, lo sai, e continuiamo a crederci».

«Ma certo, Lindsay, è vero» aggiunse Mrs Bishop, nervosa. «Al testo manca tanto così per essere strepitoso, solo che come molti dilet... come molti debuttanti Mame va guidata nei passaggi difficili. E sono sicura che se trovassimo uno scrittore con un po' di esperienza in grado di aggiungere una parola qui e una parola là, e di proporre qualche taglio sensato...».

«Ecco, direi che si tratta di questo, di tagliare un po'» aggiunse Woolsey.

«... rimarrebbe rigorosamente anonimo, ovvio. Si terrebbe in disparte, darebbe solo una mano a...».

«Ma come no!» strillò zia Mame. «Adesso devo subire l'umiliazione finale, un negro – un cialtroncello qualsiasi che stravolgerà e distorcerà il significato della mia stessa vita!».

«Mame,» disse Mrs Bishop facendo appello a tutta la sua pazienza «non parlerei di un negro, ma piuttosto di un redattore, insomma sai, una specie...».

«Una specie di consulente editoriale» si precipitò a chiarire Mr Woolsey.

«E chi sarebbe questa perla?» chiese zia Mame con aria velenosa.

«Oh ecco, Elizabeth e io conosciamo un giovane particolarmente capace che ha una considerevole esperienza in casi del genere, e che siamo certi farebbe *miracoli* se aggiustasse un po' il tuo libro. Si chiama O'Bannion. L'ho incontrato l'altro giorno, gli ho fatto vedere il manoscritto e ne è stato subito conquistato».

«Davvero?» chiese zia Mame, con un'aria leggermente meno torva di prima.

«Ma sì. Anzi, ha detto che hai una delle immaginazioni più fervide che gli sia mai capitato di incontrare».

«Sul serio? E come hai detto che si chiama?» chiese zia Mame.

«Brian. Brian O'Bannion. È un...».

«Oh, Dio ce ne scampi e liberi» gemette zia Mame. «Mi pare di vederlo, sarà il solito tenore irlandese gonfio di birra, che non sta zitto un attimo e spara freddure a raffica».

«Adesso sei ingiusta, Mame» si impuntò Mrs Bishop con aria stolida. «Ti rendo noto che stiamo parlando di un ottimo poeta. Ha appena pubblicato una raccolta, *Il tulipano ferito*, per i tipi di...».

«Chissà che adorabile finocchietto» grugnì zia Mame.

«E comunque, Mame, in questo campo ha un'ottima esperienza, conosce il mercato come le sue tasche, e ha un gran fiuto per...».

«Ascoltami bene, se pensi che mi vada a genio che un demente di rimatore asessuato deturpi la mia autobiografia inzeppandola di battutacce irlandesi a un tanto al chilo non ci stai con la testa. Guarda, piuttosto che sorbirmi una noia e una mortificazione del genere prendo il libro, lo butto nel cesso e tiro la catena».

Sulla soglia si materializzò la sagoma informe di Miss Gooch. «Mrs Burnside, è arrivato Mr O'Bannion». Era vero. Alzammo tutti insieme lo sguardo, ed eccolo lì.

Zia Mame si lasciò sfuggire un gemito strozzato. Da quanto aveva detto fino a quel momento mi aspettavo di ritrovarmi davanti un irlandese da operetta, una specie di comodino largo da qui a lì. Niente affatto. Mr O'Bannion era un irlandese, sì, ma di quelli buoni. Avrà avuto una trentina d'anni. Era alto, magrissimo, con la pelle candida e i capelli – corti e molto ricci – neri come il carbone. Sugli occhi turchese si allungavano ciglia smisurate. La prima cosa che mi fece venire in mente era un gatto siamese. Aveva una giacca di tweed sformata, con le toppe ai gomiti, e un impermeabile non pulitissimo buttato su una spalla. Si dondolò graziosamente su una gamba, quindi rivolse a zia Mame un sorriso triste che gli diede modo di scoprire una formidabile dentatura, mentre quei suoi occhi intensi si avvicinavano – per così dire – alla zia e le davano una lunga carezza.

Zia Mame deglutì, tormentando con le dita il corpetto della vestaglia. Quindi si produsse nel suo sorriso più incantevole, e finalmente disse: «Venga pure avanti, Mr O'Bannion. Stavamo giusto parlando di lei».

Mr O'Bannion avanzò con passo felino nella stanza, avvicinandosi quatto quatto alla preda. E mentre Mary Lord Bishop presentava a tutti il suo collaboratore, zia Mame batteva il letto come impazzita alla ricerca dello specchietto, ne otteneva un responso rassicurante, e proseguiva in tono carezzevole: «Mr

O'Bannion, perché non viene a sedersi qui, in modo che possa vederla meglio. Sa, trovo quasi struggente che proprio lei, un *poèta*, sia disposto a correggere di persona i miei scarabocchi infantili». Qui la zia si beccò un'altra occhiata assassina, che la forzò a schiarirsi la voce. «E mi dica,» continuò con un gran sorriso «lei pensa che combineremo qualcosa, noi due? Col libro, intendo».

Mr O'Bannion risfoderò il sorriso languido. Poi, con voce fonda e melliflua, disse: «Non ho dubbi che *insieme* creeremo qualcosa di straordinario».

Il pomeriggio stesso fui rispedito al St. Boniface, con la certezza che la malata si avviava a una pronta guarigione.

Per un mese zia Mame non diede praticamente segno di sé, e quando ricominciò a scrivermi mi intratteneva su un unico argomento: Brian. «Brian e io siamo appena tornati da una lunghissima passeggiata nella brughiera, cioè sulle dune di Oyster Bay. Siamo entrambi convinti che l'aria fresca, carica di iodio, aiuti a pensare». Oppure: «È mezzanotte passata. Brian e io siamo rimasti fino a un attimo fa accanto al camino a leggere Yeats. Il fumo della sua pipa si alzava in pigre volute...». Oppure ancora: «... Oggi ho lavorato come un'ape. Brian mi ha aiutato a vedere la mia infanzia in una luce completamente nuova. Dopo tutti i mesi passati con quella piattola di Agnes, non immagini cosa significhi avere di nuovo un uomo vicino». Qui si sbagliava. Anche se non ero lì, me lo immaginavo piuttosto bene.

Nel frattempo, Miss Gooch aveva cominciato a scrivermi di sua iniziativa. Mi raccontava che, grazie all'intervento di Brian, l'autobiografia di zia Mame stava prendendo forma. Il lavoro procedeva con una certa lentezza, ma la parte finita era stupefacente. Su zia Mame Agnes non si dilungava più di tanto, ma di O'Bannion diceva meraviglie. Gesù, non vedeva l'ora che tornassi a casa per Natale, perché allora sì che noi quattro – il caro Mr O'Bannion, zia Mame, lei e io – ci saremmo divertiti. In che modo, non lo specificava. Per conto mio non avevo tutta questa smania, ma alla fine Natale arrivò.

«Mrs Burnside uscita con irlandese, ma Miss Quattrocchi di sopra» mi disse Ito sulla porta di casa.

In effetti, Miss Gooch era al piano di sopra, dove la sorpresi a singhiozzare sulla sua copia del *Tulipano ferito*. «Tutto bene?» provai a chiedere.

«Gesù, non ti aspettavo così presto» esclamò lasciando cadere il libro e schizzando su dalla sedia. Poi tirò su orrendamente col naso. «Ti prego di scusarmi, non so più dove ho cacciato il fazzoletto».

Le passai il mio. «Tieni questo. E fanne buon uso».

«Grazie, grazie mille. Mi spiace di farmi vedere a piangere come una scema, ma le poesie di Bri... cioè di Mr O'Bannion sono così commoventi che...».

In quel momento sentii la porta di casa che si apriva, e la voce della zia che mi chiamava: «Caro, sei arrivato?».

Trotterellandole incontro giù per le scale mi resi subito conto del cambiamento. La sua seconda pelliccia in ordine di importanza era diventata un double face, tweed fuori e visone dentro. Sotto, zia Mame portava un completo di tweed, robusti scarponcini da montagna e una sciarpa da college lunga un paio di metri. Puzzava come di torbiera.

«Cosa stai combinando?» le chiesi senza tanti preamboli.

«Oh, Brian e io abbiamo *vagabondato* per ore nella brughiera, pensando». A mio beneficio, Brian sfoderò l'accoppiata vincente – sguardo radioso e sorriso triste. Era in tweed grigio, e portava il primo panciotto a quadri che avessi mai visto fuori da un teatro – più una cravatta del Trinity College di Dublino. «Lieto di vederti, vecchio Paddy» mi disse.

«Bene bene, ragazzi. È l'ora del tè» trillò zia Mame.

Mentre Brian sgattaiolava in bagno, la zia si voltò verso di me per darmi un bacio. «Oh, tesoro, che bello averti a casa per Natale. Adoro che tu sia qui mentre la zia è così assorbita dal suo lavoro, così creativa, così feconda, così totalmente, totalmente felice!».

Non sapevo dove guardare, dall'imbarazzo. «Il libro come va?» le chiesi.

«Oh, tesoro, sapessi quante cose ho imparato in queste poche settimane con Brian. Prima ero un'assoluta dilettante, convinta di poter agguantare la musa per i capelli. Ma ora ho scoperto che scrivere è un'esperienza profonda, e molto delicata».

«A che punto sei?».

«Quasi a pagina venti».

«Solo?».

«Patrick caro, è ovvio che non conosci il processo creativo. Io ora ho capito che il novantanove per cento del lavoro consiste nel pensare. Me l'ha insegnato il caro Brian, è stato lui a ridestarmi dal mio sonno».

«Davvero?».

«Ma certo, caro» e qui abbassò la voce. «Sai, Patrick, esigo che tu faccia amicizia con Brian. Devi arrivare a conoscerlo come lo conosco io – insomma, quasi. A te piace, vero? A proposito, caro,» continuò deponendomi un bacio sulla fronte «dovesse mai affrontare l'argomento età, intendo dire, se mai ti chiedesse quanti anni... Insomma, devi dirgli che io ne ho trentacinque, e tu *dodici*. Non lo trovi molto maschio?» mi sussurrò dandomi una stretta al braccio quando vide Brian rientrare nella stanza. La situazione era sempre più chiara.

Il tè e la cena furono due momenti a dir poco strani. Lo spettacolo di zia Mame e Agnes Gooch che si coprivano di ridicolo davanti a Brian era a suo modo interessante, ma anche orribile. Agnes, con quella pelle flaccida, quei capelli morti color topo, quegli occhialini, quel vestito all'uncinetto informe e del blu sbagliato, quella volgare proprietà di linguaggio, era la tipica dattilografa innamorata di un uomo che aveva dieci anni più di lei. Così come zia Mame, con quella carnagione perfetta, quell'acconciatura impeccabile, quella magnifica linea, quegli occhi sfavillanti, e poi quegli abiti di sartoria portati con i gioielli giusti, e quel fascino naturale e allegro, era la tipica donna bella, sofisticata e non più giovane frastornata da un uomo che aveva dieci anni meno di lei.

Durante le vacanze zia Mame non mi frequentò granché, ma in compenso fece il diavolo a quattro per costringermi a vivere in simbiosi con Brian. In pratica ci gettò uno nelle braccia dell'altro – contro la mia volontà e, ne sono certo, anche contro la sua. Una volta, mentre lei andava dal parrucchiere, lo costrinse a portarmi a fare un bel giro per Central Park. La giornata è rimasta negli annali solo per tre ragioni: la sua sgradevolezza, il tweed a spina di pesce di Brian, e la leccata di baffi – letterale – che il suddetto si concesse nell'incrociare una graziosa bambinaia che spingeva il carrozzino sulla Settima Strada. Un altro giorno zia Mame decise che Brian e io avremmo gustato al meglio la compagnia reciproca nella splendida cornice medioevale dei Cloisters. Fu un pomeriggio agghiacciante. Mi facevano male i piedi, i Cloisters puzzavano come gli spogliatoi del St. Boniface e Brian, agli oli delle vergini su tavola in arrivo da misteriosi conventi italiani, mostrò di preferire i belletti di due vergini in arrivo dallo Hunter College che giocavano a nascondersi fra le urne marmoree del dodicesimo secolo, ridacchiando come cretine. Che Brian esercitasse un suo magnetismo lo avevo già intuito, anche se, come molte signore non capiscono perché mai gli uomini perdano le bave per certe loro simili, io non riuscivo a capire che cosa mai le signore ci trovassero in lui. Oltre a essere un'acciuga, era un leccapiedi, un impostore, un magliaro, un bugiardo e, cosa più grave di tutte, era noioso come le tasse.

Il resto delle vacanze fui costretto a trascorrerlo, con soddisfazione se possibile anche minore, insieme ad Agnes Gooch, che in media tre volte al dì mi faceva grossomodo lo stesso discorso: «Gesù, come passa in fretta un anno, non ci si crede. Diavolo, sembra ieri che mammina e Edna e io spacchettavamo i regali, e poi sai, mettevamo via il nastro, perché se lo stiri bene bene poi puoi usarlo anche l'anno dopo. Ed eccoci qui di nuovo».

Di per sé, il Natale fu molto allegro, e zia Mame superò se stessa, riuscendo a farci sentire tutti e quattro in Irlanda, o almeno nell'Ulster. In ogni camino ardeva un ciocco, tanto che a un certo punto fummo costretti a spalancare le finestre, perché l'aria si era fatta irrespirabile. Brian ci si presentò in completo a quadri di lana secca, mentre Agnes arrivò in metropolitana da Kew Gardens dopo un incantevole venticinque mattina trascorso in compagnia di mammina e di Edna. Rifulgeva in un abituzzo che aveva pensato bene di ricavarsi da una pezza di lana di un senape offensivo, cui le applicazioni di perline sul petto non giovavano. E a ognuno aveva portato un regalo fatto con le sue manine. A me toccò una sciarpa all'uncinetto con i colori del St. Boniface, a zia Mame una vestaglia d'angora verde acqua. Brian invece si vide consegnare un paio di pianelle con trapunte sia le sue iniziali sia il trifoglio irlandese, e per sdebitarsi si produsse in un sorriso così devastante che alla donatrice si piegarono le ginocchia.

Ad Agnes zia Mame regalò un bacio, una busta e una pezza di tweed verde – il che, dato il livello della sua produzione nel ramo maglieria, andava considerato un tragico errore.

A Brian toccarono un bacio e una busta più panciuta di quella di Agnes – oltre a una fantastica Bentley spider che ci guatava dal marciapiede sotto casa. Rimase talmente di sasso da non riuscire neanche a sorridere.

A me arrivarono un bacio, una busta, le due giacche più di tweed mai create, un paio di scarponi talmente pesanti che era impossibile anche solo sollevarli da terra, un panciotto a quadri e una scatola con dentro sette pipe, ognuna delle quali portava il nome di un giorno della settimana – lunedì, martedì, mercoledì e così via. In sostanza, il kit completo del Piccolo Brian, meno la Bentley.

Brian aveva dedicato a ciascuno di noi una copia del *Tulipano ferito.* Passammo al cenone, piuttosto impegnativo, al termine del quale zia Mame disse che avrebbe trovato divino che io portassi Agnes al Radio City Music Hall, così avremmo visto un bel filmone e anche quell'adorabile, adorabile presepe vivente che organizzavano per Natale.

Pur preferendo circa un milione di volte Agnes a Brian, trovavo il garrulo cicaleccio di lei snervante quanto il malsano silenzio di lui. Ma se non altro Agnes, a differenza di Brian, era una brava persona. Per tutto il viaggio in taxi continuò a blaterare Gesù, che caro e che dolce era Brian, e che peccato non potesse portarselo a casa, perché mammina e Edna sì che gli avrebbero fatto metter su qualche chilo, e Gesù che Natale fantastico era stato, e non pensavo anch'io che un Natale con la neve era la cosa migliore, visto che il freddo uccide tutti i germi?

Giusto perché era Natale, dopo lo spettacolo la portai a bere qualcosa all'Algonquin. Agnes rimase molto colpita dall'imponenza vecchio stile del salone, e addirittura entusiasta nel vedere che i clienti bevevano comodamente seduti in sofà e poltrone. Proprio come stare a casa, disse, però in una bella casa, non una bettola. Quindi mi ripeté per le rituali tre volte che in fatto di alcolici mammina era severissima, e mi fece promettere che sulla strada del ritorno le avrei comprato un pacchetto di mentine. A quel punto, facendo sobbalzare il cameriere, ordinò una cosa che si chiamava Pink Whiskers.

L'intruglio aveva un aspetto mefitico, almeno per me, ma Agnes lo tracannò con gusto – senza togliersi i guanti, e mantenendo il mignolo ostentatamente arcuato. Arrivata all'ultima goccia, affermò di sentirsi molto meglio: e, dopo un ruttino, disse non so quale scemenza sul palcoscenico e la bella vita.

La mia mente si stava perdendo in una lontana regione astrale, ma fu bruscamente riportata sulla terra quando Agnes sbatté sul tavolo il bicchiere vuoto e strepitò: «Biondo, 'sta roba mi brucia viva. Ne voglio subito un altro!». Quindi, per qualche misteriosa ragione, aggiunse: «Maddài!».

Il cameriere mi chiese se zia Mame sapeva dov'ero.

«Guardi che Miss Gooch è l'Alice Toklas di zia Mame» risposi.

«Vero, buon uomo, vero» intervenne Agnes. «Oh, non farmi rid...». Quindi tirò su col naso e aggiunse: «Ma come sei carino». Non mi restava che ordinare un altro bicchiere.

«In fatto di alcolici questa vecchia zitella non capisce un'acca. Per me sanno un po' tutti di medicina, ma alle Prudential c'era una ragazza – Phyllis –

che mi parlava sempre di questo Pink Whiskers che le faceva bere il suo fidanzato, un meccanico. Comunque aveva un nome così carino che non potevo non provarlo».

Il cameriere portò il secondo Pink Whiskers, ma fece appena in tempo a posarlo sul tavolo che Agnes se l'era già scolato. Già che c'era, la sua amica Phyllis avrebbe potuto spiegarle che gli alcolici sono un fatto di tenuta, non di scatto, ma pazienza.

«Gesù, mi sento così allegra, così felice, così giovane che potrei addirittura ballare». E qui ritenne fosse il momento di un altro «Maddài!».

«Agnes, non credo che all'Algonquin ci sia l'orchestra» mi affrettai a puntualizzare.

«Devo andare dove neanche lo zar entra a cavallo» strillò, per poi chinarsi su di me e mordicchiarmi un lobo: «Da bravo, cocchino, offrimene un altro».

La trasformazione di Agnes Jekyll in Agnes Hyde era talmente sbalorditiva che feci esattamente quel che mi veniva chiesto, cioè suonai il campanello e ordinai un terzo Pink Whiskers. Il cameriere mi squadrò con aria truce: «Giusto perché è il nipote di sua zia, altrimenti questa signora con me avrebbe chiuso. Non c'è niente di peggio delle maestrine».

Agnes si ripresentò un po' prima di quanto avrei voluto, il naso reso grigioazzurro da una cospicua applicazione di cipria. «Come sei carino» disse risistemandosi sul divano.

Con la forza della disperazione tentai di cambiare argomento. «Senti un po', Agnes, a che punto siamo col libro? Credi che zia Mame e Brian lo porteranno in fondo?».

Agnes si tolse gli occhiali e li sbatté sul tavolo con una tale violenza che, involontariamente, controllai se fossero ancora interi. «Senti a me,» disse «se tu ti trovassi chiuso in una stanza con Brian, avresti tutta questa fretta di uscire?».

Mi morsi la lingua per non risponderle «Be', francamente sì».

Agnes sbuffò e tolse l'ombrellino arancione dal bicchiere. Quindi mi rivolse una lunga occhiata assassina. Altro che incolori, i suoi occhi erano due lampi grigi, profondi e magnifici. E anche enormi. Qualche ciocca di capelli era andata fuori posto, e nonostante il naso coperto da tre dita di cipria piantato in mezzo a quella faccia scialba, per un attimo – giusto uno – mi sembrò bellissima. «Senti a me, Mrs Burnside non gli stacca gli occhi di dosso a Brian. È una cosa orrenda. Disgustosa. Accidenti, potrebbe essere sua madre...».

«Be', adesso esageri» protestai a nome della famiglia.

«E io... io lo amo da morire-e». Detto questo scoppiò in un pianto irrefrenabile, da cui si riprese solo per chiedermi: «Vedi se me ne portano un altro». Quindi si alzò e barcollò verso il bagno.

Il ritorno a casa fu un incubo. Agnes non mi si staccò un attimo di dosso, continuando a mormorare «Brian, ti amo. Ti voglio, Brian».

«Vi mollo in uno scannatoio, belli?» chiese il tassista appena arrivammo sulla Quinta Strada.

«Oh sì, per amor del cielo sì» rantolò Agnes.

«Non ci pensi neanche» ruggii.

Quindi mi cinturò con una presa d'acciaio, trascinandomi sul sedile con lei. Di recente, grazie a una torrida moretta della Miss Walker, credevo di avere finalmente capito cosa fosse un bacio, ma evidentemente nel piano di studi della scuola di Agnes, e cioè il Lillian Rose Downdey Institute of Applied Business Technique, trovavano posto discipline nelle quali le ragazze del Miss Walker non erano competitive. Ignoro dove Miss Gooch avesse appreso le arti amatorie, anzi non sono neppure sicuro che la sua non fosse una competenza innata, ma devo ammettere che a riguardo aveva alcune idee decisamente avanzate.

Una volta a casa la accompagnai nella stanza degli ospiti, dove in genere dormiva quando si fermava da noi.

Tirandola da una parte e dall'altra, e sotto una raffica di ammicchi, riuscii a sfilarle il vestito color senape e a farla coricare sul letto, dove le cavai mocassini ortopedici e occhiali. Sparsi sul cuscino, i suoi capelli facevano la loro figura. Non so come avessi potuto non accorgermene prima, ma Agnes aveva un corpo da sballo. Comunque eccola lì, nel cono di luce dell'abat-jour, sbronza marcia, ma per niente triste. A un certo punto aprì i suoi meravigliosi occhi e me ne strizzò uno. «Prendimi,» mugolò mentre le sistemavo la coperta «per amor del cielo, prendimi. Fammi tua, Brian».

L'indomani mattina stavo facendo colazione da solo, quando Agnes mi raggiunse. Non ebbi neanche bisogno di chiederle come andava.

«Ge-Gesù,» disse «voglio assolutamente scusarmi per il mio comportamento di ieri sera. Dev'essere stato quello che abbiamo mangiato. Senti, non ho mica fatto – anzi, detto – qualcosa di poco, mmm, di poco *conveniente*?».

«Ti sei comportata benissimo» risposi, giusto per dimostrarle che la parola «cavalleria» aveva ancora corso.

«Oh, meno male» disse Agnes, battendo rapidamente in ritirata.

Brian si presentò intorno alle undici, e zia Mame scese le scale vestita da Sherlock Holmes, in completo a quadri e mantellina. «Oplà!» gorgheggiò.

«Pronti a inaugurare la macchina nuova! Dio, come ci divertiremo! Patrick, tesorino, guadagnati il paradiso, chiedi a Ito se ha preparato il cestino».

Era una giornata umidissima, e faceva un freddo cane. «Intendi andare in giro senza capote con un tempo simile?» domandai.

«Ma certo, caro. Una sferzata d'aria fresca nella brughiera è un tonico, un tripudio per il sangue! E non dimenticare che noi celti siamo temprati».

Trattenendo un brivido, li guardai partire. Quindi andai di sopra, per suggerire a Miss Gooch una borsa del ghiaccio.

Zia Mame e Brian rientrarono mentre stavo finendo di vestirmi per un ballo. La zia aveva un'aria molto malpresa. Evidentemente dalla scorribanda fra le dune non aveva tratto tutti questi benefici, anzi, si rannicchiò vicino al fuoco sorseggiando un whisky irlandese caldo. Aveva gli occhi un po' troppo lucidi, e quando mi chinai su di lei per darle un bacio sentii che scottava.

L'indomani era a letto, e secondo il dottore rischiava seriamente una polmonite.

Poveretta, faceva spavento. Aveva la faccia gonfia come un pallone, il naso violaceo, e ogni frase che pronunciava era interrotta da tremende crisi di tosse e starnuti. Rimase a letto due giorni, senza mai smettere di lamentarsi, affidata alle amorevoli cure di Miss Gooch.

Brian passava da casa tutte le mattine, ma la zia non gli dava udienza. «Agnes, non posso farlo salire» gemeva, controllando con aria torva lo stato del suo naso e starnutendo. Poi starnutiva di nuovo, gettava un'altra occhiata incredula alla sua immagine nello specchio, e tornava a rigirarsi nell'immenso letto dorato.

Agnes si muoveva per casa occupandosi di varie cose, dal telefono al bollitore in camera da letto di zia Mame, mentre Brian, in biblioteca, lavorava svogliatamente al manoscritto – cioè, nei rari momenti in cui non passeggiava avanti e indietro per la stanza. Lo guardavo e pensavo a uno stallone rinchiuso per l'inverno. I pasti in compagnia di quei due erano un autentico tormento. Ogni giorno lei era un po' meno sciatta, un po' più elegante e civettuola; e ogni giorno lui si agitava un po' di più, tanto che cominciavo a capire il cuoco del St. Boniface, che ci metteva il bromuro nella minestra, e mi chiedevo se non fosse il caso di fare lo stesso.

Benché zia Mame si stesse riprendendo, il dottore le aveva proibito di alzarsi dal letto per un'altra settimana – una disdetta, visto che per niente al mondo intendeva perdersi il veglione di fine anno organizzato dal suo editore. E infatti era furiosa.

«Oh, Patrick, Patrick,» ringhiava «perché il destino si accanisce così? Questa serata da Lindsay è in programma da mesi, e adesso mi dicono che non se ne parla. Ho una tale rabbia addosso che mi metterei a *piangere*. Andare da Lindsay è un mio *diritto*. Sono un suo autore, no? Sai qual è la cosa più grave? È che alcune persone molto importanti nell'ambiente ci vengono apposta per conoscermi, e per discutere del libro – e io dove sarò? Qui nel mio letto, con un pacco di kleenex e un bollitore. Per non parlare di Brian, che ci teneva anche lui moltissimo».

«E non può andarci da solo?».

«Oh, povero tesoro, è talmente timido, se non ci sono io a tenergli la mano non si diverte». Non ci avrei giurato.

«Accidenti, zia Mame, che sfortuna» dissi. Poi scesi di sotto, dove Brian stava scavando un solco nel tappeto, a forza di camminarci sopra in circolo. E non degnava di uno sguardo Miss Gooch che, languidamente allungata sul divano, gli sbatteva i cigliioni da dietro le lenti.

Alla fine giunse il giorno tanto atteso, senza che zia Mame avesse ottenuto il permesso di alzarsi.

A peggiorare le cose, intorno all'ora di colazione le telefonò Mary, la sua agente, per ribadire che contava sulla presenza sua e di Brian. Non potevano proprio mancare, perché a quanto pareva sarebbe venuto anche un importantissimo produttore della MGM molto interessato al libro, che di sicuro zia Mame avrebbe sedotto, strappandogli in quattro e quattr'otto un'offerta al buio.

Zia Mame urlò: «Mary, è atroce, ma non posso. È una cosa orribile».

Dall'altra parte del filo si levarono alti lai. Zia Mame aspettò che scemassero, quindi riprese la parola: «Mary, cerca di capire, non *posso* mandare Brian da solo. Primo è di una timidezza spaventosa, e secondo, povero figlio, non ha idea di nulla. È proprio sprovveduto, sai. Capisci, non ha il mio fiuto per gli affari, non saprebbe da che parte cominciare».

Seguirono altri gracidii, dopo i quali zia Mame intervenne di nuovo: «No, Mary, non se ne parla nemmeno. Non conosco donne al di sopra di ogni sospetto. Quelle che mi vengono in mente sono tutte al di sotto».

Mrs Bishop aggiunse ancora qualcosa, e zia Mame ribatté: «Mary, per quanto mi sforzi non vedo soluzione. No, non conosco signore sole da recuperare all'ultimo momento. Credo proprio tu debba...».

Ancora oggi non so che cosa mi abbia preso. So solo che vedendo la povera Agnes in poltrona ricamare con la sua aria più triste e virtuosa un poggiatesta all'uncinetto ebbi una specie di folgorazione: «Zia Mame, scusa, perché non Miss Gooch?».

«Patrick, ti pare il momento di scherzare?» rispose la zia. Ma una frazione di secondo dopo si voltò verso Agnes, guardandola col sollievo con cui una madre apprensiva guarda la bambinaia appena assunta per occuparsi di un ragazzino difficile. «Scusami solo un istante, Mary» disse zia Mame nella cornetta. Poi si rivolse a Miss Gooch: «Agnes, cara, cos'hai in programma per stasera?».

«Oh Gesù, Mrs Burnside, niente di speciale. Di solito la notte di Capodanno mammina, Edna e io ci beviamo un ginger con i brownies di Edna, ecco, poi al momento del brindisi accendiamo la radio. Sa, di solito si collegano con New York, poi un'ora dopo passano la linea a Chicago, poi a Denver, e alla fine al Cocoanut Grove, in California. Pensi che l'anno scorso Gary Cooper...».

«Va bene, va bene. Quest'anno ho idea che si cambia. Mary, sei sempre lì? Dunque, puoi stare tranquilla, mi sa che ti mando la mia segretaria».

«Oh Gesù santo, non posso assolutamente, non ho niente da mettermi a parte il vestitino d'organza color pesca, ma dovrei aggiustarlo e non c'è neanche il tempo...».

«Non ti preoccupare, Agnes, si rimedia a tutto,» tagliò corto zia Mame «ho qualche migliaio di cose in cui puoi strizzarti. Mary, è andata. Brian se lo spupazza Agnes. Con una sistematina sarà perfetta. Li spedisco prima a teatro, e alle undici saranno da voi. Certo, certo, buon anno anche a te, ci vediamo». E riattaccò.

«Agnes,» disse zia Mame fissandola con occhio pollino «metti via quel ciarpame e vieni qui. Non abbiamo un secondo da perdere».

«Mrs Burnside, io proprio non posso...».

«Su, spogliati».

«Ma c'è qui Patrick...».

«Le signore preferiscono che mi allontani?».

«Non se ne parla neanche. Un progetto come questo richiede il massimo di collaborazione, e per ottenere una Agnes nuova l'occhio critico di un uomo mi è assolutamente indispensabile. E tu, Agnes, non startene lì impalata, sfilati quel saio, e alla svelta anche».

Vincendo la timidezza, Agnes si tolse il vestito blu scuro.

«Abbondiamo un tantinello di fianchi, a occhio e croce,» disse zia Mame col tono di un mercante di cavalli «ma nulla che un buon busto non possa sistemare. Santo cielo, Agnes, che davanzale. E dove diavolo lo avevi nascosto tutti questi mesi? Non importa, va' nel mio armadio, apri la terza anta e vediamo di trovare una robina da sera che ti stia».

In sottoveste bianca e mocassini ortopedici, Agnes attraversò la stanza con aria verginale, tornando indietro carica di sfavillanti abiti da sera.

«Metti immediatamente giù quello rosso, Agnes» disse zia Mame da dietro il centesimo kleenex. «Sei tu che devi dominare il vestito, non viceversa. No, cara, con quello limone no, non vogliamo far credere che hai appena avuto l'itterizia, vero? Forse la cosa migliore è attenersi rigorosamente al nero, che non tradisce mai. Ecco, quello lì, un bel Patou di velluto. Sì, bello, aderente, che disegni le forme. Hai un personalino niente male, sai Agnes, mica devi vergognartene. Una strizzatina qui e una là, e andrà benissimo. Su, infilatici dentro. Patrick, santo cielo, aiutala a tirar su la lampo. Ti sei dimenticato come ci si comporta con una signora?».

Anche con quella brutta sottoveste bianca che spuntava dal vestito nero – e chiudendo un occhio su faccia e capelli – Agnes faceva la sua figura. Che avesse una sagoma non si poteva negare.

«Sì» disse zia Mame con aria imperiosa, accendendosi una Kool. «Col vestito direi che ci siamo. Adesso vai a farti un bagno. Dio, come mi piacerebbe darti una strigliata alla faccia. Ci sono prodotti che fanno miracoli, ma ormai è troppo tardi per un intervento così radicale. Però se vai in bagno da me, dovrebbe esserci un vasetto di rivitalizzante Lydia van Rensselaer. Quello basta che te lo spiaccichi addosso, non devi fare altro. Ti pizzicherà un po', ma ti assicuro che vale la pena. Patrick, tu preparale un bagno caldo, e versaci dentro l'olio di orchidea van Rensselaer. E Agnes, vedi di depilarti le ascelle, sembri King Kong».

Ai guaiti di Agnes, che in bagno si stava sottoponendo al trattamento, zia Mame sembrava sostanzialmente indifferente. Il suo unico cenno di reazione era, di tanto in tanto, un perentorio «Taci!».

Alla fine Agnes emerse, rossa come un tizzo. E senza occhiali.

«Accidenti, Agnes,» disse entusiasta zia Mame «ma lo sai che hai due occhi stupendi? Dimenticati gli occhiali, d'ora in poi».

«Come faccio, Mrs Burnside, dall'occhio destro quasi non ci vedo».

«E usa il sinistro. Dio, come vorrei darti una sforbiciata ai capelli».

«Ma Mrs Burnside, non me li taglio da anni».

«Che ridicolaggine. Mah. D'accordo, se non vuoi farmeli tagliare pazienza, però almeno possiamo cercare di renderli un po' più interessanti. Vieni qui, cara. E stai ferma».

Zia Mame lavorò al progetto per più di sei ore, con Agnes che gemeva e si lamentava a ogni colpo di piumino, a ogni strappo di pinzetta, a ogni pennellata di mascara.

Intorno alle otto la metamorfosi era compiuta. Alta e imponente, per quanto un tantino instabile sui tacchi a spillo di zia Mame, Agnes lanciava occhiate incredule allo specchio, e anche se non riusciva a vedersi tanto bene la zia e io le ripetemmo un migliaio di volte che era uno schianto. «Ascoltami bene, Agnes,» disse zia Mame «sei assolutamente divina. Una silfide. Mi raccomando, alla festa non farmi l'oca giuliva. Cerca di essere il più possibile *soignée.* Non raccontare a tutti quelli che incontri che vivi a Kew Gardens, e lascia perdere mammina e Edna, lo sappiamo che sono due tesori, ma non importa. Anzi, guarda, parla il meno possibile. Per le chiacchiere c'è Mrs Bishop, altrimenti non si capisce per cosa le pago una percentuale. Tu devi solo avere un'aria elegante e intelligente, e se quel signore della MGM ti facesse qualche domanda sul mio – sul *nostro* – libro, di' soltanto che è meraviglioso e che presto diventerà un classico. Il che del resto è vero. Ricordati che tu sei lì per fare compagnia a Brian, nient'altro».

La semplice menzione di Brian mi provocò un crampo allo stomaco.

«Zia Mame,» sputacchiai «ma perché non lasciamo quel tale della MGM nella mani di Mrs Bishop? Dopotutto Mrs Gooch e Edna ci tengono moltissimo a fare Capodanno con Agnes, e Brian potrebbe starsene qui con noi a sentire qualche disco...».

«Sei fuori di brocca, ragazzino?» rispose la zia come se le toccasse sempre spiegarmi tutto. «Brian deve frequentare i pezzi grossi dell'ambiente, è essenziale per la sua carriera, e anche per la mia. Agnes è qui apposta, per occuparsi di lui in mia assenza. Senza contare che l'idea è stata tua».

«Oh, Mrs Burnside,» uggiolò Agnes «io proprio non posso andarci. Alla sola idea sudo già come un orso».

«Non col mio vestito da sera addosso, Miss Gooch, prego. Ti serve qualcosa per calmarti i nervi. Patrick, sii gentile, vai a prendere una bottiglia di champagne. Farà benone a tutti».

Mi sentii gelare il sangue nelle vene. «Zia, sei sicura che sia il caso di bere? Agnes non reg...».

«Bene bene, abbiamo un economo fra noi, un ragazzo saggio che risparmia sul *mio* champagne. Fa' come ti dico e sii un po' meno sfacciato, per favore».

«Mrs Burnside, anch'io non me la sento tanto...».

«Zia Mame, se non se la sente...».

«Avanti, Agnes, farai finta che sia una medicina. Ti rilasserà, vedrai».

Per una volta, una delle poche, zia Mame era andata sul classico.

Per correttezza verso la povera Miss Gooch devo ammettere che tracannò la prima coppa come se anziché champagne contenesse olio di ricino, arrivando a dire che le bollicine le pizzicavano il naso. Ma subito dopo, con un tuffo al cuore, sentii la zia insistere perché ne prendesse un'altra.

In quel momento suonò il campanello, e affacciandomi alla finestra vidi in strada la meravigliosa Bentley nuova di Brian.

«Oh, Agnes,» strillò zia Mame, eccitata come una ragazzina «adesso facciamo una sorpresona a Brian. Lui è ancora convinto di portare me alla festa, e glielo lasceremo credere per un altro po'. Poi Patrick ti annuncerà, e tu farai il tuo ingresso trionfale. Presto, vatti a nascondere nello spogliatoio. E tieni, portati un'altra coppa di champagne».

Sentii che stavo per assistere al crollo della civiltà occidentale.

Ora, quasi tutti i maschi fanno la loro porca figura in smoking, ma ammetto che Brian andava oltre. E quando vide zia Mame decorosamente adagiata nel suo enorme letto dorato, gli occhi di gatto siamese mandarono un barbaglio famelico – e un po' nauseabondo, almeno per me.

«Ma... e il teatro? Il veglione? Non ti sei preparata?».

«Oh, Brian caro,» disse zia Mame facendo il broncio «il dottore non vuole saperne di lasciarmi uscire. E allora ho trovato un rimpiazzo».

«Rimpiazzo? E chi sarebbe?».

«Oh,» attaccò zia Mame, attingendo al suo vasto repertorio di moine «una persona che conosci bene. Una delizia di ragazza. Agnes!».

«Non... non intendi *Agnes*, vero?». Il barbaglio si era spento, e il suo proprietario sembrava fosse appena stato pugnalato alla schiena.

«Ecco... no, non quella. Non esattamente. Patrick, fai entrare la nuova Miss Gooch!».

Rigido come un automa aprii la porta dello spogliatoio, liberando Miss Gooch. Era fantastica. Aveva una strana luce negli occhi, ma niente in confronto a quella di Brian – un lampo azzurro che francamente incuteva terrore.

«Non è bella, Brian?» trillò zia Mame. Per tutta risposta Brian deglutì, passandosi la lingua rosa e appuntita sulle labbra.

«Bene, adesso voi due sparite. Pensate solo a folleggiare! Ta-tà, miei cari. E divertitevi!».

Agnes arrivò fino alla porta, si girò, e rivolse alla stanza uno sguardo assolutamente vacuo. Poi sorrise con aria enigmatica, e disse solo «Maddài!».

Sentendo la porta di casa che si richiudeva, zia Mame disse: «Bene, un altro problema risolto. Accidenti, Agnes era proprio la fine del mondo. Non mi ero mai resa conto che se ne potesse ricavare tanto, povero topino. Certo che ho fatto un lavorone, devi ammetterlo, anche se con una ragazza così è tutto tempo sprecato».

«In che senso?».

«Oh be', è carina, ma non ha fuoco. Non è sexy, capisci? Be',» continuò «eccoci qui soli, tu e io, la notte di Capodanno. Vorrà dire che ci organizzeremo un delizioso tête-à-tête. Su, dammi una mano. Attizza il camino, fai una corsa di sotto a prendere un altro po' di champagne e vedrai ce ne staremo come pasc...». E starnutì, sventolando il kleenex.

«Capodanno» attaccò subito dopo con aria trasognata. «Oh, quanti ricordi. Sai, zio Beau e io ci siamo sposati la notte di Capodanno di tre anni fa. Sono esattamente tre anni oggi». Si soffiò il naso, e non credo fosse solo un fatto di raffreddore. «Non si stava d'incanto con zio Beau, caro?».

«Certo che sì».

«Sai, gli ultimi due anni sono stati terribili per me. Mi sono sentita sola al mondo».

«Lo so».

«Intendo dire, ho te, e questa casa, e molti più soldi di quelli che mi servono, ma non è la stessa cosa, vero caro?».

«Vero. A me piaceva molto zio Beau».

«Piaceva a tutti. Era un uomo notevole. Quegli occhioni scuri, e quei meravigliosi peli ramati sul petto. Be', parlarne non servirà a riportarlo fra noi, solo a farci sentire di più la sua mancanza. E io già provo un grande, doloroso vuoto *qui*» disse indicando un seno perfetto. «Sì, mi manca qualcuno come il caro Beau».

Sapevo dove stava andando a parare, e non mi piaceva per niente.

«Avresti voglia di visitare l'Irlanda, piccino?».

«Non tanta».

«Davvero, caro? Ma come, il verde, la brughiera umida di rugiada, e poi quella lingua così musicale, e le fiere di cavalli, e l'Abbey Theatre, e la conversazione brillante di AE e di Synge».

«Sono morti tutti e due».

«Oh be', ci sarà pure qualche altro irlandese brillante. E scusa, non ti piacerebbe rivedere la tua vecchia tata, come si chiama, Flora?».

«Norah. Si chiama Norah».

«Va be', caro, il fatto è che Brian e io stiamo progettando un'estate irlandese, e tutti e due vorremmo che venissi con noi. Sarebbe una specie di viaggio *di famiglia*».

«Famiglia?».

«Sì, sai, una specie di luna di miele *à trois*».

«Mi stai dicendo che hai intenzione di sposare Brian?».

«Sì, *abbastanza*, caro. Sai, ho pianto il povero Beau per due anni, e ora sento che è giunto il momento di trovarne un altro».

«Non vorrai paragonare Brian a Beau?».

«Vedi, caro,» continuò la zia un po' a disagio «io ho bisogno di qualcuno che si occupi di me, e anche Brian ne ha bisogno. È talmente timido».

«Sì, più o meno quanto Jack lo Squartatore».

«Che cosa intendi dire, caro?». Si stava innervosendo.

«Quello che ho detto».

«Patrick, caro, non è che Brian ti è antipatico, vero?».

«Antipatico non è la parola. Lo aborrisco».

«Ah, meno male, avevo paura che... lo *cosa*?».

«Lo odio. È un ipocrita da quattro soldi con la statura morale di una capra, e non conosco nessuno in tutta New York più assatanato di lui».

«Ma tu...».

«Si è fatto qualsiasi cosa si muova in città, tranne forse qualche vagone del metrò. Sono mesi che quella faccia da beota vive qui a ricasco, e tu non ti rendi neanche conto che di quel vostro libercolo non ha scritto una sola parola».

«Stammi bene a sentire, giovanotto...».

«Solo tu potevi impelagarti con un parassita arrapato che ha minimo dieci anni meno di te, e a cui di te interessano solo due cose, una delle quali è il conto in banca».

«Tu... piccolo demonio meschino. Come osi parlare in questo modo di una mente eccelsa come Brian?».

«E sai qual è la cosa peggiore? La cosa peggiore è che parliamo dell'essere più palloso che abbia mai conosciuto».

«Esci dalla mia stanza, Giuda. Fuori di qui! Fuori!».

«Sta' tranquilla, me ne vado».

«Ecco bravo, vattene e non mettere più piede qui dentro. Non voglio più vederti né sentirti, e neppure parlarti».

Uscii sbattendo la porta, e nello stesso momento sentii una coppa di champagne infrangersi contro il muro.

La cosa mi fece talmente imbestialire che riaprii la porta e gridai: «Guarda, spero che te lo sposi davvero. È esattamente quello che ti meriti».

«Esci di qui, piccola bestia velenosa. Brian mi ama, e lo sposerò l'istante stesso in cui metto piede giù dal letto!».

A quel punto corsi in camera e mi buttai a dormire.

«Patrick, caro, svegliati. Svegliati, caro, ho bisogno di te!». Aprii gli occhi, e vidi zia Mame in piedi vicino al letto.

«Vattene» mormorai. «Non hai detto che non volevi parlarmi mai più?».

«Oh, ma questa è una cosa seria. Brian... Agnes... non sono tornati».

«Ma... che ore sono?» chiesi sbattendo gli occhi alla luce della lampada.

«Quasi le sei del mattino».

«Santo cielo, è la notte di Capodanno, per forza non sono tornati».

«Ma Patrick, caro, da Lindsay non ci sono proprio andati. Ho telefonato a Mary Lord Bishop –

dormiva, ma pazienza – e mi ha detto che non li ha neanche visti. Oh, caro, sono talmente preoccupata. È quella maledetta macchina. Lo sapevo che non dovevo regalargliela. Brian guida come un demonio».

All'improvviso mi resi conto di cosa era successo.

«Per fortuna c'è Agnes con lui. Brian vive in un mondo tutto suo, ma Agnes è una brava ragazza, con la testa sulle spalle. Oh, speriamo solo che non abbiano avuto qualche spaventoso incidente. Adesso alzati e dammi una mano».

Zia Mame si attaccò al telefono e in un crescendo di isteria chiamò tutti gli ospedali di New York, mentre io me ne stavo da una parte con un muso da qui a lì, tentando solo di rimanere sveglio. Telefonò anche a Lindsay Woolsey, a Mary Lord Bishop – e due – e più o meno a tutti quelli che conosceva. Alle otto di mattina aveva importunato l'intero mondo letterario – e sanitario – della città. Alle nove, quando le sue speranze erano ormai ridotte al lumicino, sentimmo suonare il campanello.

Stringendosi addosso la vestaglia, zia Mame si precipitò ad aprire. Dopo una breve pausa, la sentii gridare: «Oh mio Dio!».

Corsi a mia volta giù dalle scale e la trovai in ingresso, con il foglio giallo di un telegramma stretto fra le dita. Glielo strappai e lo lessi:

> FUOCO MI ARDEVA TROPPO FORTE – STOP
> BRIAN E IO INNAMORATISSIMI – STOP
> CHIEDIAMO COMPRENSIONE ET PERDONO
> ET BENEDIZIONE – STOP
>
> SUA AFF.MA AGNES

Zia Mame risalì le scale senza dire una parola. Andò alla scrivania, prese il manoscritto delle *Pupe* e lo gettò nel fuoco. Poi si tolse la vestaglia all'uncinetto di Agnes e le fece fare la stessa fine. Questa volta la vampata fu impressionante. Con un leggero brivido, si rimise a letto e mi invitò a sedere sulla poltroncina. Quindi aprì l'ultima bottiglia di champagne, ne riempì due coppe e me ne passò una.

«Buon anno, caro».

# 6
# ZIA MAME IN MISSIONE DI SOCCORSO

Oltre a possedere infinite altre doti, pare che la zitellina di «Selezione» fosse anche un'ottima levatrice. Be', forse non in senso letterale, ma a quanto pare col suo frugoletto aveva compiuto tali prodigi che le altre madri andavano da lei – cioè da una donna, ricordo, che non era mai stata sposata – per ottenere consigli su come mettere al mondo, e come crescere, i bambini. E ogni volta lei piantava quello che stava facendo e si metteva subito a disposizione. Questo sempre secondo l'articolo.

In un certo senso non lo trovo leale. Quando zia Mame prese possesso di me avevo dieci anni, e mi ero lasciato alle spalle da un pezzo la fase dei pannolini. Fossi stato più piccolo, Dio sa cosa sarebbe potuto succedere.

Anche zia Mame comunque era sempre prontissima ad abbandonare la propria vita per gettarsi a capofitto in quella di qualcun altro, e benché non avesse avuto bambini suoi, non se ne fosse mai circondata e forse non ne andasse neppure pazza, si sentiva particolarmente tagliata per assistere una giovane fanciulla durante la maternità.

Ero convinto che non avrei più sentito parlare di quel disgraziato di Brian O'Bannion e dell'ancor più disgraziata Agnes Gooch, ma mi sbagliavo. Un anno e mezzo dopo i fatti che ho narrato Agnes, e per interposta persona anche Brian, rientrarono a piè pari nella mia vita e nella mia carriera scolastica. Era il mio ultimo trimestre al Collegio St. Boniface di Apathy, in Massachusetts, e contavo i giorni che mi separavano dal momento in cui, ottenuto il diploma, mi sarei liberato per sempre di quella tetra istituzione. Ma un freddo pomeriggio di primavera, mentre stavamo marciando – al St. Boniface non si camminava mai – dalla cappella al campo sportivo sentii una specie di sibilo fra i cespugli. Mi voltai e rimasi a bocca aperta, come tutti gli altri. Era Ito. Allungò una mano tra le frasche, cacciando nella mia una delle grosse buste azzurre di zia Mame, per poi tornare a mimetizzarsi nella forsizia.

Appena arrivammo nello spogliatoio mi chiusi in bagno e aprii la busta.

Caro, adorato ragazzo,

devi venire subito qui, ho bisogno di te. Mi trovi allo Ye Olde Greene Shutters Sweete Shoppe. Ti avviso che sono *molto* in incognito.

Corri!

Zia Mame

Appena i miei compagni si avviarono zompettando verso il campo da gioco schizzai fuori dall'edificio, scavalcai il muro di cinta e attraverso un dedalo di strade e viottoli raggiunsi la sala da tè che mi aveva indicato la zia.

L'Olde Greene Shutters era il ritrovo delle gentildonne di Apathy, che vi si davano convegno ogni pomeriggio per tracannare barili di tè e di panna acida. Quando ci arrivai era pieno come un uovo, ma zia Mame la beccai subito. Era seduta in un angolo in penombra, con un abito nero aderente, un cappellone nero provvisto di veletta, occhiali neri e un ampio mantello, nero anch'esso. In quella distesa di sete stampate e collanine d'ambra sarebbe passata più inosservata nuda come mamma l'aveva fatta. Raggiunsi il suo tavolo. «Zia Mame...».

«Oh, tesorino. Sapevo che nessun travestimento avrebbe ingannato il tuo cuore. Ma perché diavolo ci hai messo tutto questo tempo?».

«Zia Mame, che succede? Cosa ci fai a Apathy, e perché ti sei vestita così?».

«Sono in missione di soccorso, bambino mio, e sono venuta a cercare un braccio forte e una giovane mente agile. Cioè te».

«Sa il cavolo perché non sei a scuola, ragazzino. Che prendi?» si intromise la cameriera.

«Un cheeseburger e una cioccolata».

«Lasci perdere» ingiunse zia Mame. «Piuttosto mi porti il conto. Ce ne andiamo».

Dopo la dieta del St. Boniface – quella broda che passava per stufato e quelle zuppe al bromuro – mi sembrava un'ingiustizia, ma ero troppo incuriosito per discutere. «Insomma che cosa c'è? Di che si tratta?».

Zia Mame si tolse gli occhiali scuri e mi rivolse uno sguardo di brace. «Di Agnes Gooch, si tratta. Dio, cosa avete fatto a quella povera vergine innocente».

«Cosa *abbiamo* fatto? Io non vedo quella quattrocchi da...».

«Oh, non tu, non tu nel senso di Patrick. Tu in un senso più ampio, come *maschio,* cioè come simile di un certo volgare, pretenzioso poetastro di serie Z che risponde al nome di Brian O'Bannion. Animale. Approfittare della povera piccola Agnes e poi abbandonarla alla mercé di un mondo crudele e meschino».

«Piano, piano. Che cosa è successo?».

«L'inevitabile, cosa vuoi che sia successo. Quella carogna ha portato la povera Agnes in California sulla macchina che *io* gli ho regalato, l'ha sedotta, e poi l'ha abbandonata, senza un soldo e *incinta*». La parola fece voltare quasi tutte le signore in sala.

«Non scherzare» dissi. Poi, più piano: «O perlomeno abbassa un po' la voce».

«Scherzare? E tu credi che io abbia lasciato New York nel pieno della stagione e mi sia trasferita armi e bagagli in questo deserto culturale per *scherzo*? Agnes è arrivata da me come una bestiolina ferita. Ero l'unico porto sicuro, per lei. Come puoi immaginare non poteva certo cercare aiuto da quei quaccheri dei suoi parenti».

Sentii un tuffo al cuore. «Che... che cosa intendi con quell'"armi e bagagli?"». Ma mentre formulavo la domanda, con sgomento, me ne resi conto da solo. «Agnes ora dov'è?».

«All'Old Coolidge House».

«Vuoi dire... vuoi dire l'Old Coolidge House di qui, di Apathy?». La domanda suonava del tutto superflua. Era ovvio: volendo ammantare di segretezza le sue gesta, zia Mame aveva optato per l'unico luogo in città protetto dalla New England Historical Society, che era anche il punto dove si davano convegno i Discendenti del Mayflower, le Figlie della Rivoluzione Americana, la Camera di Commercio, il Rotary, oltre al consiglio direttivo del St. Boniface.

«Ma certo, qui a Apathy, dove altro. Ho affittato una suite abbastanza comoda. Se devo aiutare la povera Agnes a far nascere il bambino, mi serviva un posto dove non ci conoscesse nessuno».

La interruppi con fermezza. «Mi stai dicendo che di quarantotto Stati, più il distretto di Columbia, hai scelto proprio il Massachusetts? E fra le circa mille città del Massachusetts, proprio quella in cui vivo *io*?».

«Ovvio, amore mio» disse con quella sua logica in grado di condurre alla pazzia chiunque se ne lasciasse imbrigliare. «Sapevo che avresti ritenuto tuo dovere ergerti a paladino di quella povera vittima di Agnes».

«Sì. Solo che la povera vittima me l'hai piazzata praticamente a scuola. Quell'albergo è il posto dove tutti...».

«Certo, caro. Mi serviva una posizione centrale. L'ho scelto a portata di mano apposta, così avrai modo di aiutarmi a mettere al mondo una piccola, giovane vita, a nutrire il povero, tenero virgulto che...».

«Senti, zia Mame, mi cacci in un pasticcio d'inferno. Fra poche settimane potrei essere fuori da questo buco schifoso, ma se ci scoprono...».

«Non dire stupidaggini, cosa vuoi che scoprano. Siamo arrivate ieri sera che era già buio. Mi sono addirittura presa la briga di prenotare la stanza sotto falso nome. Sono in contatto con un dottore di Boston che è la discrezione in persona. Fra poche settimane, quando il bambino sarà nato, darò un po' di soldi a Agnes e la sistemerò da qualche parte. *A quel punto,*» pausa «credo che tu e io potremmo anche andarcene a fare un bel viaggio. In Europa, magari. Ti piacerebbe?».

«L'Europa» sospirai.

«Sì, amore, l'Europa,» disse zia Mame con aria astuta «ma solo se mi aiuti a tirar fuori la povera Agnes da questo pasticcio. *Affare fatto?*».

Sapevo che stavo commettendo un errore fatale, ma dopo i vasi da notte del St. Boniface le notti di

Parigi esercitavano un richiamo irresistibile. «Affare fatto» dissi con aria cupa.

«Bene! E adesso occupiamoci della povera Agnes». Zia Mame pagò il conto con un biglietto da cinquanta, poi si calò la veletta sugli occhi e si alzò. Aveva un'aria talmente misteriosa che sentivo su di noi gli occhi di tutte le beghine presenti in sala.

La Rolls-Royce della zia, con le tendine tirate e Ito al volante, era parcheggiata subito fuori. Naturalmente aveva attratto una piccola folla di curiosi, che ci guardarono andar via mormorando e grattandosi la testa. Allungata sul sedile a fumarsi una sigaretta, zia Mame era beatamente inconsapevole dello scalpore che aveva suscitato. Io no. Tanto per cominciare, sapevo che a Apathy nessuno aveva mai visto né una Rolls né un giapponese, così come sapevo che il St. Boniface disponeva in città di una rete spionistica che non aveva nulla da invidiare alla GPU. Quando non pattugliavano la scuola, i docenti svolgevano attività di intelligence all'interno dell'abitato. Nello spazio di tre isolati beccai il professore di inglese, il maestro di tennis e il cappellano. Quest'ultimo al passaggio della grande macchina nera con le tendine tirate arrivò addirittura a togliersi il cappello, accennando a un inchino.

Dalla paura di essere visto fuori dal campus non riuscivo quasi a seguire la conversazione di zia Mame, che verteva essenzialmente sugli aspetti spirituali della maternità, sulla misteriosa bellezza della gravidanza, e sul senso di serenità che la medesima ispira. Quando le domandai come facesse a sapere tutte quelle cose, zia Mame mi rispose di non fare l'impertinente e mi avvertì che la Agnes di oggi era una donna molto cambiata.

Per ragioni ovvie, ero piuttosto restio a farmi vedere all'Old Coolidge House, ma zia Mame stava perdendo la pazienza e praticamente mi ci cacciò dentro. Subito dopo aver varcato la soglia andai a sbattere contro il portiere – noto informatore al soldo del St. Boniface –, il quale, appena vista la giacchetta che indossavo, mi chiese se avevo il permesso. Questo tanto per dire in che razza di scuola fossi finito. «Ma certo che ce l'ha» intervenne zia Mame, spingendomi su per le scale talmente in fretta che l'altro non ebbe neanche il tempo di pretendere che glielo mostrassi.

Agnes ci aprì, e richiuse subito a chiave. *Cambiata* lo era, ma non nel senso della misteriosa bellezza di cui favoleggiava zia Mame. Prima di tutto era diventata un baule, e poi non sembrava essersi mantenuta ai livelli di eleganza appena intravisti nella fatale notte di Capodanno in cui era scappata con Brian. L'ibrido fra le proposte degli atelier parigini e l'uncinetto di Kew Gardens la collocava a metà strada fra una demi-mondaine e una sacca per i panni sporchi. I capini prémaman se li era fatti da sé, e anche al trucco aveva provveduto di persona, con risultati poco incoraggianti. Vedendola gironzolare a tentoni senza i suoi occhialetti, vestita e impiastricciata come una mignotta, più che alla misteriosa bellezza di cui sopra veniva da pensare a una ragazza perduta che stesse espiando alle solite condizioni la sua lussuria e/o sventatezza.

Anche la spiritualità o la serenità non so dove le avesse viste, zia Mame. Agnes aveva sempre avuto, anche in tempi non sospetti, una certa tendenza all'autocommiserazione, e adesso che di autocommiserarsi aveva ben donde non smetteva un secondo di piangere. Appena mi vide mi gettò le braccia al collo e scoppiò in singhiozzi, coi rivoletti fangosi di mascara che solcavano i pomelli rossi delle guance. Il suo lessico sembrava ridotto a un numero limitato di espressioni, o meglio agli aggettivi secondo lei più consoni al sostantivo «ragazza», e cioè stupida, sciocca, presuntuosa, ingannata. Non che avessi un pulpito da cui parlare, ma Agnes era proprio un casino.

Mentre la sua assistita si flagellava ad alta voce, zia Mame eliminò parte del travestimento, si diede una sistematina ai capelli, si accomodò sul divano Impero e chiamò di sotto, ordinando generi di conforto: rossi d'uovo per Agnes, tè per me, cognac per sé. «Da brava, Agnes, adesso soffiati il naso,» attaccò con una punta di acido «e soprattutto piantala di tirar su, lo sai che mi dà noia. Bene, tesoro, dicevamo? Ah sì, come vedi è tutto a posto. Siamo un nucleo familiare perfettamente rispettabile e all'onor del mondo».

Agnes si abbandonò a un autentico diluvio di lacrime. «Agnes, ho detto basta» le ingiunse zia Mame. «Non ti fa bene, e non fa bene neppure al bambino. Finisce che ti disidrati, o roba del genere. Come ti stavo dicendo,» continuò rivolta a me «eccoci qui: una misteriosa vedova, sua cognata, una persona di servizio, tutti regolarmente registrati all'Old Coolidge House fino al giorno – oh be', fino a *quel* giorno. E se anche gli indigeni dovessero notarci, cosa che ritengo altamente improbabile, non ci sarebbe niente di strano. Qui siamo del tutto autosufficienti. I pasti ce li facciamo portare in camera. Il dottore viene da Boston una volta alla settimana. Se vogliamo comunicare con te, o prendere una boccata d'aria, c'è Ito. Tutte le sere, al calar del sole, Agnes può fare la sua passeggiata quotidiana – sei chilometri, non uno di meno. Dobbiamo solo starcene qui e aspettare, come dire, che il tempo scada. Con un po' di soldi e molta organizzazione, caro, andrà tutto liscio».

«Benissimo, grandioso. Ma non potevi replicare questa stessa organizzazione in un albergo, che so, di Cleveland, o di Milwaukee, o di Dallas, che oltre a essere città molto più interessanti hanno il vantaggio di non ospitare la mia scuola?».

«No, tesoro, perché come vedi ho bisogno di te».

«Ma se siete così autosufficienti, a cosa ti servo? Che cosa posso mai fare, a parte cacciarmi nei guai?».

«Almeno quattro cose» rispose zia Mame in un tono severo che non mi piaceva neanche un po'.

«E... quali... sarebbero?».

«Numero uno, ho bisogno che tu mi faccia un po' di commissioni. Mi serve un'infinità di cose, e immagino ce ne siano infinite altre che ovviamente serviranno a una puerpera. Tu conosci la città, io no. Senza contare che per me farmi vedere in giro potrebbe essere pericoloso».

«Pericoloso? Per *te*? Dovresti passare un pomeriggio al St. Boniface, dove ti danno una nota anche solo se ti gratti il sedere, e...».

«Per favore Patrick, niente turpiloquio, ha una pessima influenza sul nascituro! Bene, questa era la numero uno. Numero due, dovresti farmi un po' di spesa a Boston. La qualità del cibo da queste parti è esecrabile. Per Agnes ovviamente va benissimo, ma per me no. E siccome in una città che non conosce di Ito non ci si può assolutamente fidare, domani per favore prendi la macchina, vai da S.S. Pierce e ti fai dare una cassa...».

«Ma io non so guidare! Non ho neanche la patente».

«Certo che sai guidare, ti ho insegnato io. E se guidi con prudenza, come non dubito che farai, a nessuno salterà in testa di chiederti la patente. Io non l'ho mai avuta, ed eccomi qui».

«Zia Mame, io ci tengo al diploma! Così mi sbatteranno fuori prima ancora che...».

«Lo avrai, il tuo diploma, lo avrai. La formazione prima di tutto. Ma veniamo alla numero tre. Mi serve un quarto a bridge. Sto insegnando il Culbertson a Agnes. Le fa bene, le tiene la testa occupata».

«La testa occupata?» miagolò Agnes.

«Buona tu. Certo. E devo dire che è un'ottima allieva. Ito invece gioca il Sims, e sarebbe anche discreto se solo la piantasse di ridacchiare e provasse a concentrarsi. In ogni caso per fare un tavolo mi servi tu». Infilò una sigaretta nel bocchino, e sorseggiò il suo cognac. «Ma il servizio più importante che puoi rendermi...». Pausa.

«Sa... sarebbe?» chiesi con aria guardinga.

«Il servizio più importante che puoi rendermi è portare a spasso Agnes».

«Che cosa?».

«Portare a spasso Agnes. Sei chilometri buoni tutte le sere, appena fa buio. Sta mettendo su troppi chili. Questa stupidina dice che le fanno male i piedi, ma *io* dico...».

«Se foste venuti a piedi da Carmel vi farebbero male anche a voi...». In un'ennesima e definitiva crisi di pianto Agnes si trascinò pesantemente in camera.

«Vedi cosa le *avete* fatto?» esclamò zia Mame. «Oh, siete tutti uguali. Povera piccina, è venuta fin qui a piedi dalla California, da sola, e tu ti rifiuti di farle fare quattro passi la sera!».

«Ma ti rendi conto che è l'idea più folle che ti sei mai cacciata in testa? Hai tutti i soldi che vuoi, potevi portare Agnes in una clinica qualsiasi e farti assistere da medici e infermiere fino a che tutto non si fosse risolto. Ma tu sei forse in grado di fare una cosa sensata? Certo che no! Hai dovuto trascinare Agnes in questo buco dimenticato da Dio, sotto il naso della scuola e di Dwight Babcock Junior. Tu non sai un piffero di bambini, io ne so meno di te, però pretendi che evada da quella galera e mi occupi a tempo pieno di te: dovrei andare a Boston a comprare pâté e tartufi, fare il quarto a bridge, le commissioni, e come se non bastasse anche accudire la povera Agnes...».

«Parigi» disse zia Mame. «Parigi, Roma, Londra, Vienna, Cannes, Nizza, Montecarlo, Venezia».

Interruppi la mia tirata. «Ma... zia Mame, come faccio ad allontanarmi da scuola? Mi sorvegliano come un...».

«Stupidaggini, tesoro» disse la zia con aria spensierata, finendo il suo drink. «Le cose basta volerle. Io non credo di aver passato una sola notte nel dormitorio di Miss Rushaway, e anche da Smith andavo a letto a ore impossibili. Prendevo il manichino nell'armadio, lo infilavo sotto le coperte e...».

«Sì, però io un manichino nell'armadio non ce l'ho. Anzi, non ho neppure l'armadio, ho solo il caro Junior Babcock che non mi perde di vista un istante e che...».

«Napoli, Capri, Milano, Firenze, Deauville...».

«Senti, zia Mame, solo per venire qui in albergo devo mostrare il permesso. Hai visto prima il portiere...».

«Non c'è problema. Hai notato quella fune arrotolata piena di nodi? Non lì, vicino alla finestra. Bene, ho scoperto che sarebbe il sistema antincendio, almeno in questa stamberga di provincia. Tu vieni sotto la finestra, fai un fischio, e io te la calo, così ti ci puoi arrampicare. E per andartene...».

«Ma siamo al terzo piano!».

«Sai il bene che ti fa a braccia e spalle, caro?».

«Ho accumulato talmente tante note che il nostro sorvegliante...».

«Anversa, Bruxelles, Ostenda, Atene...».

«Zia Mame, io...».

«Ci vediamo domani, caro? Alle tre, per favore, e cerca di essere puntuale. Ecco, adesso calo la fune» disse avvicinandosi alla finestra come fosse la cosa più normale del mondo.

Mi affacciai molto poco convinto al davanzale e guardai di sotto. «Tanto per sapere, nel caso volessi contattarti, che nome hai dato?».

«Ah già, il nome. Per quanto riguarda il mio ho usato un trucco molto astuto, mi sono tagliata il cognome. Per loro sono la signora Burns, e come nome ho preso il mio cognome da ragazza. In breve, devi chiedere di Mrs Dennis Burns».

«E Agnes?».

«Agnes? Ah già, Agnes. Siccome lì per lì non mi veniva in mente nulla, ho scritto il primo nome che mi capitava».

«Che sarebbe?».

«Il tuo. Ho detto che Agnes è la moglie di mio nipote».

Toccai terra in molto meno tempo del previsto.

Le tre settimane successive furono un autentico incubo. A scuola vivevo come un cospiratore, e fuori come un evaso. Innanzitutto allontanarsi dal St. Boniface non era uno scherzo. Durante il giorno c'erano appelli continui, e la sera controllavano i letti. Bisognava eludere una complessa rete spionistica, e anche la sorveglianza di un organismo semiistituzionale, la cosiddetta Pattuglia, una ronda formata dagli studenti più odiosi con il compito di riferire alle autorità ogni minima infrazione. Dopo un anno al St. Boniface si era pronti per vivere in uno Stato di polizia.

Un altro problema era scrollarsi di dosso Junior Babcock. Eravamo stati compagni di stanza fin dal primo giorno, e questo non perché ci fossimo particolarmente simpatici, ma perché suo padre voleva essere tenuto al corrente delle mie mosse. E Junior sembrava nato per fare l'informatore. Era un delatore, un bulletto e una carogna; un vigliacco, un chiacchierone e un bugiardo. Soffriva di acne cronica, e di congiuntivite saltuaria. Puzzava come un panno sporco, e russava. Ma dormiva come un piombo, e grazie a questa sua unica virtù allontanarsi la notte non era un'impresa proibitiva.

I miei servizi per zia Mame si trasformarono presto in una specie di routine. Ogni pomeriggio alle tre chiedevo a un mio compagno di rispondere all'appello al posto mio e me la svignavo. Arrivato sotto l'albergo, mi facevo calare la fune e sbrigavo le incombenze della giornata. Due volte alla settimana invece prendevo la macchina e andavo a fare la spesa a Boston. Siccome la Rolls passava inosservata quanto una vaporiera, avevo adottato un travestimento che consisteva in una giacca di tweed, un coppolone floscio e una cravatta fantasia, tutta roba rimediata ai saldi del Filene. Forse mi si notava lo stesso, ma sempre meno che se fossi andato in giro in berretto, giacca blu e cravattino del St. Boniface. Ah, portavo anche un paio di occhiali scuri, che non mi toglievo mai. Zia Mame diceva che facevo spavento e insisteva perché mi comprassi qualcosa di decente. Ma conciato così ero passato davanti alla moglie del rettore senza che mi riconoscesse.

Però zia Mame aveva ragione, sgattaiolare fuori la sera era abbastanza semplice. Vicino alla finestra c'era un albero molto comodo, e appena sentivo che Babcock attaccava il suo stronfio asmatico dovevo solo estrarre dal nascondiglio gli abiti borghesi, far prendere a un cuscino una forma umana e andare.

Certo mi dispiaceva per Mr Pugh. Mr Pugh era il sorvegliante della nostra ala, ma anche l'unica persona in tutto il St. Boniface che dimostrasse un minimo di interesse per i ragazzi e l'insegnamento. Era un quarantenne alto e allampanato con un'aria da zitella, un pomo d'Adamo grosso come un uovo d'anatra e una vera passione per la poesia, la musica, l'arte, la natura e i bambini. A sentirlo descrivere così forse nessuno morirebbe dalla voglia di conoscerlo, eppure era un tipo magari un po' precisino, ma adorabile. Era buono, gentile e sensibile, e non puniva mai nessuno, a meno che non ci fosse costretto. Se mi fossi fatto prendere sarebbe finito nelle peste anche lui, lo sapevo. Ma confesso che la lealtà verso la famiglia e la prospettiva del viaggio in Europa passavano avanti a tutto.

Ogni sera verso le dieci mi presentavo alla Coolidge House, andavo sotto la finestra e fischiavo. Al segnale convenuto, Agnes si infilava le scarpe da passeggio e mi raggiungeva. Già quando la sua conversazione si limitava all'artrite di sua madre, a sua sorella Edna, a Kew Gardens e alla vita nella compagnia di assicurazione Agnes non era il massimo, figurarsi adesso che parlava solo di quanto vilmente fosse stata circuita, di lettere scarlatte, di come l'essere che viveva sotto il suo cuore – cito testualmente – dovesse affrontare un destino crudele, di quanto poco signore – e qui ci andava troppo leggera – si fosse rivelato Brian O'Bannion e di quanto male le facessero i piedi. Una volta o due, incrociando qualche professore diretto al bordello o al bar dell'albergo, fui costretto a trascinare la povera Agnes fra i cespugli, ma per il resto di quelle nostre passeggiate ricordo solo la noia.

Al rientro in albergo mi arrampicavo sulla fune e tentavamo di giocare a bridge, nei limiti del possibile. Non era semplice, perché Agnes frignava tutto il tempo mentre Ito, certo di vincere con la psicologia, non faceva che ridacchiare. Quanto a zia Mame, teneva a portata di mano un mobile bar assai fornito – mi fa allegria, diceva –, al quale era peraltro l'unica ad attingere.

Alle due di notte venivo finalmente congedato. Mi calavo in strada, arrancavo fino a scuola, scalavo il muro di cinta, mi arrampicavo sull'albero, e guadagnavo una buona volta il letto. E tre ore dopo, nel migliore dei casi, la giornata del St. Boniface aveva inizio: tutti sotto la doccia (fredda), e poi a ginnastica. I conseguenti, ripetuti colpi di sonno in classe mi costarono dieci note e una ramanzina sul rispetto delle regole. Ma con uno stimolante appropriato ci si abitua a tutto, e le visioni parallele della liberazione dal St. Boniface e della partenza per l'Europa erano altrettante dosi di benzedrina.

Dopo un paio di settimane in cui al St. Boniface mi ero fatto vedere lo stretto indispensabile senza conseguenze più gravi di una dormita su Virgilio, cominciai a rendermi conto che non tutte le malefatte venivano punite, e a rimpiangere di non aver vissuto un po' meglio gli anni trascorsi lì dentro. Mi stava dicendo talmente bene che iniziai a commettere qualche imprudenza. Una notte decisi che puntare forte non mi bastava più, dovevo far saltare il banco – e tornai alle quattro passate, sfatto al punto che non mi presi nemmeno la briga di nascondere gli abiti borghesi sotto il materasso. Così, quando alle sei la campanella mi costrinse ad aprire gli occhi, la prima cosa che vidi fu Junior Babcock, nel suo lurido pigiamino di flanella, che fissava con aria incredula la giacca di tweed e la cravatta fantasia.

«E questi dove li hai presi?» domandò.

«Dove ho preso cosa?».

«I vestiti fuori ordinanza sono cinquanta punti di demerito. Dovresti sapere che...».

Scattando come una molla feci volare gli occhiali di Junior dal comodino fin sotto il letto. «Santo cielo, vecchio Junior, mettiti le lenti, vedi cose che non esistono».

Il tempo che li recuperasse, e il mio travestimento era già sotto il materasso, sostituito dalla divisa del college. «Senti, Junior,» dissi appena sicuro che gli occhi slavati, dietro quei fondi di bottiglia, mettessero sufficientemente a fuoco gli oggetti «sono un po' preoccupato per te. Cominci ad avere le visioni. Forse dovresti passare in infermeria e farti dare una controllata».

Junior non era una cima, ma neanche un cretino. Mi guardò con quei suoi occhi da pesce lesso e si avviò alla sua doccia gelata. In quel momento mi resi conto che sarebbe servita un po' più di prudenza.

Troppo tardi. Avrei dovuto pensarci prima di quella magnifica serata primaverile, rischiarata quasi a giorno dalla luna e dalle stelle, con i grilli che impazzavano fra i cespugli. A dirla tutta era un crimine sprecare una notte del genere con una ragazza come Agnes, che fra l'altro era ormai al nono mese, ma il dovere prima di tutto. E così me li portavo stancamente a braccetto, lei e il suo abituzzo prémaman ciliegia con un polveroso mazzetto di calle artificiali ricamato sopra, quando mi arrivò alle orecchie l'inconfondibile rombo dell'auto presidenziale.

Chiunque vivesse a Apathy riconosceva a chilometri di distanza la Nashcan del dottor Cheevey. Il preside del St. Boniface se l'era comprata nel 1926, ed era troppo spilorcio non dico per cambiarla, ma anche solo per devolvere qualche spicciolo in una modesta consulenza professionale. In compenso garantiva robusti sconti di pena agli studenti disposti a lavarla, o a regolarle il minimo. Purtroppo però dopo un decennio abbondante di manomissioni studentesche la Nash aveva assunto le caratteristiche, e il funzionamento, di una trebbiatrice.

Come dicevo, Agnes e io avevamo appena girato una curva quando sentii l'inconfondibile rombo, e dal volume del medesimo era ovvio che la Nash stava sopraggiungendo a tutta velocità. «Mi spiace, Agnes, ma è meglio togliersi di torno» dissi.

Da bravo cavaliere aiutai Agnes, che continuava a lamentarsi delle sue condizioni, a calarsi nel fosso sul ciglio della strada. Stavo per fare la stessa cosa, quando vidi la macchina del preside uscire dalla curva. Non so come, persi l'equilibrio, cadendo nel vuoto a testa in giù. Atterrai su qualcosa di morbido, e mentre la Nash ci sfrecciava accanto in un frastuono infernale sentii un «Ooooof!» che non prometteva nulla di buono.

«Agnes!» urlai terrorizzato. «Tutto a posto? Ti ho fatto male?».

«No, Patrick, per niente» gemette. «Sono qui vicino alle tubature. Sai, se sei ferita nell'intimo, come sono io, essere viva o morta non fa alcuna differenza. Quel Brian, a portarmi via così proprio...».

«Patrick! Patrick Dennis!». Non so dove, qualcuno bisbigliava il mio nome; e guardando verso il basso vidi Mr Pugh.

«Mr Pugh!» ansimai. Poi, automaticamente, aggiunsi: «E lei cosa ci fa qui?».

Era talmente sbalordito che lì per lì cominciò a giustificarsi: «Ecco, Patrick, vedi, qui sotto c'è un acquitrino dove la notte sbocciano...». Si interruppe di colpo. «Tu piuttosto... *tu* cosa ci fai qui?».

Per un attimo pensai che la miglior difesa fosse l'attacco. Guardando quello che aveva sparso in giro – i binocoli, il giornale da birdwatcher, la *Guida ai fiori selvatici del New England*, il thermos di cioccolata calda, la torcia – pensai che in fondo neanche lui era dove avrebbe dovuto essere, e che avevo almeno cinquanta possibilità su cento di cavarmela. «Bah, ecco Mr Pugh, lo sa che ho una passione per gli uccelli, e mi sono detto chissà, forse in una notte così bella riesco a vedere un oriolo di Baltimora, oppure...».

«Patrick, ti prego, dammi una mano. Ho paura» piagnucolò Agnes.

Mr Pugh guardò Agnes e poi me. Non aveva un'aria particolarmente benevola, e al chiaro di luna sembrava alto il doppio. «E lei chi sarebbe?».

«Lei? Ah, *lei*. Oh niente, è solo Agnes. Sa, l'Alice Toklas di mia zia».

«Sono Mrs Dennis» scandì Agnes.

Non vorrei rivivere quella notte neanche in cambio di seimila viaggi in Europa. Mr Pugh schizzò fuori dal fosso e ci riaccompagnò di volata in albergo, con Agnes che protestava perché invece dei sei chilometri previsti ne avevamo fatti a malapena due, e io perché le cose non erano come sembravano. Devo persino essere arrivato a scongiurare Agnes di rivelare la sua vera identità, ma zia Mame l'aveva addestrata talmente bene che non avrebbe confessato neanche sotto tortura. «Sono Mrs Dennis» continuava a ripetere come un disco rotto.

«Non si chiama così, Mr Pugh,» insistevo «non è il suo vero nome. Non l'ho mai sposata, e non intendo farlo. Solo che, vede...».

Mentre Agnes si infilava in albergo Mr Pugh mi guardò come fuori di sé, poi mi afferrò per un braccio e mi riportò a scuola. Il resto della notte lo trascorsi quasi tutto nella sua stanza, tentando di convincerlo a credermi. E benché nella sua versione integrale la storia vera non suonasse del tutto plausibile, alle cinque del mattino Mr Pugh – pur continuando a ritenermi, nel suo foro interiore, un orrido profanatore di vergini innocenti – aveva smesso di contestare punto per punto la mia deposizione. Mi offrì un po' di cioccolata calda, disse che *per il momento* non ne avrebbe fatto parola con nessuno e mi accompagnò in camera.

L'indomani mi aggiravo per la scuola come uno zombie, ma alle tre scalpitavo per andare in città e tenere un piccolo consiglio di guerra con zia Mame. L'ultima ora della giornata avevamo «Poesia inglese dell'Ottocento», cioè il corso di Mr Pugh. E appena suonata la campanella, quando stavo per avviarmi al campo sportivo, Mr Pugh mi chiese di trattenermi ancora un attimo.

«Ascolta, ragazzo,» attaccò «adesso tu e io ce ne andiamo in città, dove intendo incontrare sia la tua fantomatica parente, sia quella sventurata che ancora non ho capito se è o no tua moglie, e la madre di tuo figlio».

«Ma, Mr Pugh» provai a ribattere, disperato.

«Andiamo» concluse lui in tono che non ammetteva repliche.

Ora, zia Mame era, a detta di tutti, una donna molto dinamica. Poteva incantare chiunque, e difficilmente si tirava indietro, ma per entrare bene nella parte le serviva un minimo di preavviso. Siccome lo sapevo avrei voluto avvertirla, tanto che lungo la strada provai a chiedere: «Perché non ci fermiamo a una cabina, così chiamo la zia, che magari ci fa portare in camera un tè e due biscotti?».

«Mi sembra inutile, Patrick. Sarà un colloquio molto breve. Io ho un mucchio di compiti da correggere e tu non dovresti mangiare fuori pasto».

Speravo ardentemente che zia Mame e Agnes fossero andate a farsi un giro in macchina, ma l'immensa Rolls era posteggiata davanti all'albergo. Dalla finestra aperta ci arrivavano le note di una composizione assai innovativa di Paul Hindemith, che evidentemente la zia aveva messo sul grammofono.

«Io non posso entrare senza un permesso» dissi in tono sempre più disperato. «La zia è alla 3 A, B e C. Intanto vado alla corda e mi arrampico...».

«Non dire sciocchezze. Con un professore entri dove vuoi. Vieni, su...».

Quando arrivammo al piano zia Mame doveva essersi stufata delle *Metamorfosi sinfoniche* di Hindemith, che aveva sostituito con l'*Empty Bed Blues* di Bessie Smith. Bussai timidamente alla porta. «Avanti». Entrai.

«Caro...» esclamò zia Mame. Ma appena vide Mr Pugh, il resto della frase le morì sulle labbra.

Zia Mame non era precisamente nella parte della mia irreprensibile custode. Portava un paio di shorts, una canotta, e un considerevole quantitativo di «Essenza della Gioventù» della solita Lydia van Rensselaer. Aveva i capelli legati con un nastro rosso, e stava coricata sul pavimento, tutta presa in un esercizio forse tonificante per cosce e glutei, ma non propriamente casto, a vedersi. Aveva vicino a sé una coppa mezza vuota di champagne, e sparsi tutt'intorno non so quanti romanzi francesi con la costa gialla, parecchie riviste di moda e i sei volumi del Gibbon. Ma irreprensibile o no era pur sempre mia zia, meglio di niente.

«Zia Mame, ti presento...».

«Giovanotto, come osa entrare nella mia stanza?» rispose gelida zia Mame, fulminandomi con lo sguardo. «Devo chiederle di uscire immediatamente, o mi vedrò costretta a chiamare la direzione».

Mr Pugh prese la parola. «Intende dire, signora, che questo, mmm, giovanotto non è suo nipote?».

«È la prima volta che lo vedo in vita mia».

«Zia Mame,» dissi in tono accorato «se non spieghi a Mr Pugh chi è Agnes mi sbattono fuori da scuola. Capisci, lui...».

«Giovanotto, devo chiederle di uscire immediatamente da qui. Vedo che lei pensa di conoscermi. Ma io, *au contraire*, sono una vedova sola al mondo, che vive qui con una cognata e una persona di fiducia». Una volta che zia Mame entrava in parte, non mollava più l'osso.

«Mr Pugh,» provai a ribattere «questa è mia zia Mame. È Mrs Burnside. Davvero».

«Questo ragazzo ha urgente bisogno di cure psichiatriche» disse zia Mame alzandosi da terra e cercando di assumere l'aria più dignitosa possibile. «Sono Mrs Dennis Burns. Arabella Burns, se preferisce».

E lì Agnes, che fino a quel momento era rimasta a origliare nella stanza accanto, entrò nella nostra, in singhiozzi. «È tutto vero, Mrs Burnside. Patrick è stato scoperto, e adesso il mondo intero saprà che sono una donna perduta».

Volente o nolente, zia Mame dovette arrendersi. Pregò Mr Pugh di mettersi a sedere, gli versò una coppa di champagne, e si ritirò a cambiarsi, ripresentandosi in una dignitosissima camicetta nera. Poi, per circa un'ora, fornì a Mr Pugh, con pochissimi ritocchi, la versione ufficiale di tutta la storia, mentre Agnes piangeva disperatamente in un lercio fazzolettuccio, ululando sulle sue disgrazie.

Quasi contro la sua volontà – e certamente contro ogni barlume di ragionevolezza – il povero Mr Pugh, per proteggere me da quello che mi sarebbe capitato nel caso fossi stato scoperto, entrò a far parte della cospirazione. Ogni sera dopo l'appello veniva in punta di piedi nella mia stanza, e appena Junior attaccava a russare ci calavamo insieme dalla finestra. Portavamo Agnes a passeggio, poi ci fermavamo in albergo per un bicchiere – al massimo due – e qualche mano di bridge. A fine serata ce ne tornavamo quatti quatti a scuola, perché neanche lui poteva dormire fuori. La sua presenza si rivelò di grande conforto. Recitava poesie a Agnes, che in effetti sembrava ispirare gli amanti del verso, e riuscì addirittura a risollevarle un po' il morale raccontandole che un sacco di personaggi illustri, da Leonardo a Lucrezia Borgia fino ad Alexander Hamilton, erano nati da ragazze madri.

Siccome il mio rendimento scolastico cominciava a risentire della mancanza di sonno e di studio, una sera Mr Pugh insistette per portare fuori Agnes da solo, in modo che potessi restare nel soggiorno di zia Mame a preparare l'esame di storia. Ma non combinai un granché, visto che zia Mame decise di ascoltare a tutto volume i dischi di Bartók che nel pomeriggio ero andato fino a Boston a comprarle.

«Ah, tesoro,» disse versandosi da bere «quale occasione migliore di una tranquilla serata casalinga *à deux* per scambiare quattro chiacchiere ascoltando un po' di elettrizzante musica moderna. So che la musicoterapia è fondamentale per le gestanti, è una questione di influssi prenatali, ma cominciavo ad averne fin sopra i capelli di Glazunov e Meyerbeer – carini quanto vuoi, però alla fine...».

«Certo, zia Mame» dissi con uno sbadiglio, tentando di tornare a Disraeli e alla regina Vittoria.

«A proposito di carineria, hai notato che amore era Agnes stasera?».

«Già» concordai. Veramente l'unica cosa che avevo notato era che al posto del consueto abituccio da bambina traviata portava un normale prémaman blu scuro. Forse era anche un po' meno impiastricciata del solito. Tornai a Disraeli.

«Le ho dato anche una truccatina» cinguettò zia Mame, passandomi la mano fra i capelli e alzando il volume del grammofono. «Sai, le ho detto "Agnes, i cosmetici servono per valorizzare, non per svilire". Ti andrebbe di ascoltare un po' di Bloch, tesoro?».

«No, grazie». Disraeli, Gladstone, Vittoria e Beaconsfield si stavano facendo una nuotata nel Canale di Suez insieme a Napoleone, Wellington, Antonio e Cleopatra.

«Sai, io credo che alla nostra Agnes piaccia Mr Pugh, e che a Mr Pugh piaccia la nostra Agnes».

«Ma tu pensa» feci, tentando invano di concentrarmi.

La conversazione si interruppe solo quando sentimmo Agnes arrancare su per le scale. Per la prima volta da quando era a Apathy, rideva. «Oh, Mr Pugh,» la sentimmo dire «nessuno mi aveva mai recitato l'*Allergia* di Gray, e nessuno era riuscito a farmene cogliere la bellezza».

Il St. Boniface era un'istituzione molto antica, e come sempre in America aveva un autentico culto per le tradizioni. Il gergo in uso al suo interno era tutto di derivazione britannica, e culminava nell'epiteto più ambito da matricole, anziani ed ex studenti: «vecchia quercia». Il calendario scolastico prevedeva anche diversi riti di passaggio istituzionali – la Battaglia dei Cuscini, il Catechismo della Matricola, la Confessione, la Giornata della Nota, e così via – che si presentavano come festività, ma più che altro riflettevano lo spiccato sadismo di Mr Cheevey. Uno dei più mortiferi era la cosiddetta Festa del Papà, una giornata di istituzione piuttosto recente che si celebrava ai primi di maggio. Per le ex «vecchie querce» con i figli in collegio era un'ottima occasione per strizzare le pancette nei blazer di trent'anni prima e trattare dall'alto in basso i genitori che *non* avevano studiato al St. Boniface, e che si riconoscevano dal loro essere più educati e meglio vestiti, anche se, certo, *déclassés*. Oh, la Festa del Papà era un vero spasso. C'erano l'albero della cuccagna, i certami ginnici, le corse nei sacchi e persino una giga ballata da sei disgraziate matricole, oltre a un medley di esaltanti inni tradizionali eseguiti dalle ex «vecchie querce» cui i genitori impossibilitati a fregiarsi del titolo assistevano in circolo, con l'aria di chi avrebbe venduto l'anima al diavolo per un bicchiere di qualsiasi cosa.

In quell'occasione quasi ringraziavo il cielo di essere orfano, ma i miei compagni non lo capivano. Pochissimi di loro potevano vantare i due genitori di partenza – uno ad esempio aveva collezionato cinque padri diversi e per il giorno della cerimonia sarebbe arrivato al sesto. L'unico a non averne nemmeno uno ero io, anche se per consuetudine – e per tener meglio d'occhio il suo miglior cliente – Mr Babcock ne faceva le veci. E anche quell'anno, una settimana prima dell'evento, il temuto invito mi venne recapitato da Junior in persona.

«Ho una lettera di papà per te» mi disse un mattino appena svegli.

«Davvero?» risposi con uno sbadiglio.

«Dice che *come al solito*, non avendo tu un padre, provvederà lui».

Non sapendo bene come esprimere i miei veri sentimenti, dissi solo «Che gentile».

«Viene anche mamma».

«Vestita da uomo?».

«Ma no, per vedere me».

Valla a capire.

«Dice papà di prenotargli due stanze all'Old Coolidge House».

A momenti ci rimanevo. «All'Old Coolidge House?» ansimai, mettendomi a pensare alla velocità della luce. «Ma perbacco, Junior, perché mai buttare via tutti quei soldi? Perché non gli dici di venire in giornata? Lo sai che tuo padre non è di manica larga».

«No,» disse Junior citando alla lettera l'epistola paterna «qui dice che la sera ha il consiglio della scuola, e finirebbe comunque troppo tardi per rientrare a Scarsdale. È molto chiaro, vuole che gli prenoti le stanze, e subito, prima che...».

«Cacchio, Junior, ma perché sbatterli in quella vecchia topaia? Perché non gli prendiamo una stanza al Longfellow, o da Mrs Abbott, oppure a Marblehead, o anche a Boston...».

«No,» insistette Junior con aria stolida «papà vuole l'Old Coolidge House e basta. A lui piace».

«E come mai, ci porta le bionde?» ribattei invelenito.

«A parer mio, visto che ti usa la gentilezza di accompagnarti alla festa, il minimo che puoi fare è... Ma senti un po', che diavolo ti prende, da un po' di tempo? Sei sempre stanco, in palestra non ti fai più vedere, e hai certe occhiaie spaventose. Non è che combini qualcosa di strano *la notte*, vero?».

Deglutii. «Caspita, Junior...». Poi capii cosa intendeva, e lo accontentai. «Ebbene sì. Tutte le notti, sei o sette volte di fila. Mi porterà alla pazzia, lo so, e so che nessuna ragazza perbene accetterà mai di sposarmi, e che mi nasceranno figli deficienti. Se la prossima volta che scrivi a tuo padre gliene parli, mi fai un favore». Ciò detto, presi l'asciugamano e mi avviai alle docce.

Appena venne a sapere che in occasione della festa Mr Babcock avrebbe dormito sotto il suo stesso tetto, zia Mame convenne che sia lei, sia soprattutto Agnes, dovevano sparire. Nessuno dei suoi precedenti incontri con Mr Babcock si sarebbe potuto definire anche lontanamente *piacevole*, e non aveva nessuna voglia di affrontarne un altro, specie nelle attuali circostanze. Di conseguenza, avviò subito i preparativi per una gita che sarebbe dovuta durare l'intera giornata, dalle prime luci dell'alba fino al tramonto, e anche oltre. Io venni spedito a Boston con l'incarico di comprare alcuni metri di velo molto spesso, due sedie pieghevoli e un parasole, mentre Mr Pugh fu scongiurato, quasi in ginocchio, di accompagnare le due signore – ma dovette declinare, visto che nessun insegnante poteva esimersi dalla festa. «Vorrà dire che se dovesse mai piovere ce ne rimarremo sedute in macchina» disse zia Mame con aria melodrammatica. «Per il tuo bene, tesorino, sono pronta a qualsiasi sacrifizio».

Nell'occasione la povera Agnes toccò l'apice della lagna. Ricordò a tutti che soffriva la macchina, che era grossa come un vagone, e che secondo l'ostetrica di Boston ormai ogni momento poteva essere... Tutto inutile, sull'assoluta necessità di occultare se stessa, la macchina e il proprio entourage zia Mame era irremovibile.

Alla vigilia della festa la suite era sottosopra per i preparativi. Zia Mame aveva chiamato non meno di sei volte le cucine per sincerarsi che i suoi cestini fossero pronti per l'alba, e telefonato tre volte alla reception per chiedere la sveglia – prima alle sei, poi alle cinque, e alla fine alle quattro e mezzo. Avrebbe addirittura preferito che Agnes rinunciasse ai suoi soliti sei chilometri, ma sia l'interessata sia Mr Pugh sembrava morissero dalla voglia di andare, così rimasi a casa io, con il compito di controllare che i dischi, i libri, le creme abbronzanti, gli occhiali da sole e insomma tutto il consueto armamentario da gita fosse a posto. A mezzanotte zia Mame, già in vestaglia e camicia da notte, ci mise alla porta senza neppure proporci una mano di bridge. Io mi calai col solito sistema, ma dovetti rimanermene acquattato fra i cespugli per un bel pezzo, perché pareva che Mr Pugh non volesse più uscire dall'Old Coolidge House.

Il giorno della festa c'era bel tempo – anche troppo, per i miei gusti. Ero sulle spine fin da quando avevo sentito suonare la sveglia, ma durante l'ora di ginnastica all'aperto cominciai a rilassarmi, perché sullo sfondo avevo visto transitare la Rolls nera, che trasportava due figure avvolte in un sudario in tinta.

Alle dieci arrivarono i padri. Con la sua vecchia giacchetta blu e i pantaloni bianchi di flanella Mr Babcock era particolarmente ridicolo. Con un certo gusto lo vidi andare lungo disteso durante la corsa nei sacchi, e immagino che lui ne provò molto meno vedendomi vincere a mani basse la gara di salita della fune. Junior non vinse un bel nulla, ma era normale.

In un modo o nell'altro, cioè fra un discorso e un coro, un sermone e un capitombolo, la giornata passò, e verso le otto cantammo tutti insieme

> Per sempre fedeli al St. Boniface,
> noi giuriam di onorare vieppiù
> i tuoi due colori, il rosso ed il blu.

In privato, Mr Pugh mi aveva espresso qualche riserva sulla qualità di quei versi, ma Mr Babcock ne sembrava sopraffatto. Appena riuscì a riprendere il controllo delle emozioni, ci caricò sulla LaSalle e partimmo alla volta della città.

«Una giornata toccante, indimenticabile» attaccò. Poi scese bruscamente sulla terra: «E ora, tutti a cena all'Old Coolidge House».

Fu un pugno nello stomaco. «Senta, Mr Babcock, perché non andiamo al self-service? È molto più conveniente».

«Ma figurati, Patrick. In occasioni come questa, crepi l'avarizia. Io la penso così. A parte che Eunice – la signora Babcock – ci aspetta in albergo».

In effetti Eunice ci stava aspettando, anche con una certa impazienza, nell'atrio. Che era stipato fino all'inverosimile di padri e figli del St. Boniface, pigiati davanti al nastro di velluto che ancora teneva chiusa la sala da pranzo. Mi sentivo come impazzire. Fuori era già buio, e zia Mame poteva tornare da un momento all'altro. «Cavolo, Mr Babcock, è pieno zeppo, e magari la signora Babcock è affamata. Potremmo provare all'Olde Greene». La signora mi rivolse un sorriso di gratitudine, ma suo marito proprio non ci sentiva.

«No, Patrick. Aspetteremo qui. Fra l'altro dopo cena devo partecipare a una riunione del consiglio, che si tiene proprio qui sopra, nella Miles Standish Room». Morale, aspettammo.

Alla fine, anche grazie ad alcune inutili spiacevolezze nei confronti della padrona, Mr Babcock ottenne un tavolo vicino alla porta d'ingresso. Notai che i genitori più alla mano offrivano ai loro ragazzi una bistecca e in qualche caso addirittura un bicchiere di vino. Non così Mr Babcock, che ordinò quattro piatti di verdura, uova in camicia e decaffeinato per tutti. Dopodiché cominciò a tormentarmi, pretendendo che gli spiegassi come mai nelle ultime settimane le note erano aumentate, e la media si era abbassata. Mi astenni dal fargli rilevare che anche così Junior mi superava solo in due materie, Leccapiedismo e Delazione, e affrontai virilmente il predicozzo del vecchio rompipalle.

Alla tapioca, la sua signora mi chiese notizie di zia Mame. Lui sussultò, doveva essere un argomento spinoso. «Be', ecco, signora Babcock, non la vedo da Natale,» attaccai in tono soave «ma...».

In strada si sentì un cozzo fragoroso. E *io* sentii una voce stridula: «Ito, proprio contro 'sta Cadillac nuova dovevi andare a sbattere?».

«Non è Cadillac, signora. È LaSalle».

«Dica quello che vuole, Mrs Burnside, io mi sento strana» interloquì Agnes.

Sbiancai, e sentendo i passi pesanti di Agnes su per i gradini chiamai a raccolta le ultime forze. In pratica, mi misi a urlare. «Come dicevo, Mrs Babcock, non vedo zia Mame da Natale. È lontana. Molto lontana, in Europa, pensi».

«Patrick, abbassa un po' la voce» mi ingiunse Mr Babcock.

«Agnes, non essere ridicola,» strillò zia Mame nel buio «secondo i *miei* calcoli prima di giovedì non succede niente». Sentii sbattere la porta d'ingresso, e con la coda dell'occhio intravidi zia Mame tutta avvolta in veli neri. Sembrava una spia dell'impero austroungarico.

«Ma Mrs Burn...».

Impallidendo a sua volta, Mr Babcock scattò in piedi. Stringeva il tovagliolo talmente forte che aveva le nocche bianche. «Giurerei di aver sentito quella...».

Una frazione di secondo dopo, gli avevo rovesciato in grembo tutta la caraffa di caffè, strappandogli un orrendo grido di dolore e di rabbia. Zia Mame mise appena il naso nel salone, poi corse a precipizio su per le scale, trascinandosi dietro la povera Agnes.

Be', Mr Babcock mi tolse il primo pelo. Disse che ero un villano, un insolente, uno scervellato, una teppa stupida e irresponsabile, ma del resto visto l'ambiente in cui ero cresciuto non ci si poteva aspettare di meglio. Poi aggiunse che si sarebbe comprato un paio di pantaloni nuovi e me li avrebbe detratti dal mensile. Per quel che me ne importava poteva anche rifarsi il guardaroba, buon pro, l'importante era che non venisse a sapere chi occupava le stanze al piano di sopra. Il suo umore non migliorò alla scoperta che il parafango della sua macchina nuova fiammante era stato divelto, anche se grazie al cielo della Rolls e di Ito non c'era traccia. Ci riportò a scuola in uno stato tale che non riusciva neppure ad articolare suono. Quando lo ringraziai per la bellissima giornata mi rispose con un grugnito, quindi tornò in albergo per la riunione.

Subito dopo la sua partenza, sentimmo il rombo spaventoso della Nashcan in avvicinamento.

«Ecco Cheevey» osservai giulivo. «Naturale, prima il campo sportivo, poi la camporella».

«Per tua informazione va alla riunione in albergo, la stessa di papà» commentò Junior, piccato. «Ti riesce di pensare a qualcosa che non sia il sesso?».

«Ultimamente no».

Dopo l'inebriante Festa del Papà, il dormitorio era pieno di ragazzi scalmanati, che il povero Mr Pugh, serafico come sempre, tentava di mettere a letto. A un certo punto mi lanciò uno sguardo preoccupato, che ricambiai con un altro il cui senso era non *tutto* è perduto. In quel momento sentì suonare il telefono da lui, e si precipitò a rispondere.

Contando che per quel giorno Agnes l'ora d'aria se la fosse fatta, cominciai stancamente a spogliarmi, ma quasi subito Mr Pugh fece irruzione nella stanza. «Junior Babcock,» disse ansimando «vatti a lavare i denti».

«Ma me li sono già lavati».

«Allora rilavateli, fanno schifo. Fila!».

Appena Junior si tolse di torno, Mr Pugh mi afferrò per entrambe le braccia. «Presto, vestiti, dobbiamo andare subito in albergo!».

«In albergo? Stasera non ci penso nemmeno. Ci sono Babcock, Cheevey e tutto il porco consiglio. Vuole che mi facciano fuori proprio l'ultimo mese?...».

«Fa' come ti dico, e sbrigati. La povera piccola Agnes – voglio dire Miss Gooch... Tua zia ha appena chiamato. Dice che c'è non so quale problema, e che non riesce a trovare un dottore. Sbrigati, per l'amor di Dio, sbrigati». Mi prese per mano e mi trascinò in corridoio. Passando vicino all'interruttore generale lo abbassò, e all'urlo «Luci spente!» precipitò tutti quanti nella tenebra. Poi mi strinse la mano ancora più forte e mi trascinò attraverso lo stanzone. Dritto davanti a me c'erano le porte dei bagni, e nella lama di luce che filtrava dai gabinetti intravidi Junior che imboccava a tentoni la via del ritorno. Troppo tardi. Gli andai a sbattere contro e lo sentii spiaccicarsi sul linoleum. «Non puoi stare attento a dove metti i piedi, Junior Babcock?» gli strillò Mr Pugh. Non so se Junior gli rispose qualcosa, ma se sì non riuscii a sentirlo, perché un secondo dopo eravamo già in strada.

Oltre all'aspetto, Mr Pugh aveva anche la corsa di uno struzzo. Raggiungemmo l'Old Coolidge alla velocità della luce. E io lì mi bloccai. «Andiamo» disse Mr Pugh infilandosi nel portone.

«No,» risposi «neanche morto. Lì dentro c'è l'intero consiglio. E dovrebbe passare anche lei da dietro. Non mi pare le sia permesso stare in giro a quest'ora».

«Non fare lo scemo, chi vuoi che ci veda. Guarda che è importantissimo».

«Non più del diploma. Lei passi pure dalle scale. Io userò la fune».

Mr Pugh sparì all'interno. Io corsi sul retro e, come sempre, fischiai. Me lo potevo risparmiare, dato che la fune pendeva già dalla finestra. Ansimando, cominciai ad arrampicarmi, ma dovevo essere un po' spompato, perché arrivato a metà sentii il bisogno di fermarmi a rifiatare. E in quel momento sentii, proprio davanti a me, un urlo lacerante. Si accesero le luci, e mi ritrovai faccia a faccia con Mrs Babcock, in camicia da notte e bigodini.

«Iiiiiiih!» urlò. «Aiuto! Dwight! Dwight! Un ladro!».

Mollai la presa e caddi con un tonfo sordo fra i cespugli. L'Old Coolidge si illuminò a giorno. Imboccai l'ingresso principale proprio nell'istante in cui ne usciva il portiere, che puntava dritto su di me. Girai sui tacchi, e tornai di corsa sul retro. Attraversai la cucina in un fragore di cocci infranti e affrontai le scale di servizio. Sulle decine e decine di voci spiccava quella di Mrs Babcock. Mentre percorrevo il corridoio del secondo piano si aprì una porta, da dove uscirono venti vecchi con il blazer del St. Boniface. «Eccolo!» gridò qualcuno. Era Mr Babcock. Lo riconobbi, ma non ritenni fosse il caso di fermarmi a conversare. Mi lanciai su per l'ultima rampa di scale ed entrai nella stanza di zia Mame.

«Tesoro, finalmente!» disse la zia richiudendo subito la porta a chiave.

«Come sta Agnes?».

«Non bene, caro, ma finalmente sono riuscita a rintracciare il dottore. È in arrivo».

Fuori dalla porta c'era un'agitazione inverosimile. «È entrato qui!» gridò qualcuno. «Sfondate la porta!». Seguirono colpi e spinte tremende. Paralizzato dal terrore, vidi che la vecchia porta era sul punto di cedere. Il legno decrepito non poteva resistere a lungo, e infatti poco dopo, con un fragore assordante, andò in pezzi, risucchiando all'interno i venti uomini in blazer più il portiere e Mr Babcock, che proseguirono la corsa fino a travolgere il tavolino da bridge e il mobile bar di zia Mame. Mrs Babcock, che non aveva partecipato all'azione di sfondamento, era l'unica ancora in piedi, ma trovò il modo di inciampare nel grammofono, che attaccò a suonare *Empty Bed Blues.*

«Dio mio!» gridò zia Mame. «Ma cos'è, il coro di un varietà?».

In effetti i signori consiglieri, coi loro blazer rossoblù e i loro pantaloni di flanella bianca, sembravano gli scalcinati figuranti di un *Florodora* in tournée da troppo tempo. Mi scappava parecchio da ridere, ma non era il momento.

«Eccolo!» gridò Mrs Babcock. «È lui! Quel farfallino e quegli occhiali scuri li riconoscerei fra mille!».

«Mrs Babcock, stavo solo...».

«Mio Dio,» disse una voce «è quel delinquente di Dennis, e l'altra è quella svergognata di sua zia!». Districandosi dal groviglio di braccia e gambe, Mr Babcock avanzò minaccioso verso di me. «E così non vedevi quella strega da *Natale*, eh? Era in *Europa*, vero? Ora te lo dico io, dove vorrei che foste, tutti e due...».

«Dennis, che cosa sta succedendo?». Era il dottor Cheevey, con gli occhietti neri più maligni che gli avessi mai visto. «Cosa fai fuori da scuola a quest'ora? Hai un permesso?».

«No» sussurrai.

«E a cosa gli serve un permesso, visto che ci sono qua io, che esercito la patria potestà?» chiese zia Mame con tutto il candore – non molto – che le riuscì di simulare. «Oggi non era la Festa della Mamma, o qualcosa del genere?».

«Per favore, dacci un taglio» mormorai.

«Tu disonori la divisa che indossi» intervenne il dottor Cheevey.

«Che scemate, non indossa nessuna divisa» disse con una qualche logica zia Mame.

«Ti tolgo all'istante cinquanta punti!» disse il dottor Cheevey.

«Ha cercato di rapinarmi. C'era la mia spilla di opale sul...».

«Piccola canaglia» disse Mr Babcock avvicinandosi ancora.

«Lei alzi anche solo un dito su questo fanciullo innocente e le faccio lo scalpo» fece zia Mame, interponendosi fisicamente tra noi due. «S'intende, finisco il lavoro». Nella parte della tigre che difende i cuccioli dava sempre il meglio.

Il dottor Cheevey ripartì alla carica: «Assenza ingiustificata in piena notte, mancanza della divisa e in più tentata rapina. Direi proprio che ci sono gli estremi per...».

Fu interrotto da un grido lacerante, in arrivo dalla porta accanto. «Mrs Burnside, io...». Era Agnes. Benché all'epoca non fossi particolarmente ferrato in ostetricia, quello che stava accadendo era abbastanza chiaro.

«Gran Dio, e lei chi è?» gemette il dottor Cheevey.

«Sono... sono Mrs Dennis» disse Agnes con un misto di ritegno e solennità.

«Gesù» mormorò Mr Babcock.

«Un allievo del St. Boniface sposato... in procinto di diventare padre?» balbettò un membro del direttivo. «Ma non c'è una regola che...».

«Credo di no, è un caso senza precedenti» rispose quel cretino di Cheevey.

«Ascoltatemi tutti!» urlai. «Agnes non è *mia* moglie, non stiamo neanche insieme, è solo che il nome...».

«Cristo, ma questo passa da una donna all'altra!» esclamò Mr Babcock.

«Pensate alla reputazione della scuola!» disse solennemente il dottor Cheevey.

«Pensate alla mia!» puntualizzò Agnes.

«Fermi tutti!» gridò una voce. Era Mr Pugh, che aveva deciso di schierarsi con Agnes nelle vesti dell'angelo vendicatore. «Patrick è innocente. Sono stato io a trascinarlo qui. E questa giovane donna – questo paragone di virtù offesa – non è sua moglie. È *mia* moglie, o meglio lo sta per diventare».

«Ernest!» gridò Agnes, buttandogli le braccia al collo e stringendolo forte.

«Pugh, lei col St. Boniface ha chiuso» decretò il dottor Cheevey. «Lei...».

«Eccomi qui. Finora la cicogna non mi ha mai battuto» disse dalla porta una voce allegra. «Credo sia il caso di andare. È già un miracolo se arriviamo in tempo all'ospedale, signora Dennis».

«Signorina Gooch, dottore, se non le spiace» precisai.

«Signora Pugh, vorrai dire» ribatté Mr Pugh.

«Chiedo scusa, signori,» disse il dottore con aria fattiva «ma è meglio che sgomberiate il passaggio. Devo portare questa giovane signorina alla macchina, che ci aspetta di sotto».

«Un momento, vengo con voi» disse Mr Pugh, afferrando la sacca di Agnes. E uscirono tutti e tre, con Agnes che ormai si torceva nelle doglie.

«Bene, giovanotto» ricominciò il dottor Cheevey.

«Patrick,» intervenne zia Mame «dopo tutto quello che abbiamo passato non posso certo permettere che la povera, piccola Agnes partorisca da sola. Dobbiamo andare con loro!». Afferrò la sua borsa con una mano, me con l'altra, e mi trascinò giù per le scale.

«Fermate quel delinquente!» urlò Mr Babcock.

«Dennis, ti ordino di...» il resto dell'ingiunzione di Cheevey andò perduta.

«Do... dove hai la macchina?» chiesi in strada, appena ripreso fiato.

«Ito l'ha nascosta a Boston. Non ha importanza. Vieni, prendiamo questo catorcio».

Prima di capire come e perché mi ritrovai sul sedile anteriore di una stranissima vettura, con zia Mame piegata sul volante. E poco dopo lo scassone partì, con un rombo cavernoso.

«Viva! È andata!» gridò zia Mame.

«Gesù! Di tutte le macchine di Apathy, proprio la Nashcan dovevi rubare?».

Be', per non farla tanto lunga, Agnes diede alla luce una bella bambina, che venne battezzata Mame

Patrick Dennis Burnside Pugh. Mr Pugh la sposò in ospedale appena ottenuti i documenti: fu cacciato, naturalmente, ma zia Mame gli trovò un posto molto migliore in una scuola molto migliore, di cui ancora credo sia felicemente il preside.

Con una tentata rapina e un furto d'auto sul groppone mi sembrava meglio girare alla larga dal St. Boniface. Lo stesso dicasi per zia Mame, che dalla sua cabina sul *Normandie* scrisse una compita letterina a Mr Cheevey spiegandogli dove avrebbe potuto ritrovare la macchina e accludendo un cospicuo assegno da devolvere alla fondazione di una nuova biblioteca, alla sola condizione che quest'ultima non fosse intitolata alla benefattrice – una clausola che immagino i consiglieri siano stati particolarmente lieti di rispettare.

Ignoro se alla fine il diploma me l'abbiano effettivamente dato, ma ormai il pezzo di carta di per sé non contava più, perché avevo già superato gli esami di ammissione all'università. Comunque credo di sì, visto che ogni tanto ricevo ancora i bollettini con cui pagare le quote associative degli ex alunni.

## 7
## ZIA MAME AL CAMPUS

Secondo «Selezione» l'Indimenticabile aveva la fissa del cursus accademico. Pur non potendo vantare chissà quali studi – strano, vero? –, voleva a tutti i costi che il suo orfanello frequentasse le scuole giuste, e che si laureasse col massimo dei voti. E tale era il sacro fuoco per i fasti universitari che per poter condividere gli interessi del suo pupillo e assicurarsi di persona che la sua carriera procedesse senza intoppi decise di gettarsi a capofitto nella vita del campus.

Lo trovate straordinario? Bene, zia Mame – che invece una laurea se l'era presa eccome – fece di più. *Molto* di più.

Nell'estate del 1937 avevo compiuto diciotto anni. Da quel momento in poi nessuno avrebbe più potuto sindacare su quel che facevo del mio tempo, dei miei soldi e di me stesso.

Per sbrigare le formalità, che non erano poche, Mr Babcock mi aveva convocato nel suo ufficietto allo Studio Knickerbocker, dove mi aveva esposto la situazione nei dettagli, mantenendo un tono asettico e molto concreto. Molti di quei dettagli mi sfuggivano, ma una cosa era chiara: mi potevo considerare relativamente ricco. Da brava formichina, lo Studio Knickerbocker aveva infatti investito la mia eredità, fino all'ultimo centesimo, in titoli e fondi tradizionali, cioè sicuri – niente brividi, niente rischi –, e durante la Depressione il mio gruzzoletto era cresciuto e cresciuto fino a diventare, cito testualmente Mr Babcock, «una piccola fortuna».

«Molto bene,» aveva concluso freddamente il suddetto «non dubito che tu abbia colto l'essenziale. Se ti servono chiarimenti, sono qui».

«No, Mr Babcock, grazie».

«All'atto della firma diventerai padrone del tuo destino. Io non avrò più alcuna giurisdizione sul tuo denaro. Certo spero, come tutti allo Studio Knickerbocker, che continuerai ad avvalerti della nostra consulenza. Immagino tu sia disposto a riconoscere che, nonostante l'inquilino della Casa Bianca abbia cercato di impedircelo, abbiamo curato piuttosto bene i tuoi interessi. E io personalmente, nei limiti entro i quali tua zia Mame me lo ha consentito, ho cercato di farti da guida negli anni difficili dell'adolescenza. Non so dire se ho fatto un buon lavoro, forse no. Comunque, ora devi diventare imprenditore di te stesso. Nella attuale situazione di mercato, ciò che possiedi ti rende qualcosina più di ottomila dollari l'anno. Che non sono precisamente spiccioli».

«Mi par proprio di no». Non cercai nemmeno di nascondere il lampo di esultanza che temo mi si leggesse negli occhi.

«E naturalmente, da questa somma puoi attingere in qualsiasi momento».

«Cioè, devo solo chiedere?».

«Certo. Devi solo farci pervenire una piccola richiesta scritta».

Strappai un foglio dal blocco che aveva sul tavolo

e ci scrissi sopra: «Prego darmi $ 5000 subito. Distinti saluti, Patrick Dennis».

«Ecco, Mr Babcock» dissi passandogli il foglietto.

Le spalle gli crollarono, e il volto assunse l'espressione di una totale disfatta. «Oh, santo cielo» gemette. «Io getto la spugna. Farai esattamente la fine di quella pazza scialacquatrice di tua zia Mame. Del resto, siete due gocce d'acqua. Un giorno vi ritroverete in prigione per debiti, nel migliore dei casi, e francamente non posso dire che sarò lì a piangere. Il cassiere ti verserà la somma che hai richiesto. Adesso vattene. Che Dio ti aiuti, anche perché non so chi altro possa farlo».

Ricapitolando, avevo diciott'anni, e potevo disporre a mio piacimento del mio denaro, della mia libertà e della mia giovinezza. Quella mattina stessa mi comprai una Packard decappottabile a sei cilindri, che all'epoca ci si portava a casa per meno di mille dollari, un grammofono nuovo, non so più quanti dischi, e un mucchio di vestiti. Ogni trimestre lo Studio Knickerbocker mi spediva un assegno di duemila dollari che, nonostante le fosche previsioni di Mr Babcock, non riuscivo mai a spendere. E in autunno cominciai l'università.

Il reduce dal St. Boniface portava in dote all'università una spiccata propensione alla vita associata, una netta preferenza per le ragazze della Bryn Mawr, e una devozione canina alle tradizioni del campus. Era il tipico marchio di fabbrica del St. Boniface, ma siccome nel mio caso mi ci avevano mandato a calci nel sedere, avevo deciso fin da subito di essere il meno tipico possibile. Sul fronte opposto militavano le matricole impegnate, ragazzi che spedivano manciate di versi sciolti a pretenziose riviste letterarie, predicavano una sorta di nuovo cristianesimo, e si accapigliavano sul taglio registico che la filodrammatica avrebbe dovuto adottare nei suoi allestimenti di Sofocle, il tutto con la stessa aria pomposa, immatura e affettata che hanno i loro emuli odierni. Non rientrando in nessuno dei due schieramenti, sembravo destinato a rimanere un battitore libero.

Quasi subito però mi scavai una mia nicchia, riuscendo a trovare gli unici quattro ragazzi del campus uguali a me: zero spirito di corpo e pareti degli alloggi sgombre da gagliardetti o coppe, ma anche da riproduzioni di Cézanne o Rouault. Nelle nostre stanze c'erano solo qualche mobile, varie bottiglie di gin, lattine di birra, dischi, e numeri del «New Yorker». Per quel che ce ne importava la squadra di football poteva vincere, perdere o anche sciogliersi – e se devo dire la triste verità, per tre anni su quattro fu presa più o meno ininterrottamente a randellate. Non vivevamo nell'attesa che la società dei dibattiti stabilisse se la Russia era un paradiso o un inferno. Il laboratorio di teatro poteva tranquillamente proporci un'*Elettra* in abiti contemporanei oppure un *Donne* in costumi adamitici, tanto avremmo declinato l'invito. Quanto ai nostri compagni socialmente responsabili, organizzassero pure raduni, o persino scioperi, bastava che non contassero sulla nostra partecipazione, e quelli di orientamento più teologico salvassero pure tutte le anime che volevano, a patto che lasciassero in pace le nostre. Noi tenevamo la media alta per evitare seccature, ma a parte questo i nostri interessi erano tutti, senza eccezioni, esterni al campus.

Il nostro unico dio era Fred Astaire. Lui sì era tutto quello che avremmo voluto essere: lieve, soave, disinvolto, chic, intelligente, adulto, spiritoso e saggio. Guardavamo i suoi film fino a cavarci gli occhi, ascoltavamo i suoi dischi fino a quando erano rigati da buttar via, e finché il senso del ridicolo ce lo consentiva tentavamo di vestirci come lui. Quando poi le nostre giovani vite attraversavano un momento di crisi, ci chiedevamo cosa avrebbe fatto Fred al nostro posto, e ci regolavamo di conseguenza. Ci sentivamo strafichi, ma ai giovani succede.

Ogni settimana mi caricavo in macchina quattro aspiranti Fred Astaire e me li portavo a New York. Appena sistemati – piuttosto comodamente – nelle camere da letto loro assegnate in Washington Square, i ragazzi cominciavano, a esclusivo beneficio della padrona di casa, gli immancabili esercizi di levità, soavità, disinvoltura e così via. Zia Mame era strafelice. Le piaceva avere gente intorno, specie gente giovane e allegra, e si dava parecchio da fare. Ci insegnava a preparare cocktail da lei ritenuti in puro stile Fred Astaire, ci rimediava quantità inverosimili di ragazze, ci faceva invitare alle feste più divertenti, ci intratteneva con chiacchiere ultrasofisticate e ci garantiva un costante afflusso dei suoi amici più illustri, che si esibivano solo per noi. I miei compagni la adoravano, e grazie a quegli sfarzosi weekend finimmo per costruirci una certa reputazione di tipi misteriosi, scafati, mondani, e fra parentesi anche di studenti piuttosto bravini.

In un secondo momento ci iscrivemmo in gruppo allo stesso club. Non perché ci piacesse, o noi piacessimo al club, ma perché le famiglie, i vestiti, le conoscenze, il denaro e il curriculum scolastico che potevamo vantare facevano di ciascuno di noi il socio ideale. D'altra parte, l'iscrizione dava libero accesso alla mensa più esclusiva e alle ragazze più carine del campus. In sostanza, stare insieme conveniva a tutti. Del resto si sa su cosa si fondano le amicizie di gioventù, sul disinteresse.

Verso la fine del prim'anno notai, in zia Mame, un cambiamento quasi impercettibile. Un fine settimana ero andato a Boston per vedere una ragazza che avevo appena conosciuto, e tornando a casa la domenica sera la trovai che camminava avanti e indietro in camera mia, furiosa. «Come osi?» mi aggredì appena mi vide.

«Come oso cosa?».

«Come osi scappare a Boston senza dirmi una parola? Io me ne sto qui a girarmi i pollici aspettando te e i tuoi amici, e tu non ti degni neppure di mandarmi due righe per comunicarmi che non vieni!».

«Ma di solito è il contrario, ti avverto quando vengo, no?».

«Senti, tutti i fine settimana che Dio manda in terra la mia casa è a disposizione della tua ghenga. Come faccio a immaginare quando cambiate idea? Me ne sono rimasta qui sola come una scema, e anche parecchio agitata, se vuoi saperlo, con un sacco di gente divertentissima invitata apposta per te, che intanto eri sparito chissà dove!».

«Ma, zia Mame...».

«Non interrompermi! Questa casa non è un albergo, e comunque non ospita giovani ingrati della tua risma. Non è mia abitudine rinunciare alla vita privata per mettermi al servizio di un nipote menefreghista, che non si prende neppure il disturbo di informarsi se sua zia è viva o morta. Ora, per il prossimo fine settimana ho organizzato una festa fantastica, e *pretendo* che tu e tutti i tuoi amici ci veniate. Non sono ammessi né *se* né *ma*. E non pensare che con questo l'incidente sia chiuso, perché non lo è». Ciò detto, uscì sbattendo la porta.

Per una come lei, che viveva alla giornata, era una scena piuttosto strana, ma a poco a poco cominciai a capire cosa stava succedendo. Il problema era che ormai considerava i miei amici come se fossero amici suoi. Le piacevano, la lusingavano, la divertivano, e le davano una qualche speranza nell'eterna giovinezza. Erano il suo pubblico, quello di fronte al quale si sentiva tenuta a esibire il suo spirito, il suo fascino, la sua ricchezza, la sua eleganza. E ne aveva bisogno, così come loro avevano bisogno dei suoi posti letto, delle sue cene, delle sue feste, dei suoi alcolici. Solo che lei voleva qualcosa di più, da loro, e cioè che la facessero sentire ancora giovane, bella e attraente.

Dal giorno di quella scenata, tutti i fine settimana furono consacrati a zia Mame. Se non andavamo noi a New York, veniva lei al campus, dove fra l'intellighencija studentesca era estremamente popolare, e molto richiesta. Ormai la mia presenza non era neppure più necessaria. Se non avevo voglia di farmi vedere zia Mame invitava comunque Biff, Bill, Jack e Alex, che a Washington Square si divertivano da pazzi a incontrare persone famose, a fare gli scettici blu alle feste, o a portare zia Mame allo Stork Club. E finì che zia Mame, coi suoi zibellini, la sua Rolls, i suoi vestiti esotici fu adottata dal campus, anzi ne diventò un vero vanto, quasi come il nuovo stadio.

Nel secondo anno mantenne un comportamento impeccabile. Quando si tratteneva per il fine settimana spiegava a tutti di essere venuta a trovare certi suoi amici, che erano un assistente e sua moglie o il professor Tal dei Tali e signora: a me e ai miei amici concedeva solo un aperitivo o una colazione domenicali.

L'anno successivo cominciò sulla stessa falsariga, ma via via le sue visite al campus si diradarono, e le nostre a New York si infittirono.

In quel periodo intrattenevo una burrascosa relazione con Bubbles, una cameriera che mi aveva arpionato tra una fetta di torta all'ananas e l'altra in un ristorantucolo di Newark aperto tutta la notte, e che appena avevo un attimo aspettavo in una stanza del Robert Treat Hotel. Per forza di cose, zia Mame la vedevo molto meno, ma siccome i miei fidi le stavano attaccati alle gonne mi era sembrato più prudente tenere nascosta Bubbles anche a loro.

«Caro,» mi disse zia Mame un giorno, verso la fine di febbraio «ormai non ti vedo praticamente più. Si può sapere dove sparisci il sabato e la domenica? Ho chiesto ai ragazzi, ma hanno fatto scena muta».

«Oh, ecco, dipende. Un po' qui e un po' lì. Sai com'è, no?».

«No che non lo so, altrimenti non te l'avrei chiesto. Lasciami indovinare. Hai una ragazza, vero?».

Avvampai.

«Oh, caro, ma perché non la porti a casa? Come si chiama? Dove studia? Non hai una sua foto?».

Ecco, veramente una foto di Bubbles ce l'avevo, ma non del genere che si mostra senza problemi a una devota parente. E se proprio devo essere sincero, a una devota parente non avrei mostrato senza problemi nemmeno la Bubbles in carne e ossa.

Fortunatamente un secondo dopo zia Mame ritenne fosse giunto il momento di insegnare la samba ad Alex, e lasciò cadere il discorso.

Per tutto l'anno la tresca con Bubbles mi tenne occupato – *tremendamente* occupato –, ma non abbastanza da impedirmi di notare che i rapporti fra zia Mame e i miei compagni di classe stavano facendo un altro passo avanti. Per le vacanze di Pasqua me ne ero portati dietro tre, sperando che avrebbero distratto lei, consentendo a me di rifugiarmi a Newark, nei voluttuosi incanti di Bubbles. In effetti le cose erano andate secondo i piani. E tuttavia, prima di sparire avevo fatto in tempo a constatare che ora le davano tutti del tu, mentre Alex, che aveva un paio d'anni più di me, si permetteva addirittura qualche vezzeggiativo. Quanto a lei, non avrei giurato che i capelli avessero la stessa tinta di sempre.

Ma non era finita qui. Mentre Biff e Bill battevano le strade di New York in caccia di fanciulline, Alex ronzava prevalentemente intorno a Washington Square. A dirla tutta, lui e zia Mame erano praticamente inseparabili. Ballavano, giocavano a backgammon, mangiavano fuori. Un paio di volte li sorpresi a sussurrare in biblioteca, ricevendone in cambio occhiatacce quasi risentite. La sera si dileguavano nel nulla – andavano a cena, oppure a teatro, oppure in qualche club molto piccolo e troppo elegante, lasciandoci a languire nell'immensa casa vuota.

Indubbiamente Alex era il più astairiano di tutti noi. Era il più alto, il più ricco, il più fine. Ma questo era quanto, e non capivo bene perché zia Mame, nata per il grande pubblico, sprecasse il suo tempo prezioso con lui.

Mah, erano problemi suoi, che si arrangiasse, io dovevo già occuparmi di Bubbles. Ero rimasto invischiato nella sua rete una gelida notte di gennaio, quando avevo fatto tappa per un caffè nel locale dove lavorava. All'inizio mi era sembrata la persona più cara e più dolce del mondo. Ero convinto che mi amasse per quello che ero, senza chiedere niente di più. Ogni volta che le facevo un regalino – una boccetta di profumo, una camicia da notte nera, due paia di calze, una borsetta di coccodrillo con le scarpe adatte – le venivano le lacrime agli occhi. Ma col passare del tempo, forte dell'ascendente che sapeva di avere, si era messa a pretendere l'impossibile, e a insistere fino alla morte. Dall'oggi al domani pareva che non potesse vivere senza una certa giacca di volpe bianca. Però era una giacca enorme, e per comprarla mi ero dovuto impegnare i gemelli.

«Scusa 'more, ma prima o poi sarò ciccia, no?». Un'altra volta mi comunicò che le avevano rubato il borsellino, e che non sapeva come pagare l'affitto. E intorno a Pasqua i saldi da Lerner cominciarono a interessarle meno di prima, o comunque molto meno delle creazioni di Hattie Carnegie.

«Giuro 'more, a volte mi sembra che ti scoccia di

farmi uscire coi tuoi amichetti fichi. E giù, dillo. Dillo che ti vergogni di me».

«Bubbles per favore piantala, cosa vuoi che mi vergogni di te. Solo penso che con quei mamozzi ti annoieresti a morte. Sono una manica di poppanti».

«See, e tu cosa saresti, un ometto?».

Avevo solo vent'anni, ma vicino a una ragazza come Bubbles si cresce in fretta. «Avanti cocca, mollala. Andiamocene al Treat, che ti offro un paio di bicchierini».

«Occhei, occhei, andiamocene pure al Treat, ci facciamo un paio di bicchieri, dopo andiamo di sopra e ci facciamo un paio di cosa so io, 'ero? Newark, Newark, sempre Newark! Gesù santo, ti faccio la mia fotografia, ti faccio: nascita a Newark, lavoro a Newark, letto a Newark, probabilmente morte a Newark. E sai cosa te ne sbatte a te, signor cuoredoro, 'ero? Se non mi sbaglio – ma può darsi che mi sbaglio, eh, semmai dimmelo – non me lo hai neppure chiesto di venire a New York, manco una volta. 'scolta, il traghetto sono cinquanta centesimi, se c'hai il braccino ce li metto io. Ma tu non vuoi, 'ero? Io vado bene a Newark, ma portarmi allo Stalk, o come capperi si chiama, col cacchio, vero? E manco in quella baracca che c'ha tua zia, guarda che le ho viste le foto sull'"Arpa Bazaar", cosa ti credi. Vuoi che ti scrivo l'indirizzo? Washington Square. Ecco. See, ma Bubbles mica è una che si porta dalla zia, Bubbles va bene per farsi due ciocchi a Newark e basta. 'scolta, almeno dillo che ti vergogni di me. E giù, dillo».

La cosa orrenda era che aveva ragione. Mi vergognavo come un ladro. Non capivo perché mai mi fossi cacciato in quella situazione. Bubbles era un'avida puttanella da quattro soldi, che diceva di essere una cameriera solo perché non aveva il coraggio di chiamare col suo nome quello che faceva, e io ero un parassita con la puzza sotto il naso, che diceva di essere uno studente solo perché era troppo disonesto per darsi del parassita e troppo onesto per accordare a una mignotta lo status di amante. Invece Bubbles era proprio questo, un'amante. In più stava diventando un'amante noiosa, tirannica, e mi costava una fortuna.

«E va bene, niente baldoria dalla zietta. Ma al Ballo di fine anno mi ci porti, 'ero?».

Rimasi impietrito dall'orrore.

«See, ti credevi che non lo sapevo. Il Ballo di fine anno, quello dico. C'era tutto sul giornale. Tu sei al terzo, o me lo sono sognato? E allora se sei così fiero di me, perché non mi ci porti? E giù, voglio andare a tutte le feste della sera prima, e poi a quella grossa. Non ci sono mai stata. Manca proprio, zero carbonella. E giù, mi ci porti mi ci porti mi ci porti?».

«Ma piccola, non ci vado neanch'io. È una roba da bambini».

«'scolta 'more, tu ci *devi* andare. E anch'io, manca proprio. Quando papino è morto abbiamo perso l'import-export e col cacchio che ho potuto studiare, col cacchio che ho potuto farmi la mia strada». Nel tempo, il defunto genitore di Bubbles mi era stato dipinto a seconda dei casi come un importantissimo avvocato, un importantissimo banchiere, un importantissimo chirurgo, un importantissimo industriale. Ma adesso ero troppo prostrato per tornare sull'argomento.

Bubbles continuò a frignare, a insistere, a scongiurare, a fare la voce grossa. Dopo un'ora di lacrime e minacce dovetti cedere.

«Va bene, ma per l'amor di Dio smettila di piangere, non lo sopporto. D'accordo, ti porto alla stramaledetta festa».

«Iup-piii!» urlò Bubbles versando altre lacrime, però di gioia.

Anche per quelli come noi, cui della scuola importava molto poco, il Ballo era l'evento dell'anno. Si teneva l'ultima settimana di maggio, e l'intero college ci si presentava tirato a lucido. Chi aveva una ragazza la invitava per tutto il fine settimana, e chi non ce l'aveva si procurava la più presentabile su piazza. Era una tradizione. Per tre giorni l'università apriva le porte. Il venerdì sera ogni club dava una spettacolare festa danzante per i soci e le loro accompagnatrici, e in tutte le stanze dei dormitori si beveva liberamente, così come liberamente si beveva birra negli scatenati picnic del sabato. Sempre il sabato, di pomeriggio, chi si reggeva ancora in piedi poteva assistere alle regate – valeva la pena, erano combattutissime. E la sera c'era il ballo di gala.

Mentre in sottofondo Fred Astaire proponeva una sua soave versione di *They Can't Take That Away From Me*, io e i miei amici ci mettemmo a discutere della serata, di che tipo di festa organizzare da noi, di chi fosse abbastanza Astaire per essere invitato e chi no.

«Che significa Bugsy è una palla? Va bene, è stato con Brenda Frazier, ma a parte questo...» disse Biff.

«Se Brenda ha avuto sfiga non vedo perché dobbiamo pagarla noi. Però vorrei essere chiaro, se viene lui non vengo io» si scaldò Jack.

«Basta con 'ste cazzate,» disse Bill alzando la voce «siamo qui per decidere tutt'altro, e cioè se offrire Martini o scotch, per quanti, e quanto ci costa. Tu Pat che ne pensi?».

«Chi, io?» dissi arrossendo. «Io non so neanche se ci sarò, ragazzi. Decidete come vi pare, non contatemi».

«Non sai se ci sarai? Cristo santo, ma neanche Fred Astaire!» urlò Biff.

«Non sai se ci sarai?» disse Bill con aria incredula. «E questa da dove salta fuori? Senti, se non trovi nessuno da portare mi metto d'accordo io con la cugina di Mollie, Gloria Upson. Sta ancora da Miss Chapin, ma è uno schianto».

«Credimi, è l'ultimo dei miei problemi» dissi gelido. «Mi sa che non vengo e basta».

Mentre uscivo notai che Alex mi guardava come se trovasse tutto quanto molto divertente.

Con l'usuale codardia che i maschi dispiegano quando vogliono sbarazzarsi delle femmine, per togliermi dai piedi Bubbles prima le provai tutte, tranne un bel no in faccia. Cominciai con la Congiura del Silenzio, cioè per dieci giorni filati girai alla larga dal bar di Newark. Bubbles non sembrava precisamente turbata dalla mia sparizione, anche se il decimo giorno, visto che in un momento di debolezza le avevo dato il mio numero di telefono dell'università, decise di chiamarmi. Le risposi mantenendomi molto sul vago, almeno fino a quando non mi chiese, «'scolta 'more, checcè? Hai la bua? 'scolta, se non puoi venire vengo io, così ti faccio cara cara cara finché non ti passa». Fine della storia. Quella sera stessa mi ripresentai a Newark.

Poi provai a litigare. Provai, perché per quanto mi comportassi nel più esecrabile dei modi – me ne stavo con un muso da qui a lì, non dicevo una parola, saltavo su per niente – Bubbles, che aveva una capacità leggendaria di farsi scivolare tutto addosso, rimaneva serena quanto la Gioconda. E nel frattempo parlava sempre e solo del ballo, di cosa si sarebbe messa, di chi ci avrebbe incontrato, di come avrebbe fatto amicizia con le meglio debuttanti della stagione. Io rabbrividivo. Non sapevo come uscirne, ma di una cosa ero sicuro: Bubbles al ballo non ci sarebbe venuta, almeno non con me.

All'inizio della settimana fatidica escogitai una soluzione. Le avrei spedito un telegramma dicendole che ero ricoverato con un qualche malanno altamente infettivo, e mi sarei nascosto a Filadelfia fino a che la buriana non fosse passata. Era un trucco fetente, lo ammetto, ma vorrei ricordare che per parte sua Bubbles, solo per presentarsi al debutto nel tempio del sapere con gli abiti acconci, mi aveva appena spillato cinque fogli da cento.

Il giovedì sera ero in camera mia. Io sbattevo in borsa il necessario per la latitanza, Fred Astaire cantava *Bojangles*, e Alex se ne stava coricato sul divano a bersi una Budweiser. Suonò il telefono, e andai a rispondere. Era zia Mame. «Caro, vieni a *casa* per il weekend?».

«No, zia Mame. Siamo intesi che quando vengo te lo faccio sapere, no?».

«Certo, che stupida. Ma dove vai?».

«Vado a Filadelfia» dissi forte e chiaro.

«Per tutto il weekend?».

«Certo. Perché?».

«Oh, niente, così, curiosità. Dunque starai via da scuola?».

«Evidentemente».

«Fino a domenica sera inclusa?».

«Ma senti, zia Mame...». Temevo che i miei turpi raggiri stessero per venire alla luce, e mi stavo innervosendo. «Che cavolo succede?».

«Oh be' niente, caro» tubò con quella sua finta innocenza che mi faceva subito pensar male. «Mi stavo solo chiedendo cosa avesse in programma il mio tesorino per il weekend. Sai, io probabilmente me ne resterò a casa con Marcel Proust».

«Bene, salutalo da parte mia. C'è qui Alex, vuoi che te lo passi?».

«Oh, no, e perché mai? Salutamelo, e digli che ci vediamo presto. Bene, caro, divertiti a Filadelfia».

Era stata una strana telefonata, ma zia Mame era

una donna strana. Alex mi guardò a lungo con aria truce, quindi mi comunicò che andava a dormire.

«Chi hai invitato al ballo?» gli chiesi simulando un improbabile interesse.

«Oh niente, una» mi rispose chiudendo in fretta la porta.

L'indomani mattina mi alzai alle otto. Avevo concepito un testo di tale livello (RICOVERATO PER DIFTERITE – STOP – SPIACENTE PER BALLO – STOP – INUTILE VENIRE – STOP – VISITE VIETATE – STOP) che l'esenzione dall'ora d'inglese mi sembrava un atto dovuto, e quanto a quella di Scultura italiana del Tre, Quattro e Cinquecento, oh be', la saltavano tutti. Ero fermamente intenzionato a togliermi di torno prima che qualcuno mi chiedesse dove stavo andando, e a non farmi rivedere per tutto il weekend.

Quando finii di scrivere il telegramma con cui marcavo visita, il grande orologio quadrato della Western Union segnava le nove e mezzo. Questo significava che potevo guidare con tutto comodo, e arrivare a Filadelfia per pranzo. Girai l'angolo fischiettando *Piccolino*, aprii la portiera della macchina, e il motivetto mi morì sulle labbra. Sul sedile del passeggero c'era Bubbles.

«Sorpresa!» strillò. «Eccomi qua, 'more. Non m'aspettavi così prima, 'ero?».

«Ecco, Bubbles...» mormorai.

«'icio, sembra che hai visto un fantasma. E giù. Baciolino?».

Mi infilai in macchina come in trance. Bubbles continuava a cinguettare.

«Sai 'more, il cuoco mi fa, dice, sei giovane una volta sola, chiappati tutto il weekend, così mi sono alzata con le galline e mi son messa sul primo treno, che ho detto, gli faccio una sorpresa gli faccio».

«In effetti» dissi come un idiota.

«E siccome che alla fermata dei taxi non ce n'era

manco mezzo avevo deciso di pedalare, ma poi ti becco la tua macchina, riconosco la targa di New York, e allora tanto vale mi ci sono seduta. 'scolta 'more, spero che non mi hai preso una *fuite*, primo perché costa un botto, secondo perché tanto sto dalla mia amica Mavis».

«Intendi Mavis Hooper?».

Non ci potevo credere. Mavis Hooper era la puttana numero uno in città, figlia illegittima di quella che un tempo era stata la puttana numero uno in paese. E benché si dicesse che il suo vero padre fosse, nientemeno, Woodrow Wilson, era una specie di ebefrenica.

Non c'era molta scelta. Con lo stomaco che aveva preso dimensioni e consistenza di un blocco di granito, accompagnai Bubbles alla casetta in periferia di Mavis senza neppure far finta di chiederle l'indirizzo, e la aiutai a issare le valigie blu polvere nuove di zecca su per i gradini consunti da generazioni di studenti delle arti liberali.

«'ndiamo 'more, vieni dentro a posare le chiappette» disse Bubbles.

«No... non posso. Ho lezione di scultura» balbettai.

«Occhei, sioressore. Allora mi do una pulita e poi passo al campus, così mangiamo insieme».

«Oh, no, Bubbles, non pensarci neanche, è lontanissimo. Vengo a prenderti io in macchina. A mezzogiorno in punto».

«Grande, 'more. Così ci facciamo un bel giretto. A dopo!».

Mi rimisi al volante senza neanche sapere dove andavo. Mi girava la testa. Per qualche ora mi ero sentito la reincarnazione di Machiavelli, ma dovevo ammettere che Bubbles mi aveva dato una pista. E più mi avvicinavo al dormitorio, più mi rendevo conto di essermi messo all'angolo da solo. Se tornavo da me, e partecipavo ai gavazzi, non avrei saputo come giustificare Bubbles. E se invece sparivo per due giorni, e magari di più, Bubbles, che sapeva il fatto suo, avrebbe trovato da sola il dormitorio, e fatto una piazzata da tirar giù la mia cara, vecchia Morgan House. Se invece mi sparavo un colpo... No, ormai era deciso. L'unica soluzione era tornare al dormitorio, raccattare qualche vestito, prendere un bungalow da turisti e tenere Bubbles il più possibile lontana dalla scuola.

Intanto per colazione portai Bubbles in una tavola calda a una trentina di chilometri fuori città, e al ritorno, col pretesto del panorama, feci un giro di peppe.

«'more, hai visto l'ora? 'scolta, è meglio che rientriamo, mi devo cambiare per l'aperitivo. E il ballo del club?».

«Club? Quale club? Io non ho un club».

«Non hai un club? Ma se ti ho sentito con quest'orecchia che eri socio...».

«Ah, quello dici. Dimesso. Dimesso due mesi fa. Una banda di snob. Democrazia zero. Senti Bubbles, perché non ce ne andiamo a cena da qualche parte noi due da soli?».

«Occhei» disse in tono petulante. «Ma da quando sono arrivata non ho ancora visto un tuo compagno di scuola, uno dico».

«C'è un sacco di tempo. È solo venerdì».

Diciamo che fino a tarda notte riuscii a tenerla a bada. Poi: «E la sfilata delle torce? E le debuttanti di New York?».

«Guarda, la sfilata è come vedere tanti bei fiammiferi accesi nel buio. E quasi tutte le ragazze di New York prima di domani non arrivano. È lontano, sai».

«See, certo, quasi un'ora e mezza, se prendi il locale» disse tetra. «Allora portami a vedere la tua stanza. Sarà la solita stanza da maschi, come se la vedessi».

«Appunto, e le ragazze non possono entrare» dissi cogliendo la palla al balzo.

«Mavis dice...».

«Adesso è tutto cambiato, ci stanno più attenti. Sono diventati molto severi».

Prima dell'una e mezzo non riuscii a liberarmi. Poi me ne andai dritto alle Kosy Komfie Kabins e passai una notte orribile, a maledire il giorno in cui avevo messo piede a Newark.

Il mattino dopo passai a prendere Bubbles prestissimo. Non volevo che andasse a ficcare il naso in città, e magari incontrasse qualcuno che conoscevo. Scese i gradini di Mavis con un vestito di organza verde chiaro, e un cappello di paglia. «Piace?» mi chiese tutta civettuola. «Mi sa che ti conviene che ti piace, 'more. Siccome che i soldi che mi hai dato non bastavano ho dovuto metterlo in conto».

«Molto carino». Lo dissi senza pensarci, anche perché stavo pensando a Mr Babcock, e allo Studio Knickerbocker.

«Viva. Abbiamo tutto per il grande picnic?».

Questa la sapevo. Sapevo che me l'avrebbe chiesto, e mi ero portato dietro la risposta direttamente dalla rosticceria, sotto forma di alcuni panini alla mortadella e un cartone di birre Ballantine.

«Senti, 'more, ma quand'è che mi fai vedere i tuoi amichetti?» piagnucolò.

Non posso dire che il picnic sia stato un *succès fou.* Magari chissà, avrebbe anche potuto esserlo, se solo Bubbles non si fosse seduta su un formicaio e io, avendo dimenticato a casa l'apribottiglie, non mi fossi squarciato la bocca bevendo da un collo spaccato. In ogni caso arrivò l'ora della regata, e Bubbles non la tenevo più.

«'scolta, io la gara la voglio vedere» attaccò.

Non sapevo più a che santo votarmi. Sulla pioggia non potevo contare. Passai volutamente su alcuni cocci di bottiglia, ma i pneumatici ne uscirono indenni, e ci portarono vicino alla riva del fiume nel momento di maggior ressa. Che bello, qualcuno era arrivato con l'invenzione dell'anno, la pistola ad acqua. E come strillò Bubbles, quante gliene disse a quei ragazzacci del Wellesley e del Vassart che nella prima mezzora pensarono bene di sparare sul suo – cioè, veramente sul *mio* – vestito.

Dall'alto della sua organza inzuppata, Bubbles guardava con spocchia le ragazze che avrebbe voluto emulare – tutte in gonna e maglietta, dirndl e bluse, se non addirittura in blue jeans. «Non si sono sprecate, eh?» disse con una smorfia. «'scolta 'more, andiamo là in fondo, quelli mi sembrano carini».

Seguii il suo indice, che puntava dritto su Biff, Bill e Jack, impegnati in un giro di birre con uno sciame di ragazzette niente male, probabilmente di Bennington. «Oh, non ti piacerebbero per niente,» mi affrettai a dire «sono un branco di pischelli. A parte che conosco un posto da dove la regata si vede molto meglio».

«Dici la partenza o l'arrivo?».

«La partenza, è molto più interessante».

«E chi se ne frega della partenza, scusa?».

«Oh, si vede anche l'arrivo, se vuoi. Andiamo». La presi per un braccio e la trascinai fuori dalla folla. In quel preciso momento ci sfrecciò davanti la Lincoln-Zephyr blu che era l'orgoglio e la gioia di Alex, e ci ritrovammo sotto il tiro incrociato delle pistole ad acqua. La macchina sgommò via, ma non abbastanza in fretta da impedirmi di sentire una voce argentina trillare: «Oh caro, ma è un'assoluta pazzia! Mi fai sentire una bambina!».

Rimasi quasi paralizzato. Poi prevalse la ragione: «No, è *impossibile*».

«Ohu, ma l'hai vista quella lurida stronza di Park Avenue? Praticamente mi ha scaricato la cazza pistola addosso! Che Dio se la porti, vorrei proprio sapere...».

«Andiamo» le dissi trascinandola via. «Dài, che perdiamo la regata».

Quella sera c'era un chiaro di luna stupefacente. Passai a prendere Bubbles, ma siccome non era ancora pronta mi accomodai nel tinello di casa Hooper. Lo smoking mi tirava da tutte le parti, e me lo sarei strappato volentieri di dosso. Un paio di matricole suonarono il campanello e chiesero se Mavis era in casa.

«Stasera no, ragazzi» rispose tutta allegra Mrs Hooper.

Uno dei due mi intravide dalla porta. «Dennis, arrotondi come pianista?» strillò. Mi irrigidii.

«Non dargli retta, sono ragazzi» ridacchiò Mrs Hooper. «Come si dice, i ragazzi non cambiano mai, no? Del resto, me lo ricordo quando tu eri un buon cliente».

Dopo un'attesa interminabile, Bubbles finalmente comparve. Se nel pomeriggio in mezzo a tutte quelle studentesse bianche e rosa si era già fatta notare, adesso avrebbe colpito anche un cieco. Era fasciata in un lamé d'oro trapunto di velluto rosso, e aveva le braccia più o meno coperte di bigiotteria. La gola era serrata in un collare di perle sporchignattole, e i capelli erano disposti in una torreggiante acconciatura alla Pompadour che irrideva qualsiasi legge di gravità fin qui nota. E anche sul trucco, diciamo così, non aveva lesinato.

«Piace?».

«Ecco, Bubbles,» disse Mrs Hooper, pattinando nella stanza sulle sue pianelle «te le ho tenute in frigo».

Con una certa grazia, Bubbles appuntò sul davanti di quell'abito già abbastanza vistoso qualche chilometro di orchidee rosso cupo, il cui valore ammontava a cinquantasei dollari esatti – come scoprii a fine mese, quando il fioraio più esclusivo della città mi presentò il conto. Bubbles si buttò sopra le spalle la giacca di volpe bianca e raccolse una borsetta da sera coi lustrini un po' malconcia.

«'pposto, 'more. Mi sa che stasera ci divertiamo un frego. Dove mangiamo, all'Inn?».

Non sarei passato a un chilometro dall'Inn neanche per un milione di dollari in contanti. «Oh no Bubbles, in quella bettolaccia no. Ti rimpinzano come un elefante!».

«Femminuccia».

«Pensavo di portarti in un certo posticino francese. Molto intimo, e si mangia benissimo». Il posticino francese era un'infame taverna di fianco alla statale, che aveva l'unico vantaggio di trovarsi a distanza di sicurezza, cioè a una ventina di chilometri fuori città. A parte questo da Louie's – si chiamava così – cucinavano da schifo, anche se in effetti qualche piatto aveva, per ragioni oscure, un nome francese, tipo patate à la lyonnaise, zuppa du jour, filetto aux champignons. Grazie al cielo quella sera eravamo gli unici clienti.

Ordinai sei aperitivi uno dietro l'altro, mi assicurai che ogni piatto ordinato fosse stato cotto nel vino, e decisi di pasteggiare a champagne. Sapendo che Bubbles reggeva malissimo l'alcol, mi cullavo nella vana speranza che il pensiero del ballo scivolasse prima nell'indifferenza, e poi addirittura nell'oblio. Invece Bubbles continuò a bere per tutta la cena con una specie di cocciuta determinazione, arrivando a ordinare una terza bottiglia di champagne. «'mappete 'more, questa sì che è vita, anche se, non facciamoci sentire, ma per tagliare quella bistecca dovevano darci un'ascia. 'erò andiamo, sta diventando un sacco tardi. Dobbiamo andare al ballo».

«Oh, c'è tempo. Prima di mezzanotte non ci trovi un cane».

«Ma 'more, sono già le dieci e mezza, e sul giornale dice che suona Glen Gray con i Casa Loma».

«Oh, la notte è ancora giovane. Mangiati i torroni, sono un'antica specialità francese». Non ci credevo neanch'io.

«See, francesi 'sto cazzo. Guarda che a Newark conosco due greci che lavorano nella fabbrica di 'ste porcherie. Se l'avevi vista anche tu non li davi da mangiare manco al cane».

«Almeno beviti un ultimo bicchiere di cognac».

Le stavo provando tutte, ma di farla ubriacare non c'era verso. Nulla sembrava in grado di distoglierla dal suo chiodo fisso.

«E giù 'more, andiamo» cominciò a miagolare.

Arrivammo al ballo intorno a mezzanotte. Io mi tenevo un passo dietro a Bubbles, in modo che nessuno potesse pensare che fossimo insieme.

«Con pardon, 'more. Vado a mettermi un po' di lacca sul coiffeur».

Ne approfittai per correre a mia volta in bagno e tracannare una bella gollata dalla fiaschetta che mi ero portato dietro. Poi un'altra, e un'altra. Nella sua gloria barbarica, Bubbles batteva impazientemente il piedino per terra. «'mappete 'more, credevo che c'eri cascato dentro. Che ci fai con gli occhiali da sole?».

«Male agli occhi» mormorai.

Tutto si può dire, tranne che Bubbles, dal momento in cui aveva messo piede nella sala, fosse passata inosservata. Ballando cercavo di tenermi il più lontano possibile dalla zona dei cavalieri in cerca di dama, che però non so come sembrava ci *seguisse.* Ma i continui fischi lascivi che arrivavano da quella parte suonavano irridenti, più che ammirati.

A un certo punto sentii qualcuno dire: «Ci scommetto un cinque che quello è Pat Dennis». Lo presi come un segnale, e volteggiai con Bubbles verso il centro della pista. Vicino ai vestiti leggeri bianchi e pastello delle altre ragazze, quello di Bubbles sembrava un costume da burlesque.

«'scolta, potevano anche sprecarsi un po' di più» disse Bubbles con aria schifata. «Mica mettersi la prima cosa che han trovato».

Da dietro le lenti scure, la stanza sembrava avvolta in una penombra niente affatto spiacevole. Mi girava un filino la testa.

Dopo un paio di balli sentii una mano che mi batteva sulla spalla. «Posso?». La mano apparteneva a Remington il Repellente, il ragazzo più ricco della scuola.

«Ma con piacere» risposi.

«A dopo, 'more» squittì Bubbles, allontanandosi nel vortice della danza.

Appena libero mi tolsi gli occhiali scuri e guardai meglio il salone. Era pieno zeppo. Nascosto fra gli altri maschi soli studiai la scena con la massima attenzione. Bubbles sarà anche sembrata la Meretrice di Babilonia, ma presso gli elementi meno rispettabili del corpo studentesco riscuoteva un successo enorme. E a parte qualche strafalcione e un paio di strilli, se la stava pure cavando piuttosto bene. Facevano gli spiritosi, ma intanto le ronzavano intorno.

Un'altra mano mi afferrò il braccio. Stavolta era una pippa di matricola che aveva fatto l'impossibile per entrare nel gruppo Fred Astaire.

«Ciao» dissi con pochissimo entusiasmo.

«Ciao. Butta bene, eh?».

«Già». Cercavo di dargli meno corda possibile.

«Senti, visto che qui sei di casa sicuramente sai chi è quella strega che sta facendo impazzire tutti».

Non so di che colore fossi diventato. «Dici quella in rosso e oro?».

«Ma no, non quella troietta. La donna del mistero, laggiù. La vedi? Ha addosso una roba nera impalpabile».

Mi voltai verso un gruppo molto fitto di giovani scalmanati, e verso la bella che stava allegramente flirtacchiando con tutti quanti. «Oh mio Dio» mi scappò. Era zia Mame, con un abito da sera senza spalline, un ventaglio, e tutti i diamanti in suo possesso.

La pippa non mollava. «Ma chi è? È venuta ieri con quel tuo amico, Alex. Ne ha combinate di ogni, e i poliziotti hanno detto che se non la piantava con quella pistola ad acqua la sbattevano al fresco. Bel bocconcino, eh? Come si chiama?».

«Giuro su Dio che non l'ho mai vista prima» dissi nel tono più neutro possibile.

Ero in una situazione disperata. Dovevo subito recuperare Bubbles e portarmela via. Mi infilai gli occhiali e partii alla carica. Il problema era che nel frattempo Bubbles era diventata proprietà privata di tutti gli zozzoni risicati presenti alla festa. Eh sì, una metà abbondante dei nostri malsciacquatissimi atleti aveva già avuto almeno un assaggio di rosso e oro, e ne reclamava rumorosamente un altro. Nell'attesa, Bubbles stava di nuovo ballando con Remington il Repellente. Mi intromisi senza tanti complimenti.

«Vieni Bubbles, bisogna che andiamo».

«E perché, Cristo santo?» urlò.

«Non me lo chiedere, andiamo e basta».

«Col cazzo e col pensiero. È una settimana che mi sbatto in questo buco del culo di posto, e adesso che comincio a divertirmi arrivi tu e mi porti via. No, no e no!». Era ubriaca come una cucuzza, e urlava con quanto fiato aveva in corpo. Intorno a noi, intanto, si era raccolto un gruppo di focosi giovanotti, che seguiva la scena con estremo interesse.

«Bubbles, o vieni via immediatamente – in questo istante – oppure...».

«Oppure cosa? Cosa mi hai portato a fare in questo baraccone? Non me l'hai fatto vedere manco col cannocchiale. Niente bella gente, niente aperitivi, niente sfilata, niente cena al club. Mi sarò messa sì e no metà delle mie tualèt. E adesso che comincio a divertirmi arrivi qui e vuoi trascinarmi chissà dove. Vai tu, se vuoi, io rimango. Rimango qui con Mr Remington, che è un signore. Dico giusto?».

«Giustissimo, bionda» fece Remington strizzandole un fianco.

«Davvero, Bubbles? È deciso?». Cercavo di trattenere un sospiro di sollievo.

«Certo che è deciso».

«Allora è un addio?».

«Addio per sempre, 'more!». E si allontanò, avvinta a Remington il Repellente.

Abbandonai la pista nello stato d'animo di un condannato che ha ricevuto la grazia mentre lo stavano legando sulla sedia elettrica.

Ero un uomo libero. L'aveva detto Bubbles, addio *per sempre.* Nessuno mi aveva visto con lei, e la mia reputazione di piccolo Astaire era intatta. Felice come un bambino, volevo solo andare in stanza, schiantarmi sul letto e rimanerci a tempo indeterminato. Per il momento i vestiti potevano anche restare al bungalow. Dovevo soltanto capire perché mai zia Mame fosse venuta al ballo, ma anche qui la spiegazione mi sembrava quasi ovvia. Probabilmente si era fermata per tenere compagnia a un docente e a sua moglie, e di sicuro non aveva visto né me né Bubbles. Questa era la cosa importante.

Ancora mezzo ubriaco andai in stanza, chiusi la porta a chiave e mi spogliai. La Morgan House era avvolta nel silenzio. Spensi la luce, e mentre il nostro idolo interpretava *The Way You Look Tonight* tornai a ripetermi che ormai ero libero, e che i conti di Bubbles li avrebbe pagati Remington il Repellente:

fino a che, a un passo dall'euforia, scivolai nel sonno dei giusti.

Alle quattro e mezzo, immerso in non so quale sogno, sentii bussare insistentemente alla porta.

«Chi è?» biascicai.

«Fammi entrare, fammi entrare, presto!». Dietro la porta c'era una femmina, che sembrava avere parecchia fretta.

«Bubbles, è finita» dissi con la voce impastata di sonno. «È inutile che strisci, adesso. Mi hai fatto troppo male».

«Mio Dio, apri, sono zia Mame! Fammi entrare!».

Saltai in piedi, travolsi una sedia, accesi la luce e mi avventai sulla porta, sbattendo gli occhi come un gufo. In pratica zia Mame rotolò dentro. Aveva ancora il vestito da sera, e una stola di ermellino buttata in fretta e furia sulle spalle. «Dio sia lodato» disse appoggiandosi contro la porta, col fiato grosso. «Chiudi a chiave, per favore» ansimò. «Certo non avrai niente da bere, vero?».

«Senti, zia Mame,» dissi trascinando ancora le parole «che accidente ci fai qui?».

«Finché non ho bevuto non chiedere spiegazioni. Svelto, una cosa qualsiasi».

Le versai quattro dita di scotch, lasciando che stramazzasse sul divano. «Grazie, tesorino, non sai che conforto. Chi se lo immaginava che saresti tornato così presto da Filadelfia – era Filadelfia, vero? Speravo soltanto che la porta non fosse chiusa a chiave, così potevo entrare e nascondermi qui per un po'».

«Nasconderti?» dissi togliendomi i capelli dagli occhi. «Nasconderti da cosa?». Stavo riacquistando un minimo di lucidità. La fissai piuttosto a lungo, e notai che sfuggiva il mio sguardo. «Mi dici cosa sei venuta a fare qui? A leggere Proust?».

Per la prima volta da quando la conoscevo, zia

Mame sembrava davvero imbarazzata. «È proprio una bella stanza per uno studente, caro. Dà un senso come di riposo».

«Sarà la centesima volta che la vedi. Non credo che tu abbia fatto tutta questa strada conciata in quel modo per il valore terapeutico delle mie combinazioni cromatiche. Ti ho chiesto cosa diavolo ci fai qui, a quest'ora di notte, vestita così».

Zia Mame rabbrividì, guardando da un'altra parte. Era a disagio, ma quando uno nasce mangiatore di fuoco non rinuncia mai del tutto ai suoi talenti: «Già che giochiamo a domandissima, di' un po', questa lurida stanzetta non mi sembra precisamente la Città dell'Amore Fraterno. Cos'è, quella pianticella scamuffa ti ricorda i parchi di Rittenhouse Square?».

«Sono tornato prima del previsto». Era vero, avevo la coscienza a posto. «E adesso, a costo di ripetermi, ti chiedo di nuovo cosa ci fai qui».

«Be', se questa è l'accoglienza che mi riserva il mio unico consanguineo, preferisco andarmene» disse con aria altera.

«Perfetto,» dissi avvicinandomi alla porta «buona notte».

«Oh, per favore, no» piagnucolò, rannicchiandosi sul sofà.

In corridoio c'era un baccano del diavolo. Si sentivano passi pesanti su e giù per le scale, e il suono familiare dei passepartout nelle serrature delle porte più lontane.

La fissai freddamente. Ormai ero del tutto lucido e quasi – quasi – sobrio. Cominciai a mettere insieme le tessere del mosaico di quegli ultimi tre giorni – la strana telefonata di zia Mame, la voce della pistolera nella macchina di Alex, la donna del mistero con addosso «quella cosa impalpabile». «E adesso,» scandii col massimo distacco possibile «visto che te lo chiedo per la *quarta* volta, forse sarai così gentile da spiegarmi che cosa ci fai in alta uniforme nel dormitorio maschile, alle quattro e mezzo del mattino, nel weekend del Ballo, nell'anno del Signore millenovecentoquaranta».

«Io, io... Dammi ancora da bere, caro».

«Solo dopo che mi avrai risposto. Insomma, me lo dici o no cosa ci fai qui?».

Prese fiato, e me lo disse. «Bene, se proprio lo vuoi sapere ero nella stanza di Alex a sentire un po' di musica, quand'ecco scoppia quel terribile putiferio e a quanto pare tutta la squadra di guardiani notturni si mette a perquisire i dormitori...».

«Per cercare cosa, gli spartiti?».

«Se non mi interrompi, sono sicura che avrai tutte le risposte che vuoi».

«Ne sono certo. Continua».

«Sembra che quell'orribile donnaccia, quella in oro e rosso, mai visto niente di più ordinario, si sia infilata nel dormitorio con qualche disgustoso ragazzo». Non so perché, ma non avevo più le gambe. «E lo sa il cielo cosa stavano combinando, ma si può anche immaginare. Poi abbiamo sentito quelle urla tremende e certe parole che non sto a ripeterti e i guardiani notturni hanno cominciato a buttare all'aria tutto».

«E?».

«E come intuirai non avevo nessuna voglia di farmi trovare nella stanza di Alex a quest'ora del...».

«Ovvio che no».

«Così sono entrata qui aspettando che si calmassero le acque. Speravo – voglio dire, *pensavo* – che la stanza fosse vuota. Adesso sii buono, dammi da bere».

«Non hai risposto a tutte le mie domande. *Che cosa ci fai qui?* Che cosa ci fai con quel vestito, in questo campus, in questa città, in questo Stato? Non dovevi passare un weekend in solitudine con un buon libro?».

«Ecco... Ecco caro, proprio all'ultimo momento il professor Townsend e sua moglie mi hanno invitato a stare da loro...».

«Sì, peccato che poi sei finita al Ballo con un ragazzo che potrebbe essere tuo figlio».

«No che non potrebbe, ti confondi, devi aver letto di quella specie di scherzo di natura, quella bambina peruviana. Ti ricordo che non ho molti anni più di te».

«Solo venti o trenta» urlai. «A che razza di gioco stai giocando, Mae West?».

«Smettila!».

«No che non la smetto! La smetterò quando mi avrai raccontato tutta la storia, cara la mia vivandiera, e dall'inizio. Giovedì mi hai telefonato solo per capire se rimanevo qui, dunque se c'era il rischio che ti beccassi a razzolare in giro con una banda di ragazzi che hanno la metà dei tuoi anni. Giusto?».

«Non è vero. Volevo solo sapere come st...».

«Rispondi solo sì o no. Volevi solo essere sicura che non ti avrei scoperto, sì o no?».

«Sì, bestiolina, sì».

«È stata un'idea di Alex, *vero*?».

«Sì». Stavolta aveva risposto alla prima. Quando trovava qualcuno con cui spartire le colpe, era felice.

«Ed è vero o no che tu e Alex ci girate intorno dall'inizio dell'anno?».

«Se insisti a umiliarmi in questo modo, Patrick, sarò costretta a lasciare la tua stanza».

«Prego. Farò il possibile per non impedirtelo». A giudicare dalle voci e dai rumori che arrivavano da fuori, i guardiani erano alla porta. E visto che zia Mame non accennava ad andarsene, continuai. «È tutta la primavera che tu e Alex vi fate piedino».

«Questo è un colpo basso, e mi offendi. A me interessa solo la sua mente».

«Balle! Alex una mente non ce l'ha, e il primo a dirtelo sarebbe lui».

«E va bene, magari ho fatto un po' la scemetta con lui. Mi divertiva».

«E già che c'eri hai pensato che sarebbe stato troppo, troppo divertente intrufolarti qui e andartene in giro con le altre allegre ragazze del college».

«Si dà il caso che sia anch'io una ragazza del college».

«Questo è vero: Smith College, Northampton, Massachusetts, *Summa cum laude.* Classe 1917».

«E allora? Ero *anni* avanti. Quando mi sono laureata ero ancora in fasce».

«Come no, una bimba. Non so se lo sai, ma l'anno della tua laurea è lo stesso della nascita di Alex. Forse sì, lo sapevi, lo sapevi e hai pensato che fosse una specie di legame tra di voi, o comunque la scusa ideale per venire qui e scorrazzare per la città armata di pistola ad acqua».

«Ma di che diavolo parli?» disse poco convinta.

«Di *te*, parlo, di una ragazza di quarantacin...».

«Quarantaquattro!».

«Scusa, è vero, di una ragazza di quarantaquattro anni, ricercata dalla polizia per avere infradiciato mezzo campus con una pistola ad acqua».

«Vorrei averla adesso, quella pistola» sibilò. «Solo caricata ad acido solforico».

Qualcuno bussò insistentemente alla porta. «Aprite. Aprite subito. Ispezione».

«Oh mio Dio» disse zia Mame in un soffio.

«Placa i bollori, Lillian Russell» dissi con aria perfida. «In fondo l'ora è indecente, ma tu sei pur sempre la mia vecchia zia».

«Sì?». Spalancai la porta.

Sulla soglia, con un'aria timidissima, c'era il vecchio Casey, un guardiano di età non ben definita, ma molto avanzata. «Mi spiace disturbare, signorino Dennis, dobbiamo perquisire tutto. Ordine del rettore».

«Prego» dissi. «Come può vedere da sé l'unica donna qui dentro è mia zia Mame. Ieri sera non mi sentivo bene, e visto che era ospite del professor Townsend è venuta ad assistermi. Ora sto molto meglio, però se vuole dare un'occhiata si accomodi».

Appena messo piede dentro, il vecchio Casey inarcò le enormi sopracciglia cespugliose, e si illuminò. «Oh santi numi, ma sì che è Miss Dennis. L'ho vista parecchio qui in giro, negli ultimi due anni. E anche prima». Sospirò, perso nelle reminiscenze. «Signore, se mi ricordo quando era una ragazzina, e veniva a tutte le feste. Sarà stato nel Quindici, o nel Sedici. Era bella come una madonna, però più peperina».

Zia Mame biascicò distrattamente una spiacevolezza.

«Signore santo, Miss Mame, che bei giorni, eh? Ma il tempo non aspetta nessuno, vero? Immagino che al ballo di quest'anno ci saranno le sue ragazze».

Zia Mame sussultò.

«Oh no, Casey,» mi affrettai a dire «le due figlie di Mrs Burnside sono sposate e vivono a Akron, in Ohio, con le loro bambine. Ormai Mrs Burnside è nonna, vero zia Mame?».

L'interessata annuì, cupa.

«Ma tu pensa» disse la vecchia cornacchia. «Be', la ruota gira, no? Invecchiamo, capita a tutti. Comunque sono sicuro che la piccola canaglia che sto cercando non la trovo nella stessa stanza di una signora del bel mondo di New York. Ma se per caso vedete una ragazzetta che risponde al nome di Bubbles chiamatemi. Succede tutti gli anni – qualche povero ragazzo un po' tonto si mette nei pasticci con una di quelle puttanelle, chiedo scusa signora, e poi succede il finimondo. Uno penserebbe che i ragazzi non ci cascano, perché hanno studiato e tutto, e invece... Mah. Bene, spero che si senta meglio, signorino Dennis. Buona notte signora, mi ha fatto piacere rivederla dopo tutti questi anni. Mi ha fatto quasi sentire giovane di nuovo». E saltellò via.

Non avevo cuore di guardare zia Mame. Era accasciata sul divano, stretta al suo bicchiere vuoto. Mi vestii alla svelta e le dissi «Andiamo, ti riporto a casa».

«Vuoi dire in albergo?».

«Ah, non stai dai Townsend?».

«No» disse tranquilla.

«È lo stesso, tanto ti avrei riportato comunque a New York».

«I miei vestiti». Non sembrava le importasse molto.

«Li prendo io lunedì. Ho varie altre cose anch'io da recuperare in città».

Le buttai la stola sulle spalle e aprii la porta. Scendemmo silenziosamente le scale.

Nella luce cruda del vestibolo Bubbles e Remington il Repellente – lei con i capelli laccati che volavano da tutte le parti e l'abito di lamé piuttosto malridotto, lui in maglietta e mutande – erano circondati dall'intero corpo dei guardiani.

«... questo tipo qui che manco lo conosco praticamente ha cercato di rapirmi. Giuro su Dio, non ci ho capito un cavolo, secondo me mi ha messo una polverina nel bicchiere. L'unica cosa che mi ricordo è che ero nella sua stanza e mi stava facendo delle cose. Io non sono quel tipo...».

«La pianti, signorina,» diceva il vecchio Casey «lavoro qui da cinquant'anni e ne ho viste, come lei. Per quel che la riguarda, Mr Remington, il rettore...».

«Penso che dovremmo uscire dalla porta di servizio, si fa prima» dissi con un certo nervosismo. Presi il braccio di zia Mame e accelerai il passo.

«Eccolo!» urlò Bubbles. «È lui il signore che mi ha portato qui. È lui. Si chiama Dennis, Patrick Dennis. Pat, 'more, diglielo che sono venuta con te. 'more, ti amo, mi spiace che ho fatto la cattiva al ballo. Piccolo, non mi senti?».

«Basta, signorina,» disse Casey «sta svegliando tutti. Cosa vuole che ci faccia un ragazzo come Mr Dennis, che è qui con la sua vecchia zia, con una bricconcella come lei?».

«'more» gridò Bubbles. La porta ci si richiuse alle spalle.

«Ah» disse zia Mame, con un bagliore malvagio negli occhi. «Ah, ah».

«Tieni la bocca chiusa, e io farò lo stesso» dissi tranquillamente.

Tornammo a New York senza scambiare una parola.

# 8
# ZIA MAME E LA MIA INFELICE STORIA D'AMORE

Nella vita dell'Indimenticabile arriva l'ovvio momento in cui il pargolo finisce la scuola, trova l'amore e convola a giuste nozze. E a quel punto cosa può mai fare la nostra zitella? Naturalmente vedersi strappare l'unica ragione di vita è un brutto colpo, ma nella circostanza la poverina si rivela, ancora una volta, una ragazza sportiva. Senza pensare nemmeno per un attimo a sé, ingoia il rospo, e col sorriso sulle labbra e la morte nel cuore va a incontrare i genitori della ragazza, in modo da assicurarsi che tutto proceda nel migliore dei modi. Tipico suo, no?

Anche zia Mame sapeva essere tipica, pure troppo. Quando fu il suo turno fece esattamente tutto quanto si usa fare in casi del genere, e con una naturalezza che rese anche lei indimenticabile – e a molti, non solo a me. Del resto, queste cose o si fanno bene o *non* si fanno, no? E zia Mame le fece alla grande.

Alla fine del mio ultimo anno di college ero un po' cresciuto. Fred Astaire non era più il mio idolo.

Mi ero persino fatto notare dal rettore. Ed ero innamorato.

Amore, gioventù, bellezza. Gloria Upson era tutte e tre queste cose insieme. Era molto giovane, appena diciannove anni. Era molto bella – magra, ma sinuosa, biondo miele, con quel labbro inferiore così petulante, oh mio Dio. Le scrivevo tutti i giorni, le telefonavo tutte le sere e passavo tutti i sabati e tutte le domeniche con lei. La settimana in cui ci avrebbero consegnato il diploma le chiesi se voleva sposarmi.

«Oh, angelo, certo che sì» mi rispose in un sussurro, strofinandosi appena contro la tappezzeria del sedile. «Mi piacerebbe moltissimo, lo sai, ma come si fa? Di cosa vivremo? Tu non hai neanche un lavoro, e dopo la laurea...».

«Oh, qualche soldo da parte ce l'ho. Non milioni, ma ci possiamo contare, almeno fino a quando non mi sistemo. Ci basteranno, vedrai».

«Angelo,» sospirò Gloria «è meraviglioso. Se è così come dici non vedo perché no. Papà ci darà non solo la sua benedizione, ma anche una mano».

«Non ci serve, una mano».

«Senti, stupidino, se ce la offre ti pregherei di non rifiutare. Capisco che i soldi non fanno la felicità, ma vedi angelo, fino a quando non camminerai sulle tue gambe non voglio assolutamente esserti di peso».

Insomma era tutto deciso. Non mi restava che ritirare il diploma, presentarmi a Upson *père*, comprare una licenza di matrimonio e un anello.

Il colloquio col mio futuro suocero era stato fissato per una sera di giugno piuttosto calda. Allo scopo, Gloria e la sua famiglia mi avevano invitato a cena in quel canyon di vegetazione moribonda, monossido di carbonio e architetture scadenti che risponde al nome di Park Avenue. Gli Upson avevano realizzato il sogno di qualsiasi famiglia americana, cioè non erano ricchi, ma benestanti sì. Avevano due di tutto: due case, una in Park Avenue e l'altra nel Connecticut; due macchine, una Buick berlina e una Ford giardinetta; due figli, un maschio e una femmina; due domestici, maschio e femmina pure loro; due club, uno in città e uno in campagna; e due interessi, il denaro e la posizione sociale.

La signora Upson aveva anche un doppio visone e un doppio mento. Pure il signor Upson aveva un doppio mento, due passioni – il golf e gli affari – e due bestie nere, Roosevelt e gli ebrei.

Cenammo in un bagno di sudore a una tavola quasi Chippendale, e Mrs Upson ripeté per ben tre volte: «Di solito a quest'epoca siamo già in campagna, ma quest'anno c'è una tale umidità che non me la sono sentita di partire troppo presto». Dopo un dessert sovrabbondante e quasi incommestibile, del quale facevano parte in ordine sparso frutta, brandy, amaretti, noci, gelato e caramello caldo, la signora Upson domandò pudicamente licenza per se medesima e per Gloria, giustificandosi con un «So che voi ragazzi avete qualcosa da dirvi».

«Andiamo nel mio studio, Dennis?» aggiunse suo marito.

Con un brivido, e schiarendomi la gola, mi apprestai virilmente a seguirlo. Attraversammo il salone, dove Gloria e sua madre simularono un improvviso e rapinoso interesse per alcuni arretrati di «Town and Country», e ci addentrammo nel regno privato di Mr Upson. Il quale, appena entrato, si chiuse immediatamente la porta alle spalle.

«Allora, signor Dennis?» attaccò, dopo avermi offerto invano un sigaro.

«Allora, ecco signor Upson, Gloria e io ci frequentiamo ormai da sei mesi, ci vogliamo bene, e vorremmo sposarci. Cioè, se lei non ha niente in contrario».

«Be', Dennis, non è che ci conosciamo così bene, no? Voglio dire, a sentire Gloria lei sembrerebbe un ragazzo a posto. Un bel tipetto, come dite voi ragazzi, però anche primo della classe, educato, eccetera. Il fatto è che una moglie costa, e a Gloria la mia signora e io abbiamo sempre dato il meglio, anche perché la mia piccina non accetterebbe nulla di meno. Ha avuto i migliori vestiti, e ha frequentato le scuole e le persone migliori. Non è nata per lavare i panni e cucinare in un monolocale, mia moglie e io non vogliamo neppure pensarci. A Doris si spezzerebbe il cuore. A proposito, lei che lavoro fa?».

Da lì in avanti la discussione toccò il denaro, gli aspetti più spirituali degli amori di gioventù, il mio ambiente, zia Mame, le scuole che avevo frequentato, il denaro, le mie convinzioni religiose e politiche, il mio regime assicurativo, e il denaro.

«Bene, Dennis,» disse Mr Upson concludendo un'oretta buona di interrogatorio «in tutta onestà mi sento di dire una cosa che non molti uomini nella mia posizione potrebbero dire: sono lieto e orgoglioso di darti in sposa la mia bambina. Sì, ti trovo un ragazzo con la testa sulle spalle. Vieni da un buon ambiente, hai un'ottima educazione, e anche qualche soldarello – tutte cose che la mia piccola Gloria si aspetta e si merita». Dopodiché mi spinse con la sua manona nel salone, dove Gloria mi volò felice tra le braccia, mentre Mrs Upson versava qualche lacrima non richiesta, schioccandomi un bacio molto bavoso. Eravamo fidanzati.

Ebbro d'amore e di felicità me la feci a piedi da casa Upson fino a Washington Square. Salii i gradini tre alla volta e trovai zia Mame, reclina nel suo immane letto dorato, che infilzava spilli su una mappa militare dell'Europa.

«Sei tu, tesorino?».

«Sì, zia Mame,» risposi mettendo il naso dentro «sei sveglia?».

«Certo che no, caro. Lo sai che ho questo vezzo di dormire seduta, con una mappa in grembo e tutte le luci accese. Fa talmente Napoleone...».

Entrai in punta di piedi nella stanza e andai a sedermi sul bordo del letto. «Zia Mame, mi sono fidanzato. E sto per sposarmi».

I Balcani precipitarono sulle lenzuola, gli occhiali da lettura di tartaruga scivolarono sulla punta del naso. «Sposarti?» strillò zia Mame. «Tu? Ma se sei ancora un bambino!».

«Ho ventidue anni, una laurea, qualche soldo, e sono innamorato».

«Ma caro, come si dice è un fulmine a ciel sereno. E chi sarebbe questa ragazza?». Fece una pausa, e cambiò leggermente tono. «Non Miss Bubbles, vero?».

«Ma no! L'ho conosciuta a Natale. Si chiama Gloria Upson».

«Be', Patrick, quant'è vero Iddio... Stai parlando sul serio, caro?».

«Mai stato così serio in vita mia. Ci sposiamo appena possibile. Prima che parta per il servizio militare».

«Ma caro, chi è questa ragazza? Perché non me ne hai mai parlato? E com'è? Non hai una foto?». Andai in camera a prendere la foto, a dire il vero piuttosto scialba, che mi aveva dato Gloria. «Santo cielo, ma è stupenda!» disse zia Mame. «Certo, la bocca ha una piega un po' cat...».

«Zia Mame!».

«Oh, caro, dipende di sicuro dalla fotografia. Credimi, se hai intenzioni serie, e se sei davvero innamorato, sono la donna più felice del mondo. Spero solo che tu sia *sicuro*».

«Come di chiamarmi Patrick. È tutto deciso. Stasera ho parlato con suo padre».

«Caro, ma avresti dovuto dirmelo. Bisogna che vada a conoscerli».

«E perché?».

«Ma come perché, perché si usa. La famiglia dello sposo va sempre a conoscere quella della sposa. E ti ricordo che la tua famiglia sono io».

«Mi sembra un'assurdità».

«Certo che lo è, caro. Oh, non dimenticherò mai la *sfilza* di genitori che il mio povero papà ha dovuto ricevere, quando la fidanzata ero io».

«Qui è un po' diverso» dissi con una punta di rabbia.

«Ne sono certa, tesorino, e tuttavia conoscerli mi tocca. Non voglio che la tua famiglia d'acquisto pensi che la tua unica consanguinea è una vecchia eremita che non sa neanche da che parte sta girata. Passami quella carta da lettera, che gli scrivo subito. Come hai detto che si chiamano?».

Di zia Mame certo non mi vergognavo, eppure l'idea che incontrasse gli Upson un po' mi inquietava. Trascorse l'intero pomeriggio della visita a provare vestiti, uno dopo l'altro. «Senti, caro, sii sincero. È la mia prima volta da consuocera, e voglio che tu sia fiero di me. Non intendo mettermi la prima cosa che capita, ma neppure esagerare, sarebbe fuori luogo. Com'è questa signora Upjohn?».

«Upson. Si chiama Upson».

«Upson. Già. Che tipo di cose si mette?».

«Oh... vestiti».

«Sì, immaginavo che non mi si presentasse con un bel grembiule di foglie di banano. Caro, hai capito benissimo cosa voglio sapere. È una donna chic?».

«Abbastanza. Ma è un po' passatella. Non ha una figura come la tua».

«Senti, caro,» tubò zia Mame «pensavo di mettermi quella cosina di Schiaparelli, ma sai, è dell'anno scorso, non va bene. Se no ci sarebbe quell'altro, quello lavanda, ma è tutto un velo, fa troppo ragazzina, e qui ci vuole una presenza matronale, no? Ci sarebbe quello bianco di crêpe, ma si schiatta di caldo».

«Voglio sperare che stasera non userai questo linguaggio» ringhiai.

«Senti caro, come puoi anche solo pensare che dopo tre udienze papali e un ricevimento a Buckingham Palace non sappia come ci si comporta?».

«Scusa, ma vedi, il fatto è che gli Upson non sono come noi».

«Be', allora metto il nero. Il nero va sempre bene. Purtroppo. Se no quello blu marin».

Alle nove spaccate zia Mame, in vari toni sovrapposti di bruno, cappellino elegantissimo ma irreprensibile, e un magnifico collier di perle, prese delicatamente posto in macchina: e partimmo alla volta di casa Upson. «Su, apriamo bottega» fu il suo unico commento.

La serata passò in fretta, e riuscì piuttosto bene. Zia Mame trascorse gran parte del tempo debitamente insediata su una poltrona Luigi XIV, intrattenendoci sul caldo, l'umidità, su come il clima newyorkese cambiasse ogni anno, e poi ancora sulla bellezza di Gloria, la mia serietà, e i chiari segnali di un'imminente entrata in guerra dell'America.

Qui le lanciai un'occhiata inequivocabile, che significava lascia perdere la politica. Zia Mame la colse al volo, e precisò subito di trovare disdicevole che, con l'Europa in guerra, dovessimo rinunciare a una luna di miele oltreoceano.

Avevo sorpreso Mrs Upson che guardava di sottecchi, ma con aria di decisa approvazione, il cappello, i vestiti e i gioielli di zia Mame; e quando lasciò la stanza per andare a prendere le foto di Gloria bambina, vidi altrettanto distintamente zia Mame perlustrare palmo a palmo il salone, piuttosto convenzionale, di Park Avenue. La vidi sorridere mentre accarezzava con lo sguardo un paesaggio Ottocento – e soprattutto la sua cornice, molto massiccia –, scuotere leggermente la testa incrociando un ritratto a olio di Mrs Upson eseguito intorno al 1927, giochicchiare con la frangia di un paralume, e infine sogghignare al cospetto dell'orologio Tiffany appoggiato sul caminetto. A quel punto mi schiarii rumorosamente la gola. Lei sobbalzò e rivolse subito l'attenzione, con tutta la graziosità di cui era capace, a Mr Upson, che stava dicendo: «... va benissimo per passarci qualche giorno, ma non ci vivrei mai. Quei francesi fiutano gli americani lontano un miglio, e come possono li rapinano. Quanto agli inglesi, non alzerei un dito per aiutare quei...».

Devo ammettere che, nonostante la sua francoanglofilia viscerale, zia Mame mantenne un contegno ammirevole. Per l'intera serata fu l'immagine stessa della Vera Signora, sciogliendosi un po', ma solo un po', al terzo whisky. Anche allora, comunque, tenne la lingua a freno, limitandosi a qualche storiella divertente e molto censurata, e concluse la sua esibizione con un invito a cena per il fine settimana successivo cui sembrava tenere più di ogni altra cosa al mondo.

«Accidenti, ma sono proprio i giorni in cui staremo facendo i preparativi per la campagna» gemette Mrs Upson, evidentemente combattuta fra il senso del dovere e la voglia di vedere con i suoi occhi quella che era pur sempre una delle case più celebri di New York.

«Ragione di più per venire. Pensate al sollievo del personale,» qui indicò con un gesto decine di domestici invisibili «che non dovrà pensare a cosa prepararvi per cena. Oh, vi prego, venite» concluse col capino un po' piegato da una parte e un sorriso ammaliante. «Nulla di strutturato, sapete. Una cenetta un po' elegante, ma *in famiglia*. Fissiamo per giovedì?». E su queste parole si alzò, dirigendosi con molto contegno verso la porta.

«Patrick, caro ragazzo, non preoccuparti per me, la strada la ritrovo anche da sola. Voi due piccioncini vorrete rimanervene un po' in pace, no? Certo a pensarci prima avrei preso la Rolls, ma un taxi andrà benissimo».

«Non se ne parla!» trillò Mrs Upson, sovreccitata dall'inattesa prossimità con una stella di prima grandezza del Greenwich Village. «Suo nipote ha l'ordine tassativo di accompagnarla, non transigo. Domani del resto Gloria ha una seduta fotografica – per i giornali, sa – e non deve sembrare che abbia fatto le ore piccole».

«Tua zia è una favola» mi sussurrò Gloria accompagnandomi alla porta. «Avevo letto un sacco di cose su di lei, ma incontrarla di persona, parlarci... E che smeraldo!».

A questo punto la Società della mutua ammirazione prese affettuosamente commiato.

«Allora?» chiesi appena in macchina, vedendo che zia Mame si era tolta il cappello e aveva allentato la cintura.

«Cristo, sono in un bagno di sudore. Dunque, per i miei gusti comprano un cicinino troppo da Altman – ai piani più cari, intendiamoci –, ma li trovo carini. Molto. E Gloria è stupenda». Per il resto del viaggio rimase chiusa in un silenzio per lei del tutto inusuale.

Il giorno della supposta cenetta in famiglia Gloria e io facemmo colazione insieme, e poi andammo da Cartier, dove in meno di quindici minuti ebbi modo di farmi una cultura sui diamanti. Reso cieco e sordo dall'amore vidi Gloria respingere in sequenza tre panni di velluto che avevano la riprovevole peculiarità di contenere solitari, e finalmente sorridere rapita alla vista della propria mano tesa, e in particolare del diamante grosso come una noce che le ornava l'anulare. «Sì, è lui» disse in tono ultimativo.

In un evidente stato di alterazione firmai un assegno che grossomodo equivaleva alla mia rendita dei dodici mesi successivi. Gloria mi salutò con un bacio e si allontanò lungo la Quinta Strada, col diamante che sfolgorava nel sole.

Al rientro in Washington Square trovai la casa sottosopra. Le stanze erano un trionfo di orchidee bianche, e Ito stava sistemando l'ultima candela, bianca anch'essa, nel candelabro del soggiorno. Il lungo tavolo veneziano della sala da pranzo era apparecchiato per otto, e due strani personaggi in livrea blu si aggiravano un po' a disagio.

Salii immediatamente in camera di zia Mame, che trovai sul letto, sepolta sotto una pila di vecchi romanzi di Edith Wharton.

«Che diavolo succede?».

«In che senso, mio adorato?».

«Lo sai benissimo in che senso. Chi hai invitato, e chi sono quei due figuri travestiti da maggiordomo?».

«Be', caro, stasera vengono gli Upson, spero non te ne sia scordato».

«Ovvio che non me ne sono scordato, ma vorrei sapere per chi sono i posti in più, che diavolo ci fanno quelle corone funebri in giro per casa, e chi sono quei due attaccapanni in polpe».

«Ma Patrick, caro, ho solo cercato di rendere la serata un po' più piacevole. Insomma, se davvero questi Upson sono così importanti, la tua povera vecchia zia deve cercare di non sfigurare, no?».

«Falla con qualcun altro, la svampita. Chi hai invitato?».

«Senti ragazzino, con me la villania non attacca. Fra l'altro è un terreno sul quale volendo ti straccio, *lo sai*».

«Quello che mi piacerebbe sapere, Vittoria, Maestà, è chi avete invitato al nostro desco stasera».

«Vi ringrazio per le parole cortesi che avete voluto rivolgermi. Mi giungono gradite, ancorché tardive» disse zia Mame con un birignao intollerabile. «Ho invitato i miei amici più cari, cioè Vera Charles e il signor Basil Fitz-Hugh. Ho cercato anche i Guggenheim, ma non potevano».

«I Guggenheim?».

«Sì, i Guggenheim. Sono una famiglia piuttosto in vista, credo che prima di prendere congedo da questa terra ne sentirai parlare. Ed essendo una povera vedova, ho chiesto al principe Henri-René de la Tour di farmi da cavaliere. Sempre che tu non abbia niente in contrario, beninteso».

«E i maggiordomi?».

«Oh, loro. Sono due giovani attori molto dotati che hanno lavorato nell'ultima commedia di Vera. È stata lei a propormeli, dice che danno un tocco di originalità».

«Stammi bene a sentire. Tu e Vera lo troverete divertente, ma per me è la cosa più seria del mondo. Se vi siete messe d'accordo per mandare all'aria il mio fid...».

«Ma Patrick, caro, caro ragazzo,» disse zia Mame con un sorriso radioso «io ho solo cercato di organizzare tutto come si deve. Dando anche una mano a quei poveri ragazzi, certo. Forse non lo sai, ma per gli attori l'estate è una stagione pessima, e io per una replica secca li pago molto più del minimo sindacale. Gli ho persino lavato e stirato i costumi a mie spese».

«Se mi fai una sola delle tue carognate...».

«Ma sei uscito di senno, caro? Perché mai dovrei rovinare la tua felicità? Al contrario, voglio assicurartela. È evidente che gli Upson ci tengono molto ai soldi, e io voglio sem-pli-ce-men-te fargli capire che anche noi non stiamo in mezzo a una strada, ecco».

Ero sfinito e me ne andai a fare un bagno, sperando di placare l'ansia.

Fu una serata memorabile. A parte gli Upson, gli altri arrivarono in leggero anticipo, come si fossero messi d'accordo. In azzurro pallido, con tutti o quasi i diamanti disponibili addosso, zia Mame faceva la sua figura. Vera invece era in bianco, colore che come è noto non sfina, e ingannò l'attesa dicendo peste e corna, nell'ordine, di Ina Claire, Gertrude Lawrence e delle Schubert. L'onorevole Basil si era presentato con la divisa del reggimento britannico di appartenenza, le Coldstream Guards, mentre il principe de la Tour, in abito da sera estivo, era una specie di condensato di Francia. Solo più tardi mi ricordai che Mr Upson non faceva differenza tra francesi e inglesi, li odiava entrambi. I due presunti famuli si comportarono in modo al tempo stesso scenografico e discreto, mentre Mrs Upson toccò letteralmente il cielo con un dito scoprendo che la sua attrice preferita – «Signora Charles, ho visto tutte le sue commedie due volte!» – era intima di zia Mame.

«Accipicchia, vi vedo sistemati proprio bene» continuava a dire Mr Upson.

Zia Mame aveva deciso di pasteggiare a champagne, e al momento dei complimenti per il piccione tartufato riuscì persino ad arrossire. Un amore. «Oh, caro, non siate sciocco. È proprio una cosa da niente, davvero, un piccolo picnic. Sapete, oggi *metà* della servitù si è presa il giorno libero...».

Avrei voluto sprofondare, ma gli altri sembravano trovare tutto quanto normalissimo.

Un paio di volte beccai Mrs Upson che ispezionava la casa con gli occhi lucidi, ma proprio quando stavo per proporle una visita guidata cominciarono i saluti. Gloria, col diamante che mandava barbagli, mi diede un bacio della buona notte ancora più caldo del solito, e sulla porta, di fronte ai maggiordomi sull'attenti, Mrs Upson sussurrò all'orecchio di zia Mame qualcosa a proposito del Connecticut.

«Allora,» sospirò la zia appena ci lasciarono soli «come se l'è cavata il vecchio ronzino?».

«Bene, zia Mame, proprio bene». Dicevo sul serio, anche se non riuscivo ancora a crederci. Però era successo. Le usanze tribali erano state rispettate, ed erano state gettate le basi per un rapporto più amichevole.

Qualche giorno dopo dovevamo partire per il weekend dagli Upson. Zia Mame, che di solito affrontava qualsiasi tragitto in macchina come se si trattasse del giro del mondo, sembrava stranamente apatica, e non si decideva a fare i bagagli. «Pensavo di prendere giusto una cappelliera e di sbatterci dentro un paio di quelle cosine scozzesi da estate, e magari una gonna lunga da contadina per la sera. Che ne dici, tesoro?» fece sollevando il suo sguardo più innocente da una mappa militare del Sahara occidentale. «Senti caro, per quanto bastardo sia, quel Rommel sa il suo mestiere».

Praticamente gliela strappai di mano. «Sentimi tu, Molly Pitcher,» ruggii «non so cosa ti sei messa in testa, ma quello che so è che non ti presenterai dagli Upson con una busta e travestita da piccola mungitrice».

«E va bene, tesoro, se vuoi far colpo ci spariamo

tutte le cartucce. Mi porto la Rolls, Ito, la cameriera, e un baule di vestiti».

«Non ho detto che gli Upson ti volevano far sfilare in passerella. Non sono i tipi».

«No?».

«Se hai in mente uno dei tuoi soliti trucchi, dimmelo».

«Ma Patrick, caro,» rispose con la sua aria più candida «la tua felicità mi sta immensamente a cuore, lo sai. È l'unico scopo della mia vita. Scusa, ma se non fosse per questa gita dagli Upson – e ci vengo solo per te, chiaro – a quest'ora me ne starei già a Fire Island, con alcuni fra i ragazzi più divertenti che...».

«Ecco, ti pregherei di non nominarla neanche, Fire Island».

«Ma cosa pretendi, che finga di essere quella che non sono?».

«In poche parole, sì».

«Molto bene, impacchetta le mie piume, chiama la Rolls, tira fuori la scatola dei gioielli, peccato che abbia già messo via lo zibellino...».

«Ma santo cielo, non puoi comportarti come una persona normale?».

«Ti piacerei se lo facessi?».

«Possibile tu debba sempre recitare? O ti presenti vestita da forosetta, o ti porti dietro una carrettata di diamanti, manco fossi la regina di Saba? Non ti passa per la testa che vorrei fare buona impressione sulla famiglia di Gloria?».

«E a te non passa per la testa che la famiglia di Gloria potrebbe avere un qualche interesse a fare buona impressione su di *me*?».

«Vogliono che li consideri persone carine, questo è ovvio».

«Ma chi l'avrebbe mai detto».

«Ascoltami, parliamoci chiaro. Per me questa è

una cosa molto importante. Intendo sposare Gloria...».

«Anche se non è la donna giusta?» chiese piatta.

«Questo se non ti spiace lascialo decidere a me. Ti chiedo solo di venire e di comportarti come una persona normale. Le altre due volte lo hai fatto, e agli Upson sei piaciuta moltissimo...».

«Accidenti, ho svoltato l'estate!».

«Se ti comporti come ti sei comportata fin qui andrà tutto bene. Ma non c'è nessun bisogno che sappiano del *Chu Chin Chow*, e neppure dei frocetti che vedi a Fire Island...».

«Ti rendo noto che i gusti sessuali delle persone che frequento non dipendono da me».

«... e neppure di un sacco di altre cose di cui in genere i comuni mortali vengono tenuti all'oscuro».

«Senti, e credi ci sia bisogno che sappiano quello che penso di te, e cioè che sei diventato un baciapile borghesotto snob da quattro soldi fra i più fessi della costa orientale, o credi che ci arrivino da soli?». Su queste parole, prese la sua mappa e uscì sbattendo la porta.

Durante il viaggio in macchina fino al Connecticut non parlammo quasi. Ma a un certo punto le dissi che quel vestito di lino le stava molto bene.

«Grazie, caro,» mi rispose acida «avrei tanto voluto comprare un abituccio oltremare con una spruzzatina di bianco, e magari un grappolo di ciliegie sul petto, ma sai di questi tempi il reparto donna di Best and Company è talmente affollato...».

«Zia Mame, non hai niente contro le mie nozze con Gloria, vero?» le chiesi con tutta la calma possibile.

«Non lo so,» rispose guardando fisso davanti a sé

«proprio non lo so. Adesso stai un po' buono e lasciami vedere cosa combina il generale Montgomery». E sprofondò ostentatamente nella lettura del «Time», restando in silenzio fino all'arrivo a Mountebank.

Dopo una mezzoretta passata a imboccare strade sbagliate, tutte con nomi molto strani, riuscimmo finalmente a trovare Larkspur Lane.

«Carino, vero?» dissi per dire qualcosa.

«Adorabile» fece zia Mame mettendo via il «Time».

Proseguendo, arrivammo a un cancello fatto con ruote di conestoga bianche. C'erano anche una lanterna coloniale appesa a un palo e un cartello con la scritta

UPSON DOWNS

«Ma guarda che spiritosi» disse zia Mame.

«Stammi a sentire. Se solo...».

«Patrick, non mi mettere in bocca cose che non ho detto,» mi interruppe zia Mame sgranando gli occhi, l'immagine stessa dell'innocenza brutalizzata. «Volevo solo dire che è molto, ma molto divertente, davvero. Mi piacerebbe solo sapere chi di loro ha avuto questa pensata».

Mentre imboccavamo il viale scrutai a lungo e con estrema attenzione il suo volto, senza tuttavia giungere a una conclusione definitiva.

La casa era una costruzione bassa, di pietra, e sul davanti aveva una staccionata, comodissima per legarci il cavallo. La porta d'ingresso, sovrastata da due lanterne, ostentava una fila di campanelli da slitta. «Ma che amo-re» tubò zia Mame. «Perbacco, neanche su "Better Homes and Gardens"». Il suo volto rimaneva del tutto imperscrutabile.

«Iuu-hu!» urlò Mrs Upson attraversando la soglia

di casa con lo sprint di un velocista che taglia il filo di lana.

«Ma buon gior-no!» strillò a sua volta zia Mame. «Sentite, a-doro questa casa. È la più carina che ho visto in tutta la mia vita».

«Sì, noi ce la godiamo molto» disse Mrs Upson con una smorfia. «Il corpo principale risale a prima della Rivoluzione. Come potete immaginare però era troppo piccola, così abbiamo aggiunto le due ali per i ragazzi, ma ora che Boyd è sposato e Gloria praticamente fuori casa ci vogliono i pattini per andare da una parte all'altra».

«Oh, dica quello che le pare, tesoro, è una meraviglia» fece zia Mame con un sorriso che più fasullo non si poteva.

«E naturalmente Mountebank è protetta».

«Da chi?».

«Da... oh, lo sapete bene» disse Mrs Upson arrossendo, o come se.

Mentre un domestico di colore prendeva in carico i nostri bagagli, seguimmo Mrs Upson lungo il corridoio. Era dipinto di verde, e abbellito da una pendola rustica, diverse stampe di Currier e Ives e un tappeto all'uncinetto.

«Oooh» squittì zia Mame quando il tappeto le scivolò da sotto il piede, costringendola ad aggrapparsi al corrimano.

«Fate attenzione» trillò Mrs Upson. «Ci manca solo che vi rompiate una gamba. Anche se vi confesso che l'assicurazione di Claude copre tutto».

«Ma che previdenti» commentò zia Mame sollevando il ditino come una soubrette da operetta.

«Avrei pensato di sistemarvi nell'ala degli ospiti» disse Mrs Upson ansimando su per una scaletta piuttosto angusta.

«Divino!» commentò zia Mame. Le mollai a tradimento un pizzicotto nella schiena, strappandole un «Ahia!».

«Qualcosa non va, cara?» chiese Mrs Upson.

«Oh, assolutamente no, stavo pensando a quanti stivali calzati da valorosi generali della Rivoluzione avranno calpestato questi augusti gradini prima di noi».

«Già. Dunque, questa è la vostra stanza, mentre la tua, Patrick, è questa qui. Nel caso vi sentiste soli avete un salottino in comune» ridacchiò.

«Carino!» gracidò zia Mame. «La mia camera è così femminile, e quella di Patrick così maschile. Ci scommetto che non è stata scelta per caso».

«In effetti... ecco, ho chiesto ai decoratori di Altman...».

«Altman? Avrei detto Sloane. Puro Sloane».

«Accipicchia, ma non ti si può nascondere nulla, Mame. Hai ragione, sotto è Sloane, e sopra Altman. Oh scusa, posso darti del tu, vero? E tu anche devi darmelo, naturalmente».

«Dammi quello che vuoi, Doris, basta che prima o poi mi dai qualcosa da mettere sotto i denti. Ah, ah, ah».

In pratica le due signore si gettarono l'una nelle braccia dell'altra, ridacchiando come collegiali. Una scena orripilante.

«Adesso, svelti, andate a rinfrescarvi un po'. Io e Claude vi aspettiamo giù in terrazza con un bel daiquiri. Gloria è ancora al club con le sue amiche, ma sta arrivando. Insomma sbrigatevi. Ah, non state a vestirvi eleganti per la serata, ricordatevi che siamo in campagna». E sfrecciò via.

«Oh, tesoro,» disse zia Mame «non è un amore qui? Guarda solo la mia stanza. Pura provincia francese, curata fino nei particolari. E pensa che cari, mi hanno persino procurato qualcosa da leggere. Ma guarda, "Selezione", e addirittura *Il canto di Berna-*

*dette.* Ho sempre desiderato leggerlo. E c'è anche il "Vogue" di marzo».

«Se solo ti azzardi...».

«Caro, ma si può sapere cosa ti prende? Tutto quello che vedo mi piace, e Doris è una vera amicona. E poi hai visto quanto le piaccio, dài, mi ha persino chiesto di darle del tu eccetera. Guarda, sarò un'ospite talmente perfetta che anche Claude passerà presto al tu, scommetto. Oh, quanto è tenera questa cosa del *tu* in famiglia».

Ero così furioso che non riuscivo a spiccicare parola, ma d'altra parte mi rendevo conto che zia Mame stava avendo un successone. Si tratteneva, e faceva tutto quello che le avevo chiesto, se non di più.

Mentre mi stavo spalmando la schiuma da barba la sentii raspare alla porta. Un attimo dopo aveva già messo dentro la testa. «Santo cielo,» sussurrò «ma che bagno virile ti hanno dato, tesoro. Non come il mio. Tutti questi asciugamani ruvidi e scuri – già che c'erano potevano ricamarci sopra un "Lui". Oh, e guarda quella stampa con le anatre. Il mio è tutto rosa, e ci sono solo stampe di levrieri...».

«Ahia» ruggii.

«Oh, tesoro, ti ho fatto tagliare?».

«Si può sapere cosa ti frulla per la testa? Togliti immediatamente quel nastro dai capelli».

«Ma Patrick, era in omaggio con la boccetta di abbronzante, e ho visto che Doris ne ha uno proprio uguale. Trovo che stia benissimo con tutti questi falpalà». Si era messa un abito rosa molto vaporoso, cui aveva aggiunto a caso qualche chilo di pietre *non* preziose, ma anche non abbastanza brutte per meritare un commento.

«Non sono perfetta per Mountebank, caro?».

«Come no» risposi tamponandomi la ferita.

«Tesoro,» concluse zia Mame baciandomi sul collo «datti una mossa. Ti aspetto nel salottino. Mi piazzo su una di quelle comodissime poltrone e mi leggo qualche pagina di *Oliver Wiswell*. C'è qualcosa in questo posto che mi fa sentire dentro una pagina di storia».

Il piano di sotto, ossia la sezione Sloane della casa, era una copia conforme di quello di sopra: molto caratteristico, molto campagnolo, molto coloniale. C'erano lanterne da diligenza, lanterne di latta, abat-jour, lampade ricavate da zangole, macinini da caffè e barattoli da farmacia. Alle pareti si alternavano scaldini, vecchi mantici, treppiedi di ottone, capolavori del ricamo, fumetti incorniciati, stampe di caccia, mappe ingiallite e lindi dagherrotipi. Mrs Upson, nervosa, si era sistemata in terrazza su una sedia di ferro battuto. I rumori che il padrone di casa produceva preparando da bere per gli ospiti coprivano addirittura i «Tenero... Caratteristico... Geniale...» di zia Mame.

In tuta verdina, e con ai piedi un paio di rumorosissimi sandali messicani, Mr Upson più che un essere umano sembrava un orso ammaestrato. Si avventò sulla mano di zia Mame, e a me appoggiò una zampona paterna sulle spalle. «Bene bene,» grugnì «eccoci tutti qui. E vista l'ora, quello che ci vuole è un celebre daiquiri Upson».

«Slurp» fece zia Mame.

«Eh sì, ho un mio piccolo segreto. L'ho imparato a Cuba quest'inverno. In un posticino dove andavamo sempre – come si chiamava, Doris, Casa Uan? Sì, mi pare proprio Uan – il barista, Uan appunto, ci ha detto di non metterci mai lo zucchero. E aveva ragione, in un buon daiquiri non ci va nemmeno un granello di zucchero».

«Ma davvero?» fece zia Mame.

«Giuro, neanche un granello. Volete sapere il segreto di Uan?».

«Oh, non so cosa darei. Sempre che si possa divulgare».

«Bene, Uan usa solo miele filtrato».

«Ma cosa mi dice, miele filtrato».

«Proprio. Miele filtrato, e un rum molto chiaro».

«Non capisco dove sia finita Gloria» intervenne Mrs Upson, appoggiandomi una mano grassoccia sul ginocchio. «Ma non preoccuparti, sarà un bellissimo...».

«... e poi il ghiaccio va triturato molto fine».

«Sembra un lavorone».

«Ehi, Bertha,» strillò Mr Upson «metti in forno quei canapè al chutney!».

«... e va shakerato molto bene. Non due bottarelle, il daiquiri non è roba da finocchi. Per farlo venire bene bisogna metterci un po' di olio di gomito. A proposito, signora Dennis, visto che siamo *en famille*, non potremmo darci del tu? Non vuoi chiamarmi Dado?».

«Dado? Ma credevo che si... che ti chiamassi Claude».

«Oh, solo Doris mi chiama Claude, per tutti gli altri sono Dado. Tu comunque chiamami Dado».

«Bene, Dado, senz'altro,» disse zia Mame vezzosissima «a patto che anche tu mi chiami col mio soprannome».

«Che sarebbe?» chiese Mr Upson mescendo il daiquiri.

«*Coccola*».

Il daiquiri mi andò di traverso. Dovetti persino scusarmi.

In quel momento arrivò Gloria. Era abbronzata, irresistibile, e si era preparata tutta una serie di scuse piuttosto intorcinate per giustificare il ritardo. Alle sette ci raggiunse un'altra coppia, gli Abbott, o Cabbott, o Mabbot, non ho mai capito. Lui faceva non so quale lavoro in banca, mentre lei si occupava di pianificazione familiare. Entrambi amavano Parigi, ed erano stati in un albergo che a quanto pare si chiamava il Crayon. Durante la cena, micidiale, zia Mame intrattenne l'allegra brigata con una sfilza di aneddoti sull'estate in cui aveva guidato il suo gruppo di Coccinelle in una gita allo Yosemite. Era la prima volta che la sentivo raccontare quelle storie, e a quanto mi risultava le Coccinelle neanche sapeva cosa fossero. Per sì per no feci finta di niente, e risi insieme agli altri. Comunque zia Mame fu di gran lunga la protagonista della serata, e solo più tardi, a letto, realizzai che quella stessa estate in cui sosteneva di avere preso la testa delle Coccinelle l'aveva in realtà trascorsa in tournée col *Chu Chin Chow.*

Il sabato zia Mame si alzò ostentatamente alle sette, e passò gran parte della mattinata in giardino, cogliendo molte più rose di quelle che potevano trovare posto nei vasi di casa Upson. In tutta sincerità stava andando un po' fuori parte, o meglio calcava troppo sul lato georgico della faccenda, ma nessuno trovava niente da obiettare, anzi, il signore e la signora Upson erano ai suoi piedi. A colazione zia Mame ci raccontò quanto si fosse divertita a Buffalo nei giorni del suo debutto in società – che caso strano erano gli stessi del *Chu Chin Chow,* e a questo punto anche delle Coccinelle. Quindi trascinò Mrs Upson in una discussione molto tecnica su alcune questioni genealogiche, nel corso della quale appresi con un certo stupore di discendere per via diretta da Carlo Magno.

Nel pomeriggio ci separammo; Mr Upson si diresse al campo da golf, mentre Mrs Upson e zia Mame – Doris e Coccola, ormai – partivano alla volta di un mercatino di campagna. Quanto a Gloria, mi portò ad amoreggiare nelle frasche.

«Oh, tesoro, non è stupendo qui, lontano da tutta quella gentaglia di New York?» mi sussurrò, gli occhi più verdi e lucenti che mai.

La strinsi fra le braccia, dandole un bacio senza fine.

«Angelo,» mi disse, rimettendosi a sedere «vedi tutta quella terra oltre il muro di pietra?».

«M-mmm».

«Sai che è tutta in vendita? Tutta, dico, sessanta ettari».

«Davvero? Dammi un altro bacio».

«Oh, no, mi gratti. Scommetto che devi raderti il doppio degli uomini normali. Comunque, pensavo che potremmo comprarla noi e venire a vivere qui. Non sarebbe un sogno? Pensa, proprio attaccati a mamma e papà».

«Ma dovremmo fare avanti e indietro tutti i giorni».

«Ma no, in città possiamo prendere solo un pied-à-terre, e per il resto vivere qui, a Mountebank. Fra parentesi papà è molto preoccupato che compri qualcun altro. Qualcuno di buffo, magari».

«Di buffo?».

«Ma sì, dài, di poco carino».

«Cavolo, Gloria, qui la terra deve costare un occhio della testa».

«Be', non te la tirano dietro, chiaro, ma è una terra magnifica, e del resto qui abita solo gente di un certo tipo. Scusa, guarda come piace a tua zia. Sono sicura che se glielo chiedessi nel modo giusto – o addirittura se glielo chiedessi *io* – ci farebbe un bellissimo regalo di nozze. Quella collina, e forse anche una casetta, magari di vetro, molto moderna».

«No, aspetta un secondo» dissi mettendomi a sedere. «Non ho alcuna intenzione di spremere come un limone zia Mame. È sempre stata fin troppo generosa con me, adesso basta. A parte il fatto che qualche soldo ce l'ho anch'io, e non vedo perché andarne a chiedere in giro».

«Ma angelo,» disse Gloria con un broncio graziosissimo «allora a che servono i soldi? In fondo lei è sola al mondo, e tu sei il suo unico erede. O no?».

Cambiai rapidamente discorso. «Piuttosto credo dovremmo cercarci un posto in città, e fissare la data. Che ne diresti di metà del mese prossimo?».

«Di metà del mese prossimo per cosa? Per sposarci?».

«Certo, per cos'altro?».

«Ma non si può assolutamente».

«Perché no?».

«Ad esempio perché non ho niente da mettermi. Non ho vestiti».

«E quello che indossi cos'è?».

«Non fare lo stupidino, sai cosa intendo. Intendo *veri* vestiti – biancheria, abiti, completi, cappotti, cappelli, insomma le cose che servono per sposarsi».

«Credevo che per sposarsi servissero un marito e un certificato Wassermann negativo».

«Oh, smettila. Non possiamo assolutamente sposarci. Jane è nel Maine, Pammy a Nantucket, e B.J. e Frannie sono tutte e due a...».

«Ma io non voglio sposare Jane e Pammy, e neanche B.J. e Frannie, io voglio sposare te. Se anche tutte le tue amiche stessero facendo una vacanza di studio all'inferno non me ne importerebbe nulla di nulla. Perché non scappiamo da qualche parte e ci sposiamo e basta?».

«Perché il mio povero papà morirebbe di crepacuore, ecco perché. Non me lo perdonerebbe mai. E la mamma? Fin da quando ero alta così non ha sognato altro per me che uno splendido matrimonio nella chiesa del Divino Ristoro, con paggi e damigelle, e la bambina di Boyd – oh, aspetta solo di vederla, la piccola Deborah, è un tale cherub... –, be' insomma la bambina di Boyd a reggere lo strascico, e poi la grande festa al circolo, e poi...».

«Stai dicendo che dovremo reclutare sei fessacchiotti e affittargli dei vestiti che gli staranno da cani e...».

«Ma amore, è il bello del matrimonio!».

«Credevo che il bello venisse dopo».

«Lo sai cosa intendo. Chi diavolo vorrebbe sposarsi senza feste e danze e regali e foto sui giornali? *Tutti* fanno così».

«Tutti?».

«Tutti quelli che conosco io. Le persone carine. Certo non pretenderai di trascinarmi in municipio davanti a una folla di sconosciuti e...».

«Adesso che Ziegfeld è morto, non so chi altro possa allestire una produzione del genere».

«Oh, pensavo che potremmo annunciarlo ai primi di settembre, quando tutti tornano dalle vacanze, fare le feste e i ricevimenti in autunno, sposarci dopo Capodanno, e poi magari andarcene in viaggio di nozze a Palm Beach, o in un posto del genere».

«Ho capito» dissi freddamente.

«Senti, angelo, non prenderla così. È molto meno tempo di quello che pensi, e avrai un sacco da fare. Ti ricordo solo che dobbiamo trovare un appartamento, e non intendo il primo buco che capita, intendo un posto molto carino con un suo stile, molti mobili, molti tappeti e uno straccio di cameriera. Sono cose che non si possono improvvisare. O si fanno bene o non si fanno».

«Ma certo» dissi accendendomi una sigaretta.

«Su, adesso piantala, piccolino. Alla lunga vedrai che mi darai ragione. Oddio, sono quasi le quattro, e ho promesso a Mary Elizabeth che avremmo giocato a tennis con lei. Corri, vatti a cambiare! ».

Quella sera gli Upson avevano invitato a una serata danzante un folto gruppo di giovani, meno giovani e anziani, oltre ai più decrepiti di tutti, i Giovani Sposi. Molto prima del tramonto allegre comitive di suburbani in abito da sera già risalivano rumorosamente il vialetto, mentre Mr Upson spiegava a chiunque fosse disposto ad ascoltarlo come si prepara il vero daiquiri. Quando zia Mame ordinò un whisky liscio devo dire che ci rimase parecchio male. In compenso le voci sul fascino della zia dovevano aver raggiunto anche gli angoli più protetti di Mountebank, e avevo la sensazione che i convenuti pendessero letteralmente dalle sue labbra. Fra l'altro l'interessata era in gran forma, e parlava con tenerezza della giara dipinta a mano che aveva comprato a un'asta quel pomeriggio. « E adesso Doris mi insegnerà come ricavarne una bella lampada » diceva a un pubblico incantato.

Con un vestito bianco lunghissimo, e coperta di zaffiri, zia Mame era proprio uno splendore. Avevo idea che quella sera diversi signori che non ballavano da anni ne avrebbero improvvisamente avuto una gran voglia. Del resto zia Mame stava dando il meglio. Volteggiava dall'uno all'altro, cinguettando dello scarabeo giapponese, della difficoltà di un certo colpo di golf, della fillossera, delle scuole di campagna, del problema della servitù e – almeno fin quando non si beccò un'occhiataccia dal sottoscritto – della necessità di legalizzare la prostituzione.

Intorno ai daiquiri di Mr Upson si era radunata un piccola folla, che impediva sia di muoversi sia di seguire fino in fondo la conversazione.

« È fantastica, e avrà al massimo... ».

« "Ehi, señor," mi fa, perché è così che parla Uan

"tu seguro niente succhero, eh, solamente miele. Seguro te viene una roba..."».

«*Mousseline de soie*, devi chiedere, e da McCutcheon la mettono, dunque, al metro, se non sbaglio...».

«Ma io ho sempre pensato che Gloria volesse...».

«E allora il caddy negro ha detto "Io giuro giuro mai visto pallina di guel golore, mai"».

«Ma Gloria, è un anello stupendo. Come dicevo a tua madre, "Devi pensare che non perdi una figlia, acquisti un figlio". Senza contare che è un ragazzo talmente carino...».

«È il più notevole esemplare femminile che abbia mai frequentato Mountebank dai tempi in cui la regina Maria...».

«Sì, il problema è che ai buffet io di solito mi attrippo...».

«Il segreto è tutto lì: agitare, agitare e agitare. Il daiquiri non è una cosa da...».

«Mezzo pompelmo e un cracker. E per cena...».

«Ma certo che sono veri. Guarda, dei suoi gioielli so tutto, erano pubblicati sull'ultimo "Town and Country". Lo sanno tutti che...».

«Harris, si chiamavano Harris, e con quel nome uno può esserlo o anche no. Be', lui aveva un'aria a posto, ma quando Alice ha visto *lei*, cosa vuoi che ti dica, ha venduto immediatamente a noi, e per la metà di quello che avrebbe preso da quei due rabbini...».

«E allora F.D.R. ha detto "Ma Eleanor, come faccio a sapere che tu..."».

«Lui non parla tanto, ma sua zia è perfettamente...».

Al culmine della festa, zia Mame salì improvvisamente su una sedia: «Silenzio! Tutti quanti, un attimo di silenzio, per favore!». Lo ottenne all'istante. Avevo i brividi, o forse sudavo, non lo so neanch'io.

«Tutti voi sapete benissimo che cosa stanno combinando questi due ragazzi, dunque la notizia non c'è. Però mi sono spremuta a lungo il cervello per cercare un piccolo regalo di fidanzamento giusto per una ragazza meravigliosa come Gloria, e finalmente credo di averlo trovato». Si sfilò l'elaborata collana di zaffiri che portava, saltò giù dalla sedia, e andò ad allacciarla al collo di Gloria. «Ecco, tesoro, mi fa piacere l'abbia tu. Sta meglio a una ragazza giovane».

Il gesto suscitò un maremoto di brusii e sussurri. Gloria, fuori di sé dalla felicità, rimase senza parole.

Ripeteva solo «Oh, oh», nient'altro.

«Mame!» urlò Mrs Upson. «Non puoi, non devi! Oh, Mame, ma è meravigliosa! Senti Gloria, fino a quando papà non l'avrà assicurata lascia che mamma te la leghi bene bene col filo interdentale. Pensa se la perdessi!».

Ero sbalordito. Felice, e colmo di gratitudine. Ma nella luce aranciata del tramonto quegli zaffiri non sembravano, come dire, del tutto intonati al vestito verde e agli occhi verdi di Gloria.

Nel suo genere era tutto giusto: serata giusta, cena giusta, orchestra giusta. Dopo essermi lisciato gran parte delle signore sedute al lungo tavolo, avevo ballato tutta la sera con Gloria, che mi si stringeva addosso come non aveva mai fatto. «È la sera più bella della mia vita» mi aveva sussurrato a un certo punto. Ma zia Mame continuava a rubarle la scena. Aveva cominciato a ballare alle nove e mezzo e non si era fermata un minuto. A un certo punto ritenni di doverla salvare dall'ennesima prodezza ginnica del mio futuro suocero.

«Posso?» gli chiesi.

«Oh, voi giovani arroganti vi prendete sempre il

meglio, vero? Vero, Coccola?» gorgogliò lui, con un pizzicotto d'addio alla sua schiena nuda.

«Ahia! Dado, mi uccidi!».

«Non dovevo intromettermi, zia?».

«Non dovevi? Se aspettavi ancora un attimo trovavi un'invalida. Mai saputo che la musica si potesse usare per giocarci a rugby. Vuoi che ti spieghi come si prepara il daiquiri tale e quale a quello di *Juan*? Dunque, care amiche, prendete un po' di miele...».

«Ti supplico, so tutto» le risposi ridendo. «Ma davvero ti stai divertendo?».

«Scioccone! Ti ho mai raccontato di quando Mr Abbott ha fatto la quattordici in un colpo solo? Un par tre! No? Allora senti qui. Dunque, quella volta Abbott aveva un caddy negro...».

«Ascolta, zia Mame, davvero. Che tu ti diverta o no, per me sei la persona più straordinaria dell'intero Stato del Connecticut...».

«Se non sei in grado di dire qualcosa di carino, taci».

«Guarda che non scherzo. Sei la fine del mondo, e io ti venero, non sono mai stato così fiero di qualcuno in vita mia».

«Ma non ci vuol niente, caro. Basta un po' di miele e olio di gomito. Oh santo cielo, arriva Max Schmeling per il quarto round».

«Posso?» chiese Mr Abbott, o come diavolo si chiamava.

«Spero che per te non sia troppo noioso,» disse l'indomani mattina Mrs Upson, passando a zia Mame le pagine sul giardinaggio dello «Herald Tribune» «ma da noi la domenica si passa in famiglia. Al mattino Claude, caschi il mondo, si fa le sue diciotto buche. Oh, io gliel'ho detto un milione di volte che dovrebbe andare in chiesa, ma lui sai cosa mi risponde? “Con Dio ci parlo già abbastanza fra un colpo e l’altro”. Non è orribile?».

«Orribile?» rispose zia Mame. «Ma cara, è...».

«Comunque, ti dicevo, qui a Upson Downs la domenica è una giornata molto tranquilla, da vecchietti. Ce ne stiamo un po’ qui, poi di solito arriva Boyd – il nostro ragazzo – con Emily, e ci facciamo due chiacchiere in santa pace. A te non piace il gin rummy, vero?».

«Mi piace? Ma se lo *adoro*».

«Fantastico! Allora tiro fuori il tavolo e gli score e ci facciamo una partitina mentre...».

«Ah, il gin in *quel* senso» disse zia Mame, un po’ perplessa.

«Uh, è vero, c’è chi la domenica non gioca a carte. Il passatempo del diavolo, no?».

«Guarda, vanno benissimo queste pagine sul giardinaggio, non vorrei scombussolarmi troppo, visto che arriva Floyd».

«Boyd».

«Ma certo. Boyd e Emily».

La domenica si trascinò più o meno così. Gloria dormì fino all’ora di pranzo, e trascorse il pomeriggio in camera sua scrivendo della sua felicità alle amiche che vivevano lontano. Mrs Upson portò zia Mame da una certa signora che aveva la più importante collezione di vetri da latte di tutta Mountebank, e io, abbastanza sudato e molto annoiato, me ne restai seduto in veranda.

Alle cinque del pomeriggio ci ritrovammo in terrazza, dove Mr Upson, rubizzo e rinvigorito dalla partita di golf, preparò un daiquiri per tutti, reintroducendoci ai segreti della sua preparazione. Questa volta, tuttavia, zia Mame fu irremovibile, e si fece portare un whisky liscio, mentre io chiesi una birra. Il tempo di sedersi, e arrivò una Ford decappottabile con dentro Boyd Upson, sua moglie Emily e la loro figlioletta, Deborah.

«Iuu-uh!» trillò Mrs Upson. «Boydino, iuu-uh, Emily!».

Con uno scalpiccio di piedini Deborah, una treenne piuttosto graziosa, ci raggiunse di corsa.

«A-more! Vieni da nonna, Debbie gattino, dai un bacino a nonna. Non trovi ridicolo che io sia già nonna?» disse Mrs Upson strizzando l'occhio a zia Mame.

«Ridicolo?» rispose zia Mame. «Be', veramente...».

Grazie al cielo la sua risposta fu soffocata dall'arrivo di Boyd e signora. Boyd era il tipico giovane repubblicano del Connecticut, alto, biondo, bello, con i muscoli originari rapidamente degenerati in grasso. Sua moglie, Emily, era identica alle mogli che affollano ogni veranda di ogni country club fra Bar Harbor e Santa Barbara – una ragazza alta e piuttosto sgradevole cui avevano raddrizzato i denti, insegnato qualche passo di danza, e impartito un'educazione di base nel solito circuito di scuole compiacenti. Partiva come fuoriserie, ma al momento era in rimessa, dato l'evidente stato di gravidanza.

«Allora ragazzo, come va?» disse in tono affettuoso Mr Upson. «E Emily, come sta la mia mammina?».

«Benone, pa', uno sfarzo» strillò Boyd. Nel corso del pomeriggio avrei scoperto che la sua cultura, in fatto di gergo, era ferma agli anni Venti. Ogni sua battuta era infatti introdotta da reperti quali cribbio, capperi, perbacco, santi numi, santa polenta, santa pazienza, e così via.

«Debbie, lascia stare le perle di nonna. Non è un angelo?».

«Del Paradiso» rispose zia Mame, stringendosi un po' la gonna.

«Come sta?» mi chiese Emily, porgendomi una mano molle. «Deborah, se continui a comportarti come una sioux ce ne andiamo subito a casa, eh? Boyd, occupatene un po' tu. Non ha fatto la nanna oggi pomeriggio, quindi è un po' stanchina».

«Crispino, ciccia, cosa ci posso fare?» esplose Boyd.

«Senti, non posso tenermela tutto il tempo addosso...».

«Non è che hai avuto altre nausee, Emily?».

«No no, però abbiamo litigato a morte con quella maledetta cameriera. Ormai non è lei che lavora per noi, siamo noi che lavoriamo per lei. Guardi,» continuò fissando negli occhi zia Mame «con questi negri non si fa più vita. Chiedono la luna. Si figuri che la mia vorrebbe lavorare dieci ore al giorno in tutto, e pretenderebbe anche la domenica libera. Io dico...». Ma qui intervenne la suocera.

«Ssst! Ti sentono, cara. Mame, vuoi tenerla un po' tu?».

«Non è che muo...» gemette zia Mame mentre Debbie le veniva deposta in braccio. Un attimo dopo, la piccoletta era già appesa a uno dei suoi orecchini. «Ahia! Mollali subito, maled... Oh, ecco, questi non *devi* toccarli» concluse strangolando Debbie con lo sguardo.

«Deborah,» intervenne Emily «se continui a fare la peste ti sistemo io, eh? Boyd, vuoi fare qualcosa?».

«Rosso, rosso» sussurrò la piccola afferrando la spilla scarlatta che ornava il bavero di zia Mame. «Voio!».

«Mollala subito, piccolo... tesoro» disse zia Mame.

«Le piaci, Mame cara, io lo capisco subito» commentò Mrs Upson.

Vedendo arrivare il cane zia Mame depose Deborah a terra, in modo che giocassero insieme. E nel farlo scoprì che la piccina le aveva lasciato in grembo una grossa macchia umida.

«Boyd, per favore, non voglio che quel setter schifoso lecchi Deborah. Chissà dove è andato a strofinare il muso!» gemette Emily.

Lavorando a stretto contatto, solleone e birra erano riusciti a farmi venire un mal di testa dell'accidente, ragion per cui della conversazione ricordo solo che era molto rumorosa. Parlavano tutti insieme, più o meno del nulla. Zia Mame si scolava un whisky dopo l'altro, ma come darle torto.

Alle sette di sera un famiglio portò fuori un armamentario in ferro presumibilmente connesso con la cena, e la piccola Deborah venne esortata da tutti a schiacciare un pisolino sul letto di nonna. Naturalmente non ne voleva sapere, e il suo fermo rifiuto diede la stura a un fitto susseguirsi di ingiunzioni, ordini e minacce, che sfociò in un guardie e ladri di gruppo, con Deborah che strillava e il cane che abbaiava isterico. Questo fino a quando, passando nelle vicinanze della poltrona di zia Mame, la piccina inciampò, atterrando sull'erba con un tonfo morbido. Avrei giurato che si fosse trovata sulla strada un certo piedino, ma la principale indiziata era in prima fila nei soccorsi. Risultato, Deborah venne messa a riposo, diciamo così, per il resto della serata.

Quando le acque si furono calmate Mr Upson si presentò in scena con uno smisurato cappello da cuoco e un enorme grembiule di tela, sul quale erano ricamati motti arguti del tipo «Chi sporca lava», «Tanto va lo chef al lardo...», «O mangi la mia minestra, o quella è la finestra».

«Fa scena, eh?» trillò Mrs Upson.

«Uno spettacolo, sì» disse zia Mame.

«La domenica sera Claude vuole cucinare, non ci sono santi. Gli ho comprato il nécessaire per il barbecue da Hammacher-Schlemmer, e ci gioca come un bambino».

«Vedo».

«Capperi, pa'. Bisogna che ti fotografi vestito così. Con la cartolina facciamo il botto, a Natale».

«Quello che dovresti fare, Boyd, è una foto di Coccola e me ai fuochi. Perché tu adesso aiuti Dado, vero Coccola?».

«Sì?» disse zia Mame senza scomporsi.

«Sì, ci puoi scommettere le mutande. Senza di te la carne in tavola non ci arriva. Portati qui il bicchiere e dammi il tuo appoggio *immorale*. Ha, ha, ha».

«Spero che le bistecche ti riescano come il daiquiri» disse zia Mame con aria civettuola, preparando due robuste dosi di scotch.

«Soda, Mame?» chiese premurosa Mrs Upson.

«No grazie, Doris» disse zia Mame avviandosi giù per il prato, in direzione del barbecue e di Mr Upson. La cortina fumogena era talmente densa che ci nascondeva i due alla vista, anche se sentivamo distintamente zia Mame tossire e schiarirsi la gola. A un certo punto la vedemmo anche riemergere, con gli occhi rossi come cipolle, fare rifornimento, e tornare impavida verso le fiamme, portando con sé altri due bicchieri di whisky belli pieni.

Per preparare bistecche ben cotte – cioè, nell'accezione di Mr Upson, carbonizzate e coperte di cenere fuori e completamente crude, oltre che gelide, dentro – ci volle un'eternità. Alla fine ce ne toccò una a testa, e la prima constatazione fu che una mente criminale sapeva come sperperare venti dollari di ottimo manzo. La seconda, che forse il fumo e lo scotch avevano sopraffatto Mr Upson.

Seduti intorno al tavolo di vetro e ferro addentammo con una certa determinazione le bistecche, biascicando complimenti gutturali e poco sentiti.

Durante il fiero pasto, Mr Upson trangugiò un altro paio di bicchieri, tanto che la sua signora fu costretta a chiedergli «Claude, sei sicuro?». Per il resto, cenammo in religioso silenzio. Emily accusò diversi, fastidiosi disturbi gastrici – lo credo –, mentre la quiete venne alla fine rotta da Boyd, che aveva la deplorevole abitudine di parlare con la bocca piena.

«Cribbio, pa', sai la proprietà qui dietro? Venerdì stavo facendo un giro sulla 507 con Charlie Haddock, e sai cosa mi ha detto? Che la vogliono vendere a certi tizi del New Jersey, di Summit mi pare. Lui si chiama Bernstein, e di nome fa A-bra-ham».

«Oh, no» sospirò Mrs Upson.

«Bernstein?» esclamò Mr Upson sbattendo la forchetta sul tavolo.

«State parlando dei Bernstein di Summit?» disse zia Mame. «Li conosco molto bene. Lui è un editor, lei una specialista di Rimbaud. Sono una coppia deliziosa, con due bambini che si chiamano...».

«Alt! Qui c'è poco da scherzare» esclamò Mr Upson.

«Non sto scherzando. I Bernstein sono amici dei Co...».

«È impossibile, Boyd. Qui ci sono vincoli ben precisi, lo sai».

«Qui, ma lì no. Lì non è Mountebank».

«Oh papà, non è spaventoso?» intervenne Gloria.

«Non lo permetterò» le rispose Mr Upson. «Li caccerò via, a costo di aspettarli in strada col fucile...».

«Dado,» intervenne zia Mame «cosa ti prende? Sono persone squisite. Lei è una bruna simpaticissima, e anche la miglior cuoca...».

«Che sia bruna non ho dubbi. Sarà la solita labbruta bisunta cafona...».

«Ma guarda che ti sbagli. Sylvia è divina, davvero, e Abe a Harvard era in classe con Samuel...».

«Ma davvero li conosci?».

«Certo! Abe fa un lavoro magnifico da...».

«Ma sono ebrei».

«Ovvio che sono ebrei. Lei è parente non ricordo come di Rabbi Wise, e...».

«Ma ti vuoi cacciare in quella testa dura che sono ebrei? E che stanno per venire a vivere vicino a me?».

«Claude, per favore» provò a dire Mrs Upson.

«Ma sì Dado, certo che ho sentito cosa diceva Floyd – Boyd –, che stanno per comprare il terreno qui a fianco. Oh, ti piaceranno moltissimo. Sono una delle giovani coppie più divertenti che...».

«Ehi, finché si scherza si scherza, ma se tu davvero pensi che io voglia una banda di rabbini che mi scarica la merda nel prato...».

«Dado, ma di che parli? Ti sto dicendo che sono amici miei. Sono le persone più perbene al mondo».

«Ma sta' zitta!».

«Claude!» disse Mrs Upson.

«Un momento» dissi facendo per alzarmi.

«Ti prego, papà ha i cinque minuti» fece Gloria.

«Non mi importa cos'ha, non gli permetto di rivolgersi in quel modo a mia zia».

«Boyd,» ruggì Mr Upson «vediamo di mettere insieme una ronda, un gruppo di vigilantes, così teniamo quei giudei e tutta la loro fetida razza alla larga da qui...».

«Ma non sarai così ingenuo da pensare che gli ebrei siano una razza, vero?» intervenne zia Mame. «Qualsiasi antropologo...».

«Non mi rompere con l'antropologia. Finché avrò vita combatterò ogni schifoso nasuto che cerchi di mettere piede sulla terra dei bianchi. E perdio...».

«Fammi capire, mi stai dicendo che il Connecticut è roba tua? Cosa saresti, una specie di divinità che si arroga il diritto di decidere chi può comprare la terra e chi no?».

«Mame, la casa di un uomo è il suo regno. Magari ti suonerà antiquato, ma è vero. E non ho lavorato come una bestia tutta la vita a costruirmi questo posticino per farmelo insozzare da una ghenga di usurai che pretende...».

«Claude,» disse zia Mame con gli occhi ridotti a una fessura, e la voce più metallica che le avessi mai sentito «ti ho già detto tre volte che gli schifosi rabbini di cui parli sono amici miei. Li conosco da un sacco di tempo. Sono persone interessanti, intelligenti, e colte. Prima di giudicarli, aspetta di conoscerli».

«Ah, ma davvero? Adesso la fai facile, ma vorrei vederti se venissero a vivere vicino alla tua bella casa di Washington Square. Cosa faresti, eh?».

«Gli direi, "Benvenuti in Washington Square, Sylvia, e finché non vi siete sistemati venite pure a cena da me..."».

«Merda!».

«Claude!» disse Mrs Upson.

«'fanculo, Doris, lasciami parlare!». Si girò verso zia Mame. «Tu te ne stai seduta lì a fare i tuoi discorsi da "New Republic" del cazzo, mentre un povero cristiano si trova di fronte a un serio...».

«Vorrei che non usassi la parola cristiano a sproposito» disse zia Mame molto secca.

«Ecco, vedi Mame...» provò a interloquire Mrs Upson.

«Per favore, non potremmo cambiare discorso?» disse Gloria.

«Ma sì, parliamo d'altro. Non so, di negri?» fece zia Mame.

«Non ti intromettere, piccina» fece Mr Upson. «E tu, stammi bene a sentire, io ci sono stato a cena da te, l'ho vista la tua lussuosa casa europea, e sarò anche un ottuso assicuratore che non pensa in grande come te e Franklin Delano Rosenfeld, ma non mi pare che a tavola ci fossero giudei. Se non sbaglio c'erano un nobile inglese e un principe francese e una famosa attrice! ».

« Suppongo sarebbe crudele aggiornarti sul fatto che quella Vera Charles per cui tu e Doris stravedete in realtà si chiama Rachel Kollinsky, ed è figlia di un attorucolo ebreo ».

« Impossibile! » esalò Mrs Upson.

« Affari tuoi » ruggì suo marito. « Comunque gli attori non contano, sono una razza a parte. Ma se si tratta di avere ebrei sul pianerottolo, praticamente in casa... ».

« Claude, » disse zia Mame con tutta calma « ti rendi conto che in questo stesso momento, in Germania, c'è un pazzo che si chiama Adolf Hitler e dice le stesse cose che dici tu? ».

« Non provarti a buttarla in politica. I sinistrorsi li fiuto a un chilometro di distanza ».

« Sì, sono una devota del presidente Roosevelt. E allora? ».

« Io parlavo di ebrei, e non mi sembra che sugli ebrei Hitler abbia delle idee così sballate, anzi ».

« Non parla sul serio, vero? » intervenni. « Li sta massacrando ».

« Non ho detto che vorrei massacrarli ».

« Credevo di sì, visto che ti ho sentito parlare solo di fucili, ronde e vigilantes » disse zia Mame gelida.

« Cristo santo, sai cosa? Forse hai ragione ».

« Scusa, ma quanti ebrei conosci, Claude? ».

« Non ti preoccupare, li conosco bene. Sgomitano, vogliono comandare, alzano la voce... ».

« Come la stai alzando tu? ».

« 'fanculo! Io parlo di una banda di rabbini che

vuole trasferirsi qui, fianco a fianco con persone civili, decenti».

«E per civiltà e per decenza intendi questo?». Zia Mame prese un attimo fiato, come faceva quando stava per dire qualcosa di serio. Avrei voluto morire, ma al tempo stesso ero ammirato.

«Claude, ho conosciuto, e conosco, decine di ebrei, e purtroppo anche parecchi gentili che di loro dicono le stesse cose che dici tu. Conosco quegli insulti, dal primo all'ultimo. Come sono gli ebrei? Ah sì, malvagi, avari, avidi, rumorosi, volgari, pacchiani, dispotici. Ma devo ancora incontrarne uno solo, dal più miserabile ambulante della Prima strada al più ricco filantropo della Quinta, che ti batta, su questo terreno».

«Mame!» ansimò Mrs Upson.

«Cristo santo, non intendo stare in casa mia a farmi insultare un minuto di più. Vattene via, torna a Rabbinopoli e sbattiti tutti i rabbini che vuoi...».

«Chiudi quella boccaccia» dissi saltando su dalla sedia.

Mr Upson stramazzò sulla sua con due occhi così, mentre Boyd si alzava, fulminandomi con lo sguardo. Gloria si mise a urlare.

«Ri... riprenditi l'anello e vattene! Vai a sposarti un'ebreuccia, se ti piacciono tanto. Sarai molto più contento così. Tanto non sei come noi, e non lo sarai mai!».

«Gloria...».

«Cara Gloria, Patrick non se ne rende ancora conto,» disse zia Mame alzandosi da tavola «ma dovesse vivere cent'anni nessuno gli farà mai un complimento migliore. Ti ringrazio da parte sua. Ora spero che mi scuserete. Patrick, vieni anche tu o devo farmi chiamare un autista cristiano – anzi ariano, se possibile?».

«No no, vengo anch'io».

Partimmo a tutta velocità, lasciando che il vento sulla faccia ci rinfrescasse le idee. Dopo un po' zia Mame disse: «Patrick, come sai tutti gli anni spendo parecchio in beneficenza. E per parecchio intendo *parecchio*».

«Mmm».

«Bene, che ne diresti se offrissi un bel po' più di quello che offrono Abe e Sylvia, comprassi quella proprietà e ci facessi costruire un ostello per i rifugiati ebrei?».

«Direi che mi sembra un'idea fantastica».

«Bene. Ci speravo».

Le baracche del Connecticut erano già lontane, e l'anello di brillanti che avevo in mano mandava una luce fredda.

## 9
## ZIA MAME E LA CHIAMATA ALLE ARMI

Nel crepuscolo della vita, all'Indimenticabile rimangono solo la casa, il giardino e il gatto. Il frugoletto è cresciuto, si è sistemato, e tutti le dicono che l'ha tirato su bene, ma proprio bene. L'Indimenticabile ha i suoi amici, i suoi passatempi, persino i suoi affari, e tutto lascia pensare che le vada bene così. E invece no. Tant'è, le mancano i dolci passettini sul parquet, e allora cosa fa? Si prende in casa *due* frugoletti e ricomincia tutto daccapo.

Il colpo di scena dovrebbe lasciare il lettore di stucco, ma certo non lascia di stucco me. Zia Mame non si sarebbe mai scomodata per così poco, e infatti di frugoletti se ne prese in casa sei, e non solo, gli sopravvisse.

Dopo la restituzione dell'anello il mio cuore era ufficialmente infranto, benché in realtà sospetto non fosse neppure incrinato. Ma dopo un passo drastico come la rottura di un fidanzamento, per ristabilire l'equilibrio ce ne vuole uno altrettanto drastico. Nel mio caso, decisi di andare in guerra. L'Europa c'era già, e per l'America sembrava questione di minuti. Riportai l'anello a Cartier e il giorno stesso mi arruolai nel Field Service. Due settimane dopo, mentre zia Mame piangeva a Washington Square, ero su una nave diretta in Nordafrica.

Forse non bisognerebbe dirlo, che uno in guerra si è *divertito*, ma per me è stato così. La vita nei servizi di sussistenza era per metà noiosa e per metà emozionante. Mi ha dato modo di vedere un sacco di facce nuove, e posti nuovi. Tranne che in rare occasioni non era richiesto né di scattare sull'attenti né di salutare al cappello, e pericoli veri non ne ho mai corsi. Quando c'era da lavorare si lavorava duro, ti sparavano addosso e ti toccava mangiare galletta e carne in scatola. E quando c'era da divertirsi, ci si divertiva altrettanto duro, cioè ci si piazzava allo Shepheard's Hotel e si flirtava con Queen Farida al Turf Club.

Zia Mame mi scriveva quasi tutti i giorni. All'inizio erano lunghe epistole su un unico argomento, quanto si sentisse sola e inutile. Il che mi rattristava, e mi faceva anche sentire un po' in colpa. Ma a dicembre, dopo Pearl Harbor, il tono della corrispondenza cambiò di colpo. Ora zia Mame mi parlava solo delle sue nuove attività, e sentendola improvvisamente più bellicosa di Alessandro Magno cominciai a temere il peggio.

«All'El Morocco ho venduto più buoni io di chiunque altro» scriveva in una lettera. «La settimana prossima mi danno l'Iridium Room per vedere se riesco a convincere i pesci grossi. Di solito più soldi spendono e meno buoni comprano, ma col patriottismo li incastro, vedrai». Oppure: «Ieri notte, durante il nostro primo oscuramento, ho pattugliato Washington Square. Accidenti, con le luci spente ti rendi conto che sopra New York ci sono le stelle!». Oppure ancora: «Ho battuto il record cittadino di arrotolamento bende, però adesso basta, ho cose più importanti da fare. Le Volontarie mi hanno chiamato a far parte del comitato, anzi a presiederlo». E: «Sono furiosa, affranta, mi viene da piangere. Il corpo delle Ausiliarie mi ha *scartato*! Il sergente al reclutamento sostiene che sono troppo *vecchia*! Be', meno male, pensa se fossi in giro da quando quella vecchia lesbica aveva diciott'anni».

Aveva più divise di un generale a quattro stelle. Occupava posizioni di spicco in ogni comitato di amazzoni newyorkesi, e aveva trasformato casa sua in una specie di centro di coordinamento. Con tutto questo, trovava il tempo di comprarmi un sacco di cose. Tonnellate di delikatessen viaggiarono al mio seguito dall'Africa all'Italia: biscotti e caviale, praline e pâté, scatolette di pollo, aragosta, granchi e tartarughe. E nel caso qualcuno temesse che zia Mame fosse diventata troppo pragmatica, niente paura, sull'etichetta di certi barattoli di fragole si leggeva: «Far marinare nello champagne, con fette di lime sottilissime. Conservare in frigorifero. Deliziose col fagiano». Un'altra volta mi arrivò una cassa che conteneva esclusivamente boccette di non ricordo più quale medicinale, con due diverse prescrizioni, «Un cucchiaio prima dei pasti» e «Applicare sull'area irritata prima di coricarsi». Persino io rimasi un po' sconcertato, almeno fino a quando non diedi una sniffata al liquido e scoprii che si trattava di banale whisky comprato coi buoni, ma astutamente occultato per aggirare le restrizioni delle poste americane.

Col passare dei mesi, tuttavia, mi sembrava che la ragazza si stesse facendo un tantino irrequieta. Nel 1944, una lettera mi raggiunse nel greto di un fiume in secca proprio sotto Montecassino.

Adorato Patrick,

non so perché negli ultimi tempi mi sono sentita tanto triste, ma è così. Questa casa vuota, quest'atroce solitudine anche in mezzo alla folla. Naturalmente il mio lavoro non mi lascia un attimo libero, ma è talmente, talmente impersonale. So bene che una donna si realizza solo con la maternità, e...

Furono le ultime parole che lessi. Ci fu un tremendo sibilo, seguito da un'esplosione. Mi risvegliai in un ospedale inglese di Caserta, e vicino a me c'era un infermiere molto malinconico che continuava a ripetermi: «La gamba per fortuna te l'abbiamo salvata, ragazzo mio. Ti va un'Ovomaltina?».

In maggio la nave ospedale approdò a New York. Ringraziai i dottori e le infermiere che mi avevano accudito durante la crociera transoceanica, declinai l'invito di un'ambulanza della Croce Rossa, e zoppicai via dal molo. Poi, fingendomi più malconcio di quanto in realtà fossi, riuscii a infilarmi su un taxi scassatissimo e mi feci portare a Washington Square. Arrivai davanti al portone nel preciso istante in cui zia Mame ne usciva, in un abito grigio che la rendeva particolarmente eterea.

«Tesoro!» urlò. «Tesoro mio!». Mi gettò le braccia al collo e scoppiò in lacrime. Quindi mi trascinò nel soggiorno deserto, e preparò due gin cubani molto carichi. «Alleluia!» urlò, lanciando una copia di Stendhal dall'altra parte della stanza. «Stavo per andare all'ospedale – sai, leggo *Il rosso e il nero* ai nostri ragazzi –, ma adesso che sei tornato, *adesso che sei tornato,* mi sento finalmente pronta per la più grande sfida che abbia mai dovuto affrontare. Oh, tesoro, è davvero un segno del destino. Con te al mio fianco – gamba gigia e tutto – sento che finalmente posso smettere di vivacchiare nelle retrovie. Sì, sento che sono pronta per il fronte».

«In che senso? Vuoi arruolarti?».

«Oh Patrick, è appena successa una cosa fantastica. Cioè, atroce in assoluto, ma fantastica per me.

Sì, con te vicino potrò intraprendere la missione cui ogni figlia di Eva è chiamata».

«Ma si può sapere di che parli?».

«È una notizia fresca di stamattina. Dunque, a quanto pare a Southampton c'era una certa signora Armbruster – vedova anche lei, ma *secoli* più vecchia di me – che si era presa in carico sei adorabili profughini inglesi per tutto il tempo della guerra. E proprio oggi il mio comandante delle Volontarie mi ha chiamato per comunicarmi che la povera Mrs Armbruster è schiattata. Non è meraviglioso?».

«Sì, certo. Ma che male ti aveva fatto?».

«Oh, niente, tesoro, era una santa. Il fatto è che il mio comandante mi ha chiesto se per caso non volevo prendermi uno... o magari anche due... di loro, e io certo che avrei voluto, ma non osavo. Però, adesso che tu sei qui,» e mi fissò con gli occhi lucidi «so che posso offrire a tutti e sei non solo una *madre*, ma anche un *padre*».

«Calma, calma, stai a sentire...» provai a dire. Troppo tardi, si era già attaccata al telefono.

Quando voleva zia Mame era un fulmine, e nel giro di dieci giorni aveva già affittato una casa a Long Island, spedito tutta la servitù – tranne Ito, che in quanto giapponese avrebbe destato qualche sospetto – a fabbricare bombe e proiettili, chiuso la casa in città, e comprato qualche baule di vestiti da campagna e una giardinetta usata, per circa il doppio di quello che le sarebbe costata nuova. Quindi si era dimessa da tutti i suoi incarichi paramilitari per dedicarsi a tempo pieno al suo nuovo ruolo. Quanto a me, non ero neppure riuscito a dirle che non intendevo allevare sei marmocchi: prima che mi desse modo di farlo, la giardinetta con Ito alla guida aveva già imboccato il viale d'accesso di quella che, per tutto il periodo dell'incarico, sarebbe stata la nostra residenza.

Al solito, zia Mame non aveva fatto le cose a metà. La casa che aveva affittato faceva colpo, devo ammetterlo. Si chiamava Peabody's Tavern, ed era un'autentica locanda prerivoluzionaria di una ventina di stanze. Non è che avesse un'atmosfera – *era* atmosfera, quintessenza di atmosfera. Vicino alla porta d'ingresso cinque targhe ricordavano i trattati siglati all'interno, la venerabile età e l'altrettanto notevole stato di conservazione della struttura, e altre notizie di rilevante interesse storico. Dal punto di vista paesaggistico era un posto incredibile. Il prato sembrava un gigantesco green.

Dopo averci ricordato per quattro volte che la sua famiglia viveva lì da dieci generazioni, Miss Peabody in persona ci aveva autorizzato a superare la doppia porta. Era una vecchietta magrolina, di uno snobismo devastante. Dopo un minuto scarso di convenevoli ci aveva rivelato di appartenere a una serie di sodalizi pallosissimi, tipo le Figlie della Rivoluzione, le Dame delle Colonie e le Discendenti del Mayflower. Quindi aveva ripercorso per nostra edificazione tutti i principali eventi storici di cui quelle mura erano state teatro negli ultimi due o trecento anni, ci aveva descritto il pellegrinaggio di cui la casa ogni primavera era fatta oggetto da parte di un gruppo di cultori del passato, e aveva trascinato davanti a noi, con una certa fatica, un immane album pieno di foto delle stanze pubblicate su «Antiques», «House and Garden», «Country Life» e in altre sedi non meno prestigiose.

A seguire, Miss Peabody ci aveva servito una colazione tanto leggera quanto perfida, quindi ci aveva accompagnato a fare un giro delle stanze, richiamando di volta in volta la nostra attenzione sulla tappezzeria Revere autentica, sulle autentiche sedie Windsor, sui ritratti di vari Peabody ahimè estinti tutti eseguiti da Copley, e infine sulle travi originali del soffitto e sui listelli del parquet, originali anch'essi. Toccava ogni cosa, dalle pentole di rame ai boccali di peltro, come fosse una reliquia della santa croce. Intanto zia Mame, nella parte della perfetta gentildonna di campagna – cioè coperta di tweed da capo a piedi, e con tanto di bastone – continuava a fingere interesse, ma si produceva in una terrificante sequenza di sbadigli.

Dopo averci sbalordito per due ore secche, Miss Peabody ci aveva consegnato un inventario dei beni che ci venivano affidati, dal quale risultava che il valore degli arredi era di poco inferiore ai centosettantamila dollari. Quindi aveva ripetuto per la quarta volta che prima di allora non le era neanche venuto in mente di affittare la casa, ma siccome zia Mame era la signora che era, e le tasse di guerra anche, aveva deciso di fare un'eccezione. E, fra parentesi, di spillare a zia Mame cinquecento, dicasi cinquecento, bigliettoni al mese.

«Non è un posto un po' delicato per una banda di ragazzini?» avevo provato a chiedere.

L'occhiata di zia Mame poteva solo significare: sei impazzito? Ma Miss Peabody era talmente presa a mostrarci un lampadario di vetro soffiato che non aveva sentito niente. «Bene Mrs Burnside, io allora me ne andrei» aveva detto infilandosi i guanti. «Non posso dirle quanto mi renda felice poter offrire a due veri conoscitori l'opportunità di vivere qui. Zum-zu». Su questo si era infilata in macchina, e arrivederci.

Un attimo dopo, zia Mame si era tolta la giacca di tweed, si era asciugata la fronte, aveva preparato due bicchieri belli forti, e percorreva in lungo e in largo le enormi stanze della locanda. «Oh caro, non adori anche tu questo posticino di carattere? Certo non è al livello di casa Upson, ma antico lo è, e anche autentico, e accogliente. Non vedo l'ora di andare all'emporio, comprare qualche secchio di vernice e ridipingere tutto in sublimi toni pastello – insomma di rifarla da cima a fondo. Sai, oggi gli psicologi danno un sacco di importanza alla terapia del colore. E pensa che balsamo per quelle creaturine sconvolte dalla guerra, per i loro nervi scossi, entrare in queste vecchie stanze, così riposanti».

«Come la prenderà Miss Peabody?».

«Non ne ho la minima idea, del resto non gliel'ho ancora detto» mi rispose scrollando la cenere in una coppa Worcester.

«Non gliel'hai detto?».

«Ho pensato che sarebbe molto più divertente farle una sorpresa».

«E pensi che Miss Peabody abbia il tuo stesso concetto di divertimento?».

«Patrick, sei sempre così rigido. Vedo che neppure la guerra ti ha ammorbidito».

«Di solito non è che la guerra ammorbidisca».

«Be' se solo tu... Oh santo cielo,» disse gettando un'occhiata all'orologio «se vogliamo arrivare a Southampton in tempo per prendere i piccini dobbiamo volare. Ho detto a Miss Pringle che saremmo stati lì alle tre in punto, e lei e i bambini si saranno già preparati. Bisogna che siamo di ritorno per l'ora del tè. Ah, dobbiamo assolutamente abituarci a prendere il tè tutti i giorni. È fondamentale che questi piccoli britannici, strappati alla loro terra, non perdano il contatto con le tradizioni. Abbandonare un comportamento acquisito durante gli anni della formazione è un fatto molto negativo dal punto di vista psicologico».

Erano quasi le quattro quando arrivammo alla trista magione della defunta Mrs Armbruster. Da lontano era imponente, ma avvicinandosi prendeva un'aria cupa e derelitta. Mi sembrava abbastanza strano che una santa del nostro tempo, un faro della nostra società, avesse lasciato andare così in malora la casa in cui viveva, ma forse, chissà, c'era stata costretta dalla guerra. Sul prato un gruppo di ragazzini giocavano a rincorrersi; e sul sentiero camminava avanti e indietro una donna con l'aria disperata.

«Allo-ò!» trillò zia Mame. «Lei è Miss Pringle? Sono venuta a prendere i ragazzi!».

«Dio sia lodato! Non ci credo che posso andarmene» rispose la donna.

«Mia cara, la capisco. Per i piccini deve essere stato terribile rimanere così a lungo in questa casa di dolore dopo la, uh, la dipartita della povera signora Armbruster».

«Oh, la signora è stata fortunata» disse Miss Pringle, anche se zia Mame si era già distratta. «Bene, forse è venuto il momento di radunarli. Ragazzi, venite qui e saltate a bordo» gridò. Nessuno le diede retta. «Santo cielo,» sbuffò «per una volta mi sarebbe piaciuto che questi mocciosi viziati mi avessero risposto alla prima. Ehi, Edmund, smettila di saltare la cavallina, raduna la banda e vieni qui. Albert, tu occupati di Margaret Rose. No, non ho detto di buttarla per terra, ho detto... Gladys! Che ti pigli un colpo!».

«Guarda guarda,» commentò zia Mame «a quanto pare qui c'è una donna che non ama i piccini, e che non sa da che parte prenderli. Che tristezza. Bisogna che le inculchi qualche elementare principio di psicologia infantile».

«Magari prima di cominciare il corso aspetta che sia riuscita a infilarli in macchina».

«Oh, ma che tesorini. Bianchi e rosa come tutti gli inglesi. Prodigi della Yardley» tubò zia Mame.

Zia Mame era miope, e troppo vanitosa per portare gli occhiali; ma ai miei occhietti di falco non era sfuggito che creme e saponi Yardley non dovevano più essere gli stessi, se davano quei risultati. Di fatto, ci avevano consegnato i tipici ragazzini tarchiati, ginocchiuti e scheletrici delle periferie londinesi, e a quanto pare neppure il quinquennio con la santa era stato un toccasana.

In un modo o nell'altro Miss Pringle era riuscita a metterli tutti e sei in fila davanti alla macchina. Con un sorriso estremamente compiaciuto, zia Mame li arringò in un tono da nonnina delle fiabe: «Buon pomeriggio, miei piccoli cuginetti inglesi. Mi chiamo Mame Burnside, ma voi dovrete chiamarmi sempre e solo zia Mame».

«*Chiavarmi*» disse il più vecchio in puro cockney. E tutti gli altri scoppiarono a ridere.

Zia Mame non se l'aspettava, ma decise di ridere anche lei. «In fondo una bella risata,» disse rivolta a me «è sempre la miglior medicina. E questo» proseguì con un gesto ampio «è mio nipote, appena tornato dal fronte, dove è stato ferito combattendo al fianco delle forze britanniche».

Qualcuno si lasciò scappare un rumore poco cortese.

«Ora,» proseguì zia Mame «dal momento che dovremo vivere insieme fino a che la luce tornerà a rischiarare questo nostro mondo...».

«Che due palle, ancora 'sta solfa» disse la ragazzina più grande.

«Come stavo dicendo,» riprese zia Mame, a voce leggermente più alta «dal momento che per qualche tempo vivremo insieme, mi piacerebbe sapere i vostri nomi. Il tuo, ad esempio» fece rivolta in tono molto affabile al ragazzo più grande.

«Per te sono Jack lo Squartatore, pupa» rispose quello mostrando a tutti una fila di denti guasti. Gli altri erano a lacrime.

«Come va, Jack?».

«Macché Jack,» intervenne Miss Pringle «si chiama Edmund Jenkins, e credo sia l'individuo di sesso maschile più abietto mai apparso sul pianeta».

«Jack o Edmund, va bene lo stesso» disse zia Mame radiosa. «E tu, come ti chiami?» fece rivolta a una ragazzina molto sviluppata.

«Lady Iris Mountbutten, vostra grazia» ghignò lei.

Miss Pringle perse la calma. Fece un passo avanti e mollò un ceffone alla ragazza. «Gladys Martin, brutta carogna, cerca di comportarti come si deve!».

«Miss Pringle, *per favore,*» disse zia Mame «se la bambina preferisce che la chiami Iris, per me va bene. E tu?» chiese alla ragazzina successiva.

«Diglielo senza fare la scema» le ingiunse Miss Pringle.

«Enid Little, zia».

«Oh ma che dolce. Sei proprio una bambina adorabile».

Gladys/Iris sghignazzò con aria perfida.

«Io mi chiamerebbi Albert, zia,» intervenne una vocetta «e questa qui è la mia sorellina Margaret Rose». Albert era un delinquentello raggrinzito e adenoideo, mentre la sua sorellina, la più giovane del gruppo, era una frugoletta di circa sei anni con due occhi enormi.

«Felice di conoscervi» disse zia Mame con l'aria più gentile che le avessi mai visto. «Già so che Margaret Rose diventerà la nostra principessina».

«Ma se è una stronzetta schifosa».

Zia Mame si voltò verso chi aveva parlato. «Ehi tu, sì, tu con quei bei capelli rossi, non ti piace la nostra principessina?».

«Nah».

«Be', prova a dirmi come ti chiami».

«Nah».

«Lui sarebbe Ginger» suggerì Albert.

«Lieta di conoscerti, Ginger. Qua la mano» disse zia Mame porgendogli la sua.

«Nah».

«Bene, se non vuoi non darmela. Ora che ne dite di andare tutti insieme a prenderci un tè nella nostra nuova casa?».

Per qualche minuto ci fu una specie di inferno, poi i ragazzi ammucchiarono i bagagli nella giardinetta, e immediatamente dopo ci si inzepparono loro. Miss Pringle si sistemò davanti, vicino a zia Mame, e io dietro, vicino a Gladys/Iris, con gli altri ragazzi uno sull'altro intorno a noi. Giuro che per tutto il viaggio Gladys cercò di farmi piedino.

Attraversando Quogue arrivammo a un passo da una rissa generalizzata, ma zia Mame riuscì a evitare lo scoppio delle ostilità gridando: «Cantiamo! Che cosa vi piacerebbe cantare?».

«Vieni mia bella vieni, vieni là fra l'ortica» eruttò Edmund. «Ti mostrerò la fi...». Miss Pringle si voltò di scatto pronta a colpire, ma di nuovo zia Mame riuscì a placare gli animi. «Edmund, mi sa che non la conosco».

«Io sì» confessai.

Alla fine optammo per *Begin the Beguine.* Era stata una richiesta di Gladys, che durante l'esecuzione mi sussurrò: «Questa canzone mi mette sempre un certo friccico, non so se mi spiego».

Per le sei eravamo alla Peabody's Tavern. Ito aveva disposto i fiori nei vasi secondo i dettami dell'estetica giapponese, ma dopo un quarto d'ora di permanenza dei ragazzi nella casa era chiaro che avrebbe potuto risparmiarsi la fatica.

«Dunque, ragazzi,» attaccò zia Mame con una punta di nervosismo nella voce «per prima cosa direi che dobbiamo dividerci le stanze. In questa bella, vecchia casa ce ne sono un sacco. Innanzitutto, vi piace questa casa?».

«Nah» rispose Ginger.

«Bene, Ginger, imparerai ad apprezzarla» disse zia Mame, diplomatica. «Era una locanda, sai, al tempo in cui questo grande Paese era in guerra con... insomma, una volta era una taverna molto famosa. Ora direi che possiamo proprio sceglierci le stanze». Prese a salire imperiosamente i gradini, seguita dalla ragazzaglia che rumoreggiava. «Prima le signore. Gladys, dove ti piacerebbe dormire?».

«Con lui» rispose Gladys indicandomi.

«Purtroppo temo che nella stanza di Patrick ci sia un letto solo, sai».

«Pazienza» rispose Gladys strizzandomi l'occhio.

Bene o male riuscimmo a distribuire le stanze del secondo e del terzo piano. «Ora,» disse zia Mame «se per favore disfate le valigie e vi *lavate*, possiamo prendere il tè tutti insieme in biblioteca. Patrick, vieni con me. E anche lei, Miss Pringle, lasciamo che i tesorini si ambientino». Miss Pringle e io la seguimmo di sotto. «Dunque, Miss Pringle, per lei avrei riservato una stanza al piano terra, per farla stare un po' in pace una volta ogni tanto. Ma non ha portato dentro le valigie?».

«Ovvio che no».

«Ma, Miss Pringle, non...».

«Mrs Burnside, ero sicura di aver capito che si sarebbe occupata lei di tutto. Io torno a New York».

«Ma, Miss Pringle, io pensavo che sarebbe rimasta in veste di supervisora, un po' come faceva con Mrs Armbruster. Il suo stipendio sarebbe...».

«Mi ascolti bene, mia cara. Non passerei un'altra notte sotto lo stesso tetto con questi assassini neanche per un milione di dollari».

«Ma Miss Pringle,» disse zia Mame un po' confusa «chi si occuperà di lavarli, di vestirli, e roba del genere? Io ero convinta che...».

«Io no. Mi stia a sentire, Mrs Burnside. Capisco il

suo atteggiamento. È molto patriottico e molto altruista. Il mondo libero, tutti fratelli, lo so a memoria. Un anno fa la pensavo anch'io come lei. Ero appena uscita dalla Hunter – una rispettabile psicologa di ventun anni. Mi guardi adesso, guardi i miei capelli: grigi. Sa quante ragazze mi hanno preceduto? Sedici, io sono la diciassettesima in cinque anni. Quella prima di me ha avuto un crollo psichico, dovrebbe vedere in che stato è. Comunque, per quanto mi riguarda otto mesi con questi mostri bastano e avanzano. E non c'è neanche bisogno che mi accompagni alla stazione, mi ha pagato lo stipendio, va bene così. Mi spiace che non sapesse a cosa andava incontro, mi spiace davvero, ma stanotte sarò a New York dovessi andarci a piedi. Sa cosa le dico, andrei a piedi fino in Texas, pur di non vedere mai più *quelli*» disse indicando col pollice le scale. «Buona giornata e buona fortuna, spero solo che non finisca sottoterra come Mrs Armbruster». E prese la porta.

Così rimanemmo soli, noi due, Ito e quei sei piccoli selvaggi che urlavano a squarciagola. E che odiavano il tè. «Non la voglio quella tazza di moccio» disse Edmund pretendendo un bicchiere di Coca. La stufa della cucina, che naturalmente era un pezzo d'antiquariato, aveva subito preso in antipatia sia Ito sia zia Mame. Dopo essersi bruciata, la zia aveva bruciato anche la minestra, e si era tagliata preparando un panino. Poi aveva commesso un gravissimo errore, e cioè aveva dato ai ragazzini quelle stesse arance che per giorni avrebbero continuato a stillare gocce di succo e semi dalle travi d'epoca di Miss Peabody. Spaventato a morte, e troppo sconvolto per rendersi utile, Ito si era barricato in cucina. Alla fine zia Mame e io ci ritrovammo a fare i piatti.

«Ora vai di là e gioca un po', caro. Un'oretta direi, e poi tutti a nanna» fece zia Mame tentando di sembrare allegra.

«Sei sicura di farcela?» dissi tetro asciugando le inestimabili porcellane di Miss Peabody.

«Ma certo che ce la faccio, col tuo aiuto. E sai cosa? Sono proprio contenta che quell'essere, quella Pringle, si sia tolta dai piedi. I bambini non sapeva proprio prenderli. Vanno guidati, non comandati a bacchetta. Questo sempre, figurati quando sono reduci da un'esperienza traumatica. Tu pensa quello che hanno sofferto, le bombe, il terrore, il senso di insicurezza. Essere strappati al proprio nido e sbattuti in una terra straniera, per poi finire nelle mani di un manipolo di mercenari come Miss Pringle, gente che ha in testa solo lo stipendio. Oh, vedrai, la mia amorevole comprensione e la mia guida dolce ma ferma faranno miracoli». Dopo una pausa, aggiunse: «Naturalmente c'è bisogno di un uomo in casa, specie se quell'uomo ha combattuto con gli inglesi, il che ne fa un eroe, agli occhi dei piccini. Comunque alle brutte ho portato un interessantissimo libro di pedagogia. Bisogna che tu lo legga stasera stessa, non c'è un minuto da perdere».

Poco ma sicuro. In soggiorno i piccini avevano cominciato a giocare, e come avrei imparato nel giro di un paio di giorni i giochi che si svolgono in silenzio sono quelli più pericolosi. Entrando nella stanza in punta di piedi trovammo le ragazze allineate contro la parete, le mani sui fianchi, tutte una mossetta oscena, coi ragazzi che gli sfilavano davanti studiandole molto attentamente.

«A cosa giocate, Albert caro?».

«Al ponte di Waterloo, zia» rispose Albert con aria furbastra.

«E come funziona?».

«Le ragazze sono le prostitute, e noi le scegliamo».

Zia Mame rimase a bocca aperta, letteralmente.

«Per te bastano due penny, zietta?» le disse Edmund con un ghigno viscido.

«Guarda che finisci male!» lo assalii.

«Patrick, per favore. Non dimenticarti in che stato di nervi sono questi bambini» disse zia Mame. «Dunque, ragazzi, credo che con questo gioco possiamo fermarci qui. È ora di andare a dormire, e abbiamo tutti quanti bisogno di riposo, così da essere pronti per tutte le cose belle che ci aspettano domani. Adesso Patrick e io vi aiuteremo a spogliarvi».

«Sono abbastanza grandi per spogliarsi da soli» borbottai.

«La prima sera è importante» mi sibilò zia Mame. «Aiuta noi a stabilire una relazione intima, e loro a fissare una figura materna, e paterna».

Quando salimmo al piano di sopra si creò subito parecchia confusione circa chi dovesse spogliare chi. Edmund, che aveva quindici anni ed era molto più sviluppato di quanto sarebbe stato auspicabile, voleva solo zia Mame, e Gladys solo me. Gli facemmo capire che non era aria. Cominciai da Albert. Credo fosse quello che mi stava più sulle scatole, anche se era una bella lotta. Però era anche il più manovrabile, perché in quanto verme leccaculo sbruffone e codardo era sempre pronto a guadagnarsi qualche punto. Mentre lo trascinavo nella vasca da bagno abbrancai anche Ginger, il ragazzino di otto anni più cupo, triste e negativo che avessi mai incontrato. E feci per prendere anche Edmund.

«Toccami e sfondo i muri a urla» ringhiò.

«Non c'è problema, vai a letto da solo».

«Forse ci vado, forse non ci vado».

«Secondo me forse ci vai» dissi agguantandolo per la spalla.

«Toglimi quella manaccia dalla spalla e succhiami 'sto cazzo» disse cercando di sgusciarmi via.

«Okay, Edmund» gli dissi. «Guarda qui, niente

mani!». Presi la rincorsa e gli mollai un calcio nel sedere da farlo volare per tutta la stanza. Purtroppo avevo usato la gamba sbagliata, ma il gioco valeva la candela. Edmund si infilò sparato sotto le coperte.

A mezzanotte guadagnai finalmente il letto, dove mi dedicai alla lettura del *Bambino nel ventesimo secolo.* Avevo appena attaccato un capitolo altamente istruttivo – «Masturbazione: peccato o sintomo?» – quando sentii grattare alla porta.

«Chi è?».

«Io. Gladys».

«Cosa vuoi?».

«Ho freddo».

«L'armadio è pieno di coperte».

«E su, che cazzo, rincoglionito d'uno spilungone, sbattimi a letto e dammi una bella ripassata» gorgogliò Gladys in modo molto poco attraente.

«Se non te ne torni subito in camera ti scaldo il fondoschiena al punto che non ti ci potrai sedere per un anno».

«Sadico» ridacchiò, allontanandosi in punta di piedi.

Non ho mai passato un'estate del genere in tutta la mia vita. Se avesse conosciuto quei suoi piccoli compatrioti, Churchill si sarebbe immediatamente alleato con Hitler. Gladys, a tredici anni, era una ninfomane esibizionista. Edmund, a quindici, era un delinquente matricolato, con un problema di alitosi e un altro, piuttosto grave, di priapismo. Perché non si accoppiassero tra loro sfuggiva alla mia comprensione, ma certo sarebbe stata la soluzione migliore. Il fatto era che Edmund aveva un debole per zia Mame, e Gladys per me.

Enid, anni undici, era cleptomane, e ogni volta che spariva qualcosa per trovarla bastava andare in camera sua. Ginger era un figlio illegittimo, e la smentita vivente della vecchia teoria secondo la quale i figli dell'amore sono più amabili degli altri. Non gli ho mai sentito pronunciare la parola sì, neanche una volta. Di Albert, dieci anni, posso dire solo che era spregevole, mentre la sua sorellina Margaret Rose, forse il meglio fico del bigoncio, faceva pipì a letto tutte le notti, e non c'era verso di farla smettere.

Zia Mame continuava a fare affidamento sulle sue armi segrete e sulla sua psicologia. A sentir lei io non me ne accorgevo, ma i ragazzi stavano facendo grandi progressi. Mah. L'unica certezza era che i tesori di Miss Peabody sparivano talmente in fretta che non me ne rendevo neanche conto. Il ritratto di un certo colonnello Peabody dipinto da Sully venne usato come bersaglio per le freccette. L'inestimabile ritratto di una certa Miss Chastity Peabody si ritrovò abbellito da un bel paio di mustacchi e da un barbone patriarcale. Ogni sera calcolavo sull'inventario l'ammontare dei danni; nel loro giorno di gloria i ragazzi erano riusciti a causarne per quarantamila dollari, in quello meno fortunato per miseri trecento. Per quanto ricca fosse zia Mame, mi si gelava il sangue nelle vene. Neanche gli esperimenti con la terapia del colore sembravano ottenere i risultati sperati. Nel corso dell'estate le tappezzerie d'epoca vennero ridipinte una decina di volte. In una prima fase zia Mame aveva cercato di introdurre i ragazzi ai segreti della bellezza, lasciando che fossero loro a scegliere i colori. Ma alla fine si era capito che il colore non faceva alcuna differenza: sulle pareti dipinte di chiaro i ragazzi scarabocchiavano oscenità a matita, su quelle scure usavano il gesso. Tagliarono tutte, e dico tutte, le gomme della giardinetta, e zia Mame, che per ragioni patriottiche rifuggiva da qualsiasi cosa fosse anche lontanamente sospettabile di mercato nero, fu costretta a spendere una fortuna in un treno di pneumatici nuovi. Il meraviglioso giardino di Miss Peabody venne letteralmente sventrato. Una alla volta, le finestre di vetro soffiato andarono a farsi benedire. Come per effetto di un sortilegio le sedie Chippendale, la cassapanca di quercia e i letti a baldacchino si sfaldarono. Nel tentativo di strapparla alle pagine di «Silver Screen», e di indirizzare la sua attenzione verso qualcosa di «più formativo e duraturo», zia Mame decise di mandare Gladys a lezione di piano, almeno fino alla sera in cui la stessa Gladys decise di improvvisare un recital, sedette alla spinetta di Miss Peabody e attaccò il primo accordo di *That Old Black Magic* con un impeto tale da far saltare tutti i tasti. Fine delle riserve su «Silver Screen».

Ma la perdita più dolorosa fu quella di Ito. Benché provassero, e talvolta manifestassero apertamente, una certa simpatia per Hitler, i ragazzi consideravano quell'anima buona e inoffensiva il loro nemico numero uno. Lo chiamavano ammiraglio, oppure Togo, e tentavano in tutti i modi di trasformare la sua vita in un incubo. Una volta lo trovai ammanettato nelle vecchie stanze degli schiavi, sopra la cucina. Un'altra volta i ragazzi gli versarono nel sukiyaki il cemento che si erano procurati nel capanno degli attrezzi. Ma l'ultima goccia fu spalmare i gradini sul retro di margarina. Ito ci scivolò sopra, e si ruppe la gamba in tre punti. Mi ricordo ancora la corsa in giardinetta fino all'ospedale di Port Jefferson, con Ito e zia Mame che ululavano sul sedile posteriore. Me la ricordo anche perché fu l'inizio di un'assenza durata sei mesi, e di un'incessante processione di fantesche. Ricordo un'Ofelia, una Celia, una Delia; Jessie, Bessie e Tessie fecero una velocissima comparsata; Mary, Margaret, Maude, Madeleine e Maureen varcarono la soglia di Miss Peabody per uscirne dopo una frazione di secondo.

L'ultima della serie, Anna, resistette una settimana, e al momento di andarsene, prima di farsi accompagnare alla stazione, ritenne di dover dispensare a zia Mame qualche parola di conforto: «Li chiuda in casa, apra il gas, e se ne vada».

Come ovvio, la colonia estiva di Long Island aveva fatto ponti d'oro a zia Mame. A giugno eravamo invitati a cena quasi ogni sera. Molto gentilmente una *grande dame* ci aveva addirittura procurato l'accesso a uno stabilimento balneare, ma dopo un solo giorno in spiaggia coi ragazzi zia Mame aveva ricevuto una lettera dal Comitato dei Soci che cominciava così: «Voi e vostro nipote sarete sempre i benvenuti, ma per quanto riguarda i ragazzi...». Non mettemmo più piede in spiaggia. Alcune giovani matrone arrivarono persino a mandare i loro pargoletti a giocare coi nostri – una volta. Entro luglio zia Mame e io eravamo diventati, nell'intero territorio della contea, due intoccabili.

Una settimana dopo averci rilasciato la tessera, la biblioteca locale ce l'aveva revocata. I ragazzi si erano consolati facendo a pezzi tutti i documenti storici rilegati in cuoio che la biblioteca di Miss Peabody ospitava. Nessuno di loro andava pazzo per la lettura, e anche quelli che zia Mame chiamava «gli incanti di Tespi», e su cui molto contava, si erano rivelati uno spreco di denaro. Una sera zia Mame li aveva spediti in massa a vedere *What a Life* nel teatrino del luogo; alla fine del primo atto erano già di ritorno, banditi per sempre dal locale. Analogo embargo venne dichiarato dalla drogheria, dalla gelateria, dal ristorante, dal campo sportivo, dalla pizzeria e dal bordello. Ai ragazzi piacevano i film, ma era un amore non corrisposto. Restituendomi i soldi dei biglietti, il padrone del cinema mi aveva detto: «Non crediate che non capisca cosa state cercando di fare, lo capisco e lo ammiro. Ma io devo pur mangiare. Guardate le mie poltrone, quelle canaglie le hanno fatte a striscioline. E finché non finisce la guerra non posso neanche sostituirle».

A parte le spese per il vitto, l'alloggio, i vestiti, e le riparazioni degli infiniti danni, zia Mame spendeva una fortuna in dottori. Siccome si era fissata che i ragazzi dovevano tornare in Inghilterra nelle migliori condizioni possibili, ogni sabato faceva venire un medico apposta da Stony Brook per una visita di controllo. Si chiamava Potter, e aveva una visione dei ragazzi molto più realistica rispetto a zia Mame: «Che diamine,» ripeteva ogni volta «non hanno niente di grave; un bel giro sulla sedia elettrica e passa tutto».

Un altro paio di biglietti da mille se ne andò per le loro orrende boccucce. Però accompagnarli dal dentista, e rimanere in ascolto delle loro grida di terrore, era un privilegio cui non avrei rinunciato per nulla al mondo. Il dentista riuscì a portare a termine l'incarico, ma subito dopo decise di ritirarsi a vita privata: a quarantun anni era un uomo amareggiato, finito, un vecchio.

Aspettavo l'inizio della scuola come avrei aspettato la resurrezione dei morti. E alla fine l'alba di quel giorno meraviglioso arrivò. Sempre ammesso che uno dei ragazzi non si fosse beccato un raffreddore, o fosse stato sospeso per aver commesso qualche orribile atrocità, avremmo avuto sette ore al giorno di requie per cinque giorni alla settimana. Dovevamo solo svegliare i bambini, preparare colazione e merende, accompagnare tutti quanti a scuola, rassettare, fare i letti, pulire i bagni, rimuovere dalle pareti le oscenità di più recente fattura, lavare, spolverare, ordinare la spesa, supplicare il macellaio, controllare la lavanderia, e poi saremmo stati liberi. Questo finché durava la bella stagione, perché poi avrei dovuto anche svuotare la caldaia – d'epoca –, buttare la cenere, alimentare dodici caminetti, spalare la neve, riparare per quanto possibile il mobilio di Miss Peabody. Ma tant'è, continuavo a ripetermi che non ero mai stato così bene in vita mia, anche se non è che ci credessi più di tanto.

In un modo o nell'altro, comunque, l'inverno passò. Ginger venne sospeso per tre volte. Enid, beccata a rubare da Woolworth, tornò a casa scortata da un poliziotto. Margaret Rose si prese un'infezione ai reni piuttosto seria e per simpatia Albert pensò bene di farsi venire una tonsillite. Con vero piacere portammo entrambi in ospedale, dove ad Albert vennero estirpate tonsille e adenoidi – meglio che niente. Un'altra volta Enid tentò di colpire a morte Ginger con le forbicine da unghie di zia Mame, riuscendo solo a infliggergli ferite lievi. Un comitato civico scrisse una lettera contro Gladys in cui si parlava di adescamento sulla Main Street, e non ho ragione di dubitare che l'accusa, respinta con sdegno da zia Mame, fosse assolutamente fondata. In marzo Edmund mise nei guai una ragazza del posto, il cui padre minacciò di ucciderlo. Per parte mia non capivo perché impedire a un genitore di dare libero sfogo alle proprie emozioni, ma zia Mame preferì pagare. E pagava, pagava, pagava.

Adesso ho imparato che i bambini danno comunque un sacco di preoccupazioni, ma credo che anche allora, se avessimo visto nei nostri almeno il barlume di una qualità, una qualsiasi, saremmo passati sopra alle difficoltà. Purtroppo non ne avevano. Zia Mame si preoccupava dalla mattina alla sera di loro fingendo per pura bontà d'animo di adorarli. Io no. Io li odiavo dal profondo del cuore, e non mi importava che si vedesse. Eravamo letteralmente prigionieri in quella casa, e dopo sei mesi cominciavamo a prendercela l'uno con l'altro, e a battibeccare per i motivi più futili, o anche senza motivo.

La domenica di Pasqua nell'aria c'era odore di primavera, e in casa un puzzo ammorbante di gigli, marmellata e classe all'ultima ora. I bambini si erano divertiti da pazzi fracassandosi a vicenda sulla testa le uova di cioccolata, e mandando in frantumi le ultime porcellane di Miss Peabody. Come ogni domenica c'era anche il dottor Potter, che aveva deciso di fermarsi. Zia Mame, che nel frattempo era diventata una cuoca di prim'ordine, aveva preparato una cena straordinaria – o meglio, che sarebbe stata tale se Margaret Rose, arrivati al dolce, non avesse vomitato.

Il dottor Potter la visitò di nuovo e decise di metterla a letto. «Probabilmente non è nulla,» disse «ma tenetela a riposo per un paio di giorni. Ha una gola che non mi piace per niente. E non mi piace neanche il resto. Se peggiora chiamatemi, le do una dose di cianuro». Quindi guardò zia Mame con aria pensierosa. «In realtà dovrei occuparmi di *lei*, Mrs Burnside, non di loro. È lei che ha una pessima cera – è magra, nervosa, stanca, sottopeso. Faccia in modo che questi ragazzi non la uccidano».

Dopo aver sistemato Margaret Rose sotto le pezze, aver lavato i piatti e aver spedito i ragazzi di sopra pregandoli di giocare in silenzio, se ci riuscivano, zia Mame, il dottore e io andammo in sala da pranzo, a berci un whisky che ci sembrò ambrosia.

«Dottor Potter, pensa che prima o poi Hitler si arrenderà?» sospirò zia Mame. «Sa, non sono neanche sicura che me ne importerebbe molto, se vedessi un'altra via d'uscita da questa situazione... materna. So di dire una cosa contro natura, orripilante, ma per quanto abbia provato a farmi piacere questi ragazzacci, non ci sono riuscita. Se solo qualcosa...».

Un'esplosione squassò l'edificio. Venni scaraventato giù dalla sedia e addosso agli altri, in una specie di groviglio umano.

«Mio Dio, i bambini!» urlò zia Mame. Scattò in piedi e si precipitò su per le scale, seguita dal dottore, e persino da me.

La grande sala giochi al secondo piano era in rovina. Tutti i vetri delle finestre erano rotti, il soffitto pendeva in grottesche stalattiti, e una parete era crollata. «Oh, no» disse zia Mame con un filo di voce. «I bambini! Presto, aiutatemi, devono essere sepolti sotto le macerie». Si buttò a terra e cominciò a scavare fra le montagne di detriti. Mentre provavo a spostare un'enorme scaglia di intonaco, sentii una risatina arrivare da dietro. Feci il giro e vidi i sei delinquenti, non solo sani e salvi, ma anche in preda a un riso convulso.

Mi avventai su Edmund, che però il dottore aveva già preso per il collo.

«Che diavolo è successo?» stava urlando. Nessuna risposta. «Che cosa avete combinato? Ditemelo, o vi rompo le ossa a una a una». Silenzio.

«Se lo dico però poi non mi date la colpa a me vero?». Era Albert, naturalmente. Lo presi per le spalle e gli diedi una bella sgrullata.

«Ci puoi giurare che lo dici. Lo dici immediatamente, se no ti arresto lo sviluppo».

«Ahia, mi fai male» provò a frignare.

«Se non mi dici cosa è successo ti faccio male davvero» urlai.

«Stavamo solo provando a fare una bomba carta».

«Una bomba carta? Con cosa?».

«Con della roba che abbiamo trovato nel capanno».

«Intendi dinamite, esplosivi, roba così?».

«Non è stata un'idea mia» piagnucolò Albert. «Io ce l'avevo detto agli altri. Ci avevo detto...».

Zia Mame si ergeva fra le macerie. Era coperta di sporco, fuliggine e frammenti di intonaco. Improvvisamente cominciò a ridere e rise, rise fino alle lacrime. «Non ce la faccio più... è troppo diver... e non è neanche casa mia, è casa di Miss Peabody e dei suoi antenati... è la cosa più divertente che mi sia mai...». Si torceva, dal ridere. «E la ciliegina è che... che avremmo potuto finire tutti... all'altro mondo». Adesso era piegata in due, e si dava grandi pacche sulle ginocchia.

I bambini ridacchiavano anche loro, ma nervosi.

«Zitti!» latrai. «Filate in camera. Con voi faccio i conti dopo». Erano troppo spaventati per rispondere.

«Ma caro, non vedi il lato...». Zia Mame aveva la faccia stravolta da quella sua orribile ilarità. «Non vedi che c'è da ammazzarsi dal – oh, *ammazzarsi*, ammazzarsi è la parola giusta!». Vacillava, le mani sui fianchi.

La guardavo inorridito.

«La smetta!» urlò il dottore. «La smetta immediatamente!». Le si avvicinò e le mollò un sonoro ceffone sulla guancia. Per un attimo zia Mame rimase in silenzio, poi cominciò a piangere come le si fosse spezzato il cuore.

Il dottore la portò in camera e la mise a letto. Mentre lui sterilizzava la siringa ipodermica, le versai un doppio cognac. «Mi spiace,» ripeteva «mi spiace, ma non ce la faccio più. Vorrei essere morta sotto quella bomba».

«Zia Mame!».

«Okay, Eleonora Duse, si rilassi. Non vorrebbe nulla del genere. E comunque non voglio io, perderei la mia principale fonte di reddito» disse il dottore accarezzandole la mano. «È solo che ha dovuto tollerare molto più di quanto sia concesso a noi umani».

«Ma io credevo di essere una mammina, come la Mrs Wiggs delle Cabbage, una cosa così. E ho fallito, fallito, fallito!».

«Deve sbarazzarsi di quei ragazzi. Dico sul serio. Lei non sta bene».

«Ma non posso. Dove finirebbero?».

«Posso suggerire un buon riformatorio?» provai a dire.

«E c'è sempre la Bellevue».

«No, non se ne parla neanche» sospirò zia Mame. «Ho detto che mi sarei presa cura di loro e...».

«E vuole rimetterci la pelle? Non è che vuole sbarazzarsi di loro, è che *deve*. Per ordine del suo medico» disse il dottore molto seriamente. «Per quei piccoli vagabondi ha fatto tutto il possibile. Ci ha passato quasi un anno della sua vita. Ci ha speso migliaia e migliaia di dollari. Almeno duemila solo a me, più la casa, il cibo, i vestiti, la scuola. Finora abbiamo giocato, ma adesso basta. Deve sbarazzarsi di loro prima che siano loro a sbarazzarsi di lei».

«Ma chi sarebbe così matto da prenderseli in casa? Ormai li conoscono tutti».

«Non importa, devono andarsene».

«Forse potremmo dire che Edmund è più grande di quello che è e farlo arruolare» propose zia Mame.

«E Gladys potrebbe seguire la truppa» disse il dottore.

«Senti, zia Mame, un modo c'è» intervenni. «Domani vado in città e parlo con quelli dell'agenzia. L'unica cosa è che non dobbiamo offrire tutto il pacchetto, tutti e sei intendo. Dobbiamo dividerli. Edmund potrebbe andare in una fattoria, a sfogare la sua esuberanza nei campi...».

«Sì, sempre che non ci siano pecore in giro» disse il dottore.

«E Gladys potrebbe andare in un convento, o in un posto del genere...».

«Preferibilmente di clausura» aggiunse il dottore. «Quanto a Albert e a Margaret Rose, essendo fratello e sorella forse dovrebbero rimanere insieme. Ma del resto sono i due un po' meglio».

«Albert è un piccolo bugiardo piagnucoloso e vigliacco» precisò zia Mame.

«In ogni caso lui e Margaret Rose si comportano meglio degli altri».

«Alla traversa per il letto della principessina ci penso io» disse il dottore.

«Per Enid e Ginger invece bisogna trovare due veri gonzi».

«Già, potremmo fare così» disse zia Mame.

«*Potremmo?* È esattamente quello che faremo. Lei adesso si riposi, ai ragazzi pensiamo Pat e io».

Sul prato si era raccolta una piccola folla, che guardava esterrefatta la voragine sulla parete esterna. «Non vi preoccupate, gente,» disse il dottore affacciandosi a una delle finestre semidistrutte «è che queste nuove pentole a pressione sono pericolose, lo sapete, no?». Quindi abbassò le tende e ce ne rimanemmo in pace.

Quella sera i ragazzi andarono a letto con un bicchiere di latte, un biscotto e una sgridata collettiva. Ma non sembravano considerare particolarmente grave quello che avevano combinato. Il dottore dovette trascinare Margaret Rose a letto per ben tre volte. «E adesso ci rimani» grugnì. «Non vogliamo ritrovarci sul groppone una bambina malata. Non ora».

«Ce l'ho detto anch'io. Signor dottore, Margaret, ci ho detto, se il dottore lo sa che sei in piedi...».

«Taci tu, spione» lo zittì il dottore. Quindi saltò in macchina e se ne tornò a casa.

L'indomani mattina mi alzai presto e pieno di energia. Per far colpo su quelli delle agenzie, che erano tutti sudditi di sua maestà, decisi di mettere la divisa inglese, con impermeabile, decorazioni e tutto. Zia Mame era in cucina. Stava molto meglio, e imprecava contro la vecchia stufa.

«Buon giorno, tesoro» mi disse. «È *der Tag*?».

«Sì, è il gran giorno. Il giorno dell'Indipendenza, la presa della Bastiglia, Guy Fawkes, la Festa del Lavoro in una volta sola».

«Oh, tesoro, non vedo l'ora» sospirò.

Gladys comparve in sala da pranzo. Cardigan e gonnellino scozzese facevano a cazzotti col trucco policromo e coi capelli approssimativamente ossigenati (era la sua fase bionda, o Lana Turner, che seguiva alla sua fase nera, o Hedy Lamarr). «Che gran fico che sei in tenuta da combattimento. Non ti avevo mai visto in divisa, sei David Niven spiccicato».

Facemmo come non avesse parlato. «Ti preparo due uova, tesoro?» mi chiese zia Mame.

«No grazie, prendo solo un toast e un caffè. Devo fare il giro delle agenzie, e voglio arrivare presto».

«Agenzie?» disse Gladys inarcando un sopracciglio truccato. «Spero che non ti sogni di portare qui una di quelle rompipalle. Tanto non durerebbero, non ce la fanno».

«Gladys, pensa alla tua colazione» disse zia Mame piuttosto irritata. «Stamattina Patrick e io non abbiamo una gran voglia di occuparci di voi ragazzi. Immagino tu sappia perché».

Gladys fece spallucce con aria strafottente e sgusciò via. Io mandai giù l'ultimo sorso di caffè, mi misi il cappello, e raggiunsi la porta. «Torno qui alle cinque col certificato della tua liberazione. Sul mio onore».

«Tesoro!» disse zia Mame tutta allegra. La lasciai che preparava il vassoio per Margaret Rose.

A New York, nel mondo delle agenzie, passai una giornata orrenda. Sembrava che tutti conoscessero molto bene, almeno di fama, la banda di zia Mame. «Attorucoli da strapazzo» disse una donna con aria cupa. «Discoli ripugnanti» commentò una zitella sulla Cinquantasettesima. «Sono bestie, solo di piccola taglia» mi spiegò un uomo, come se non lo sapessi. Soltanto alle quattro trovai la persona giusta, una ragazza non tanto giovane con la lingua lunga, un taglio di capelli militare e una cravatta regimental.

«Oh, quelli lì» disse a denti stretti. «C'era un giro di scommesse su quanto sarebbe durata sua zia. Io ci ho fatto un sacco di soldi perché avevo un informatore, una ragazza che è stata un po' con loro, poi se n'è andata. Sta crollando, eh? Lo credo».

«Mia zia ha una fibra d'acciaio».

«Ma certo, fratellino, certo. Be', su con la vita. Ho giusto qui una lista di fessi nuova di zecca – tutta gente ancora da spremere, e tutti smaniosi di sentire voci argentine in casa. Se lo immagina? Su, si sieda, che faccio un paio di telefonate. Mi sono talmente ingrassata con sua zia cinque a uno che mi sento in debito con voi».

Mi sedetti, teso come una corda di violino, mentre la ragazza si attaccava al telefono. Mezzora dopo anche l'ultimo delinquentello era stato sistemato. «Bene, ecco qua. Quando pensa di poterli impacchettare?».

«Se posso usare il telefono glieli faccio trovare sul viale in un'ora».

«Calma, calma. C'è tempo».

«No, non ce n'è».

«Diciamo che posso mandarle due macchine domani. Le andrebbe bene?».

«Benissimo!». Mi veniva da piangere.

Mi feci tutta la strada fino a Long Island senza scendere neppure per un attimo sotto il limite di velocità. Libero! Finalmente libero da Edmund e Gladys e Albert e Enid e Ginger e Margaret Rose. Basta lavori di casa, basta urla, zuffe, roba fatta a pezzi e casino.

La macchina imboccò il viale facendo schizzare ghiaia da tutte le parti. Saltai fuori e corsi verso la casa con uno scatto da olimpionico. Qualcuno stava prendendo qualcosa a martellate. «Ah, si vede che sono arrivati gli operai per le riparazioni» pensai.

Lungo il sentiero mi venne incontro uno zotico del posto, che ancora dondolava il martello.

«Buona sera!». Ero la cordialità in persona.

«'sera».

«Sta aggiustando qualcosa?» gli chiesi con tutta la socievolezza di cui ero capace.

«Tutto a posto».

«Già? Grandioso».

«Be', ragazzo, sarà grandioso per te, ma per la poveraccia che deve starsene chiusa in casa con quei demoni per sei settimane non credo proprio, che sia grandioso».

«Ma cosa sta dicendo?».

«Non ha visto il cartello che ho appena inchiodato sul portone?».

«Quale cartello? Quale portone?».

«È meglio che gli dia un'occhiata, e che non entri, a meno che non voglia rimanere chiuso dentro per molto, molto tempo».

Corsi al portone. Sul legno c'era un cartello bianco e rosso:

QUARANTENA
SCARLATTINA
Chiunque entri in questo edificio...

Non lessi altro. Persi i sensi, cadendo a faccia in giù su un letto di iris.

# 10
# ZIA MAME E L'ESTATE DORATA

Gli ultimi giorni dell'Indimenticabile sono, come del resto tutti gli altri da lei vissuti, bellissimi. La vediamo seduta nella sua linda casetta, circondata da amici adoranti e ancora capace di dispensare a chiunque lo desideri dolcezza, luce e perle di saggezza del New England. L'autore dice che quel periodo si può considerare l'estate dorata del suo personaggio. Bella espressione, no? La usava anche zia Mame. E alcune settimane di quell'estate dorata a casa *sua*, fra le *sue* amiche – furono un'esperienza talmente ricca da cambiare per sempre il corso della mia vita.

Subito dopo il giorno della vittoria, zia Mame si era concessa un trattamento completo da Elizabeth Arden. Ne era tornata ringiovanita di dieci anni, e l'unica traccia del tempo era una frezza bianca tra i riccioli neri. Il bianco era suo, il nero non ci giurerei, ma non importa. Abbuonandosi un decennio secco si definiva una splendida quarantenne, e ripeteva in continuazione che dopo una vita spesa a seminare per una donna viene il gioioso momento del raccolto.

«Sono una donna matura, caro» disse rimirando per la millesima volta la frezza. «Questi sono i miei anni migliori, e intendo godermeli fino in fondo. Voglio una vita più tranquilla, più raccolta – più elevata, da un punto di vista sia intellettuale, sia spirituale. Voglio diventare una degna nonna degli adorabili nipotini riccioluti che tu e tua moglie mi darete».

Posai il bicchiere di birra. «Gli adorabili *cosa* che io e mia *chi* ti daremo?».

«I bambini, caro. Ormai hai un'età in cui devi pensare al matrimonio. Ti piacciono i bambini, *no*?».

«Solo per giocarci» risposi. «E comunque rimane il problema delle ragazze. Non me ne piace nessuna, o almeno non al punto da volermela sposare».

«Di questo non devi preoccuparti, caro, sistemo tutto io».

«Troppo gentile».

«Lasciami solo organizzare la mia nuova vita, e poi penserò alla tua».

Zia Mame aveva sbrigato la prima parte del compito molto in fretta. Si era comprata non so quanti vestiti New Look – «Saranno un po' più decorosi di quei gonnellini da squaw che ci facevano portare in tempo di guerra, no?» – e si era iscritta a uno sbalorditivo numero di corsi della New York School for Social Research – «Voglio essere una compagnia stimolante per i tuoi piccini, cosa credi». Io guardavo e annuivo.

Quell'autunno mi avevano assunto come copy in una piccola agenzia pubblicitaria. Il cliente che dovevo seguire era una fabbrica di stufe elettriche, la Itsa, e lo stipendio era di ottanta dollari la settimana: inadeguato per una persona con moglie e figli a carico, aveva commentato zia Mame, ma come primo impiego poteva andare. Mi ero anche trasferito in un appartamento mio, un monolocale con annesso lavandino dalle parti di University Place che zia Mame trovava *orribilmente* inadeguato a un padre di famiglia, ma che come prima soluzione poteva andare. Anche se non vivevamo sotto lo stesso tetto, ci frequentavamo più di prima. Mi invitava a cena da lei una media di cinque sere su sette, e ogni volta mi faceva trovare in tavola, oltre a piatti blandamente afrodisiaci – spesso con la scritta «Amour» disegnata con la glassa – una stupenda ragazza accuratamente selezionata, e disponibile. Zia Mame portava invariabilmente il discorso sul matrimonio e sui figli, mi riempiva il bicchiere di champagne o di brandy, e poi si ricordava improvvisamente di un certo impegno, abbandonandomi sul divano con la candidata di turno. Aveva la faccia tosta di una maîtresse professionista, ma per una ragione o per l'altra le ragazze non andavano mai bene.

Per tutto l'autunno fu una sfilata di odalische. Vivian, ad esempio, che secondo zia Mame era «un fiore di ragazza, nata per fare la madre, se non ci credi guardale i fianchi». Peccato che parlasse quasi solo di tennis e di pesca con l'arpione, e che in occasione del nostro ultimo appuntamento avesse insistito per farmi apprezzare le bellezze del jujitsu, scaraventandomi schiena a terra e costringendomi a passare le due settimane successive col busto, fra una visita dall'osteopata e l'altra.

Poi venne il turno di Elaine. Era una bruna di origini mediorientali, e parlava solo di politica. La sera che le presi la mano e le chiesi se voleva venire di là con me, mi rispose: «Perché non ti presenti alle elezioni con i liberali, per protestare contro Tammany Hall?». E quella fu la parola fine.

Quindi fu la volta di Carolyn, che non beveva,

non fumava, e sognava solo di convertirmi alla Christian Science. Helena era attraente e tutt'altro che fessa, ma talmente dinamica e organizzata che sembrava di pomiciare con una macchina. Con Mary l'idillio nacque grazie a un cruciverba della «Paris Review» e morì in taxi, quando lei reagì a un mio bacio con una domanda secca: «Filosofo induista, nato intorno all'Ottocento, otto lettere?». Dotty era troppo esuberante, Fran troppo virginiana, Isabelle troppo mistica. In altre parole, non cavavo un ragno da un buco.

Zia Mame era fuori di sé: «Secondo me dovresti farti delle analisi, o una cura di ormoni. Cos'hai che non va? Ti procuro un incanto di ragazza dopo l'altra e tu cosa fai? Le giri intorno, la annusi come un coguaro impazzito, e poi te la dai a gambe. È disgustoso!».

«Ma santo cielo, perché non mi lasci in pace? Mi sposerò quando sarà il momento».

Intorno a Capodanno, stanca del ruolo di mezzana, zia Mame andò a cercare il sole in Messico, dove si trattenne a tempo indeterminato. E lì mise in pratica alcuni princìpi di psicologia appresi alla New School. Cominciò accludendo a ogni lettera un paio di sue foto in compagnia delle tre ragazze più strepitose che avessi mai visto. Erano tutte brune, di una bellezza e un'eleganza ai limiti della legalità. Rimasi subito molto colpito, e le scrissi per sapere chi fossero, ma lei fece finta di niente. Continuava a mandarmi lettere vaghe, piene di pettegolezzi e accompagnate da altre immagini del trio. Più mi incuriosivo, più mi ignorava, parlando sempre e solo di sé.

In aprile, dopo avermi condotto sull'orlo della pazzia, ritenne giunto il momento di buttar lì qualche nome – «Margot ha detto», «Melissa sostiene», «Miranda e io» –, ma nonostante le mie domande sempre più dirette e pressanti sull'identità delle tre bellezze manteneva il riserbo più assoluto. In compenso ora mi spediva solo immagini di loro tre (con l'ombra della fotografa che si allungava sul margine inferiore), immancabilmente accompagnate dalla didascalia: «Le mie tre amiche».

In giugno la curiosità era arrivata al punto che pur di scoprire chi fossero le tre accompagnatrici fisse di zia Mame decisi di chiamare Cuernavaca. Fu una telefonata lunga, carissima, molto disturbata, e assolutamente inutile. La linea era pessima, e le centraliniste si intromettevano di continuo in tre lingue diverse, sudista, broccolinese e spagnolo. Quello che riuscii a capire, prima che cadesse la comunicazione, era che si trattava di tre sorelle, che di cognome facevano Murdock, o Medoc, e che zia Mame non aveva alcuna intenzione di tornare a New York, basta. Seguì un lungo, lunghissimo periodo di silenzio in cui le mie lettere tornavano indietro con scarabocchiato sopra in spagnolo «Domicilio sconosciuto», o qualcosa del genere.

Poi, durante una delle solite canicole newyorkesi, mi arrivò una lettera in cui zia Mame diceva cose senza senso del tipo «Qui la sera una copertina ci vuol tutta». Sulla busta, che conteneva anche alcune istantanee delle tre bellezze in costume da bagno, si leggeva il timbro di Maddox Island, nel Maine. In un poscritto piuttosto nebuloso, zia Mame aggiungeva di avere affittato una casa dalle deliziose sorelle Maddox, «tre mie amiche che ho incontrato in Messico l'inverno scorso, e di cui devo averti parlato», e che tutte quante – lei e le sue amiche – intendevano trascorrere «quell'estate dorata» sull'isola. A suo modo, era un invito a raggiungerle.

Fregato. Potenza della psicologia.

Arrivare a Maddox Island non era uno scherzo. Bisognava andare in aereo a Bangor, prendere la corriera per Eastport, raggiungere in traghetto un'isola molto più grande, farsela tutta su un taxi collettivo, e finalmente approdare a un imbarco dalla parte opposta, da dove partiva una lancia per quel benedetto scoglio. Ci arrivai in fin di vita, ma mi ripresi vedendo che sul molo, ad aspettarmi, c'era zia Mame.

Dopo un bacio frettoloso e molto formale, la zia scaraventò i miei bagagli su un carretto – sull'isola non c'erano macchine – e mi guidò sullo sterrato che portava al villaggio. Parlava a raffica, ma delle tre sorelle non diceva quasi nulla. L'avrei strozzata.

Per fortuna mi ero documentato per conto mio – con poco sforzo, di tre bellezze del genere qualsiasi rivista patinata aveva pubblicato almeno una foto a piena pagina. Venivano da un'antica famiglia del New England di sangue rarefatto, ma molto blu, e oltre a vantare un pedigree impeccabile risultavano il massimo della cultura, del talento, della creatività e, ma questo credo di averlo già detto, della bellezza. Eppure, credete che zia Mame fosse disposta a dedicare anche solo una parola a questi tre fenomeni? Nossignore, a ogni domanda in proposito rispondeva con uno sbuffo, o un monosillabo. *Quando* rispondeva, intendo.

Il villaggio sembrava pronto per girarci un western. C'erano un emporio, una farmacia, una chiesa, una sala municipale che nei fine settimana diventava un cinema, e il Mickey the Mick's Saloon, che fungeva insieme da ristorante e da albergo. Ci fermammo proprio lì davanti.

«Eccoci arrivati» disse zia Mame.

«Vuoi dire che le sventole ti hanno schiaffato in questa bettola?».

«Oh no, tesoro. *Noi* stiamo alla vecchia casa Maddox. *Tu* stai qui».

«Io sto qui? Ma perché, da voi non c'era posto?».

«Caro, a casa Maddox ci sono almeno venti stanze, ma certo non penserai che ti ci voglia. Dico, unico maschio in una casa con tre signorine, sei matto? Le ragazze sono mie ospiti per tutta l'estate, il che significa che decido io chi vedono e chi no» disse con aria puntuta.

«Ma chi cavolo credi di essere, Mrs Grundy?» le dissi indispettito.

«Patrick, amore mio,» fece zia Mame alzando gli occhi verso il cielo del Maine «vedo che la vita in quella spietata, venale agenzia ti ha *molto* indurito. Dov'è finita la tua sensibilità? E pensare che ho cercato di tirarti su insegnandoti prima di tutto come ci si comporta con le persone di un certo tipo...».

«Piantala con queste stronzate, mi hai tirato su a capocchia...».

«Santo cielo, tesoro,» disse gettando una rapida occhiata all'orologio «devo scappare. Stasera siamo a cena dai Saltonstalls. Sono desolata, ma è una cosa ristretta, e non era possibile imbucarti. Però vieni a colazione domani, eh? Non puoi sbagliare: casa Maddox la trovi subito – esci da Mickey the Mick's, giri a sinistra, ti fai *tutta* l'isola, e sei arrivato. Noi siamo lì. Diciamo all'una?». Prima che potessi coprirla di insulti, se n'era andata.

Mickey the Mick's era un bar come milioni di altri, anche piuttosto nudo e tristanzuolo, e le luci fluorescenti non si può dire lo riscaldassero. Per arredarlo erano stati scelti un mostruoso juke-box, alcune immagini delle aspiranti al titolo di Miss Rheingold 1947, e le pubblicità, al neon o a incandescenza, di varie dinastie di mercanti di liquore. L'unica attrattiva – a dir poco – del locale era la figlia di Mickey, Pegeen. Pegeen era una rossa statuaria con un fisico che ti faceva venire la febbre a quaranta, e un modo di fare che te la abbassava a trentacinque. Nella scala del freddo, rasentava lo zero assoluto.

«Mi... Mi chiamo Dennis» dissi appena ripreso dal trauma della visione.

«Lo so chi è lei,» rispose in modo piuttosto spiccio «è il nuovo pretendente delle Maddox. Per di qua». Prima che capissi bene quello che aveva detto mi ritrovai al piano di sopra, in una stanza che dominava l'unica strada dell'isola. «L'abbiamo sistemata qui. Se non le piace me lo dica, perché abbiamo solo questa e papà la affitta subito a qualcun altro. Il bagno è da questa parte. Per cena c'è tutto quello che vuole nella quantità che vuole, a patto che me lo ordini subito».

Le avrei tirato qualcosa in testa. Okay rossa, ho pensato, adesso palla a me. «Grazie, vorrei cenare in stanza, e gradirei *entrecôte à la bordelaise, pommes soufflées,* insalata fresca, *crème brûlée,* e un espresso. Alle otto in punto, per favore» conclusi acido. Con mio grande stupore, prese nota di tutto. «Ecco» le dissi allungandole cinquanta centesimi.

«No grazie. Se ha la fissa delle mance, all'ingresso c'è una scatola dove pa' e io raccogliamo le offerte per le vedove dei pescatori». E se ne andò.

Volevo buttarmi dalla finestra. Andava bene tutto, finire su quel cavolo di isola e in quel cavolo di albergo, dormire da solo in una città fantasma, essere snobbato da zia Mame, non poter vedere le sorelle Maddox nemmeno dipinte, tutto, ma che Pegeen non mi guardasse neanche in faccia proprio no. Mi misi d'impegno per trovare una magagna nella stanza. Per disgrazia era spartana, ma pulitissima, e c'erano persino le lenzuola di lino irlandese. Anche il bagno annesso era lindo. Mi buttai sul letto di pessimo umore, e mi addormentai all'istante.

Mi svegliò Pegeen alle otto spaccate, con la cena.

«Ecco qua. È meglio che la mangi finché è calda.

E se per favore può non appoggiare le scarpe sul letto. Qui non siamo al Mills». Mi aveva portato esattamente quello che avevo chiesto, ed era tutto squisito. Non mi ero mai vergognato tanto, ma la vergogna era niente, in confronto all'ira funesta.

Più tardi scesi al bar a bere qualcosa, un po' perché mi sentivo solo e un po' con la speranza di fare pace. Provai più volte ad attaccare discorso con Pegeen e con suo padre, ma stavano intrattenendo un paio di clienti e mi rispondevano appena. Verso le dieci gettai la spugna e salii in camera, solo per scoprire che la pennica prima di cena mi aveva fatto completamente passare il sonno.

L'indomani mattina trascorsi qualche ora in bagno, poi mi vestii con le cose migliori che mi ero portato, e a quel punto mi sembrava di essere pronto per la colazione con le Maddox. Solo che guardai l'ora, ed erano appena le undici. Mi misi a sedere e lessi un numero di «Life» dalla prima parola all'ultima, pubblicità incluse. Arrivato in fondo, lo ricominciai daccapo. All'una meno un quarto mi mossi.

La popolazione di Maddox Island consisteva in una cinquantina di nativi stanziali, cui d'estate si aggiungevano il centinaio circa di proprietari, in genere con prole e annessi, dei grandi chalet. All'estremità più remota dell'isola sorgeva un imponente villone sul cui cancello compariva, a caratteri molto discreti, il nome «Maddox». Era uno di quei baracconi alla Ulysses Grant, tutto torri e torrette, cupole, parafulmini, portici e balconi. Ora era quasi in rovina, ma un tempo doveva avere avuto una sua imponenza.

Percorsi il viale d'accesso fino alla porta, che mi fu aperta da zia Mame in persona. «Oh caro, sei arrivato finalmente!». Si era messa una camicia di voile e un paio di calzoni da cavallo, tenuti su da una bretella sola. Non so se se ne rendesse conto, ma sembrava un travestito nella parte di Huck Finn. «Ti ho aspettato qui al verone col mio bicchiere...».

«Bicchiere di cosa?» chiesi malevolo.

«Oh su, di cose da bere! Aspetta, chiamo Ito!». Sparì chissà dove, e non diede segni di sé per una mezzora buona. Mi accomodai su un'amaca, dove per sfogare il nervosismo ingaggiai un corpo a corpo con un arretrato di «Botteghe Oscure». Proprio quando stavo per dare di matto zia Mame si ripresentò, vestita come per una festa in giardino a corte. Reggeva un vassoio d'argento con una bottiglia di sherry e due bicchieri.

Sorseggiando uno sherry, poi due, poi tre, zia Mame mi comunicò le ultime sui Cabot e i Lodge, i Saltonstall e i Faneuil. Riuscivo ancora a trattenermi, ma quando Ito ci annunciò che era pronto, e vidi che la tavola, nella grande sala da pranzo, era apparecchiata solo per due, sbottai: «Si può sapere quando mi presenti le Maddox?».

«Oh, le ragazze sono a colazione dai Lowell» buttò lì zia Mame. «Ero invitata anch'io, ma gli ho detto che arrivavi tu...».

«Insomma quando me le fai vedere?» urlai, non fosse altro per farmi sentire dall'estremo opposto del tavolo.

«Che fretta c'è, tesorino? Le ragazze hanno tutt'altro per la testa, sappilo». Detto questo si concentrò sulla sua mousse, ponendo fine alla conversazione.

Tutte le recite sono irritanti, ma quella di zia Mame nei panni di gran signora del New England poteva condurre alla follia. Appena finito di mangiare mi piantò lì con un bicchiere di porto, un sigaro scadente, una mosca solitaria e riparò in soggiorno. Quando circa tre minuti dopo la raggiunsi, mi passò una copia di *Walden*, pretendendo che gliela leggessi ad alta voce mentre lei *ricamava*! Da lì in avanti rimase in silenzio fino a quando non si punse un dito, lasciandosi sfuggire una parola decisamente fuori parte. Era troppo. Misi giù il libro e l'avrei piantata lì, se non avessi sentito tre voci melliflue sotto il portico.

Qualsiasi improperio avessi deciso di rivolgere a zia Mame si dissolse nell'istante stesso in cui le tre Maddox, biancovestite, si affacciarono nella stanza. Per essere precisi non entrarono, si fermarono sulla soglia come se da un momento all'altro dovesse arrivare Sargent a ritrarle. Ora che ci penso, le ragazze non me le ricordo una per una, ma sempre in gruppo, come le avevo viste in tutte le foto: e in posa plastica. Devo tuttavia riconoscere che le foto, per quanto magnifiche, non rendevano loro giustizia. Penso fosse una questione tecnica: molto semplicemente, l'obiettivo non era fatto per catturare quegli occhi e quei capelli tra il nero e il blu, e quell'incarnato di splendore quasi ultraterreno.

«Oh, siete qui, tesorini» disse soave zia Mame mentre tentavo di alzarmi in piedi. «Margot, Miranda, Melissa, lui è Patrick, mio nipote». Provai a dire qualcosa, ma in quel preciso momento le tre sorelle mi fecero la riverenza, manco fossero state al cospetto di Carlo II. La rapidità e la grazia di quel meraviglioso gesto fuori dal tempo mi lasciarono talmente di sasso che ricaddi sulla sedia.

«È ubriaco!» borbottò zia Mame alle ragazze. Un attimo dopo stavano già parlando tutte insieme di qualche tipico argomento del New England.

Per fortuna quella sera nessuna di loro era stata invitata dal governatore Winthrop o da John Alden o da Boss Curley, quindi zia Mame mi pregò di venire a cena – sempre a patto che mi fossi portato uno smoking. Vedendomi scendere le scale dell'albergo conciato in quel modo, Pegeen mi fece capire molto bene quanta pena le facessi, mentre a giudicare dai fischi al mio passaggio i locali dovevano trovare piuttosto curioso che uno affrontasse lo sterrato in pieno giorno con le scarpe di vernice, ma non è che me ne importasse molto. Il pensiero di tornare da zia Mame e dal suo consesso di dee bastava a sostenermi.

Per la seconda volta nella giornata mi ritrovai in mano un bicchiere di porto mentre zia Mame scortava i suoi tre cigni in soggiorno; e alle dieci in punto venni messo alla porta con una certa brutalità. Feci tuttavia in tempo a scoprire che le tre ragazze Maddox, oltre che stupende, erano intelligentissime, e provviste ciascuna di una propria individualità. Margot si occupava di belle lettere, e parlava di Kafka con eleganza e disinvoltura. Miranda era pittrice e fotografa, Melissa sapeva tutto di musica. Con le bevande che zia Mame preparava quell'estate, ubriacarsi risultava tecnicamente impossibile, eppure al ritorno mi girava la testa. Margot, Miranda, Melissa, mi ripetevo, Melissa, Miranda, Margot. E con la visione delle tre sirene che mi nuotavano intorno scivolai nel sonno.

Una volta rotto il ghiaccio, mi sentii autorizzato a ripresentarmi a casa Maddox abbastanza regolarmente, anche se zia Mame montava di guardia ventiquattr'ore su ventiquattro, mentre a quanto pare le ragazze erano contese dai vari rampolli delle grandi famiglie bostoniane che trascorrevano l'estate sull'isola. E persino quando ero formalmente invitato, il cerbero non mi perdeva d'occhio un istante. Quanto alle tre ragazze, ogni santa mattina venivano incoraggiate – non che ce ne fosse bisogno – a coltivare i propri talenti. E così la vita a casa Maddox, per quanto eccentrica potesse sembrare, seguiva uno schema abbastanza rigido. Si passavano giornate intere in spiaggia a discutere di teatro giapponese, di madrigali inglesi, della scultura di Henry Moore, dell'importanza del filo metallico nel tessile contemporaneo, delle opere inedite di Joe Gould, delle interessantissime forme ricavabili con il batik, della strana bellezza delle voci messicane, di Katina Paxinou che leggeva l'*Elettra*, di una costumista decenne momentaneamente ospite del riformatorio di Rhode Island; e tutto questo fra incessanti lodi reciproche. Nelle sue tele – *Mame al mausoleo*, *Margot in lutto* – Miranda si rifaceva a Eugene Berman, mentre come fotografa aveva qualche debito verso Cecil Beaton, almeno a giudicare dai titoli dei suoi studi (*Mame fra le candele*, *Melissa morta*). Dopo avere posato per uno dei meno riusciti (*Mame e Margot come naiadi*), la mia congiunta non si era tolta la puzza di alghe dai capelli per giorni. Mettendomi ogni volta in imbarazzo, Miranda mi chiese di posare come fauno dormiente, paggetto fiorentino, maratoneta spartano, e in altri vari ruoli a seconda delle cianfrusaglie che pescava dai bauli in soffitta, e che supponeva potessi indossare.

Una mattina che eravamo soli alla spiaggia Miranda, dopo un'occhiata molto incoraggiante al mio busto (che ancora oggi, se posso dire, non è niente male), mi chiese: «Troveresti molto sconveniente se ti chiedessi di posare nudo per me? Sai, non potendo permettermi un modello...».

Non me lo sarei mai aspettato. Mi sentivo il cuore in gola, e fissavo come un beota l'adorabile visino di Miranda senza riuscire a dire né sì, né no, né nient'altro. Ma proprio mentre cominciavo ad armeggiare col cordoncino del costume, da dietro le dune apparve il volto di zia Mame, incorniciato da quelli di Margot e Melissa.

«Ma certo che sì, tesoro, certo che lo fa!» gridò. «Avanti caro, butta via quelle braghette. Sei molto snello e molto carino, e puoi tranquillamente posare per Miranda. Noi tre ce ne stiamo qui e ti guardiamo».

Non so come descrivere il mio stato d'animo, so che se mi fosse caduta una folgore a un metro mi sarei spaventato di meno. E so che mentre zia Mame si lanciava in un ditirambo sulla bellezza del corpo umano, mi infilai uno sull'altro tutti i vestiti che avevo.

Melissa componeva musica, che immagino dovesse essere assai moderna e atonale – immagino, perché il Bechstein che usava era talmente scordato che non si poteva mai dire. Una sera, dopo essermi trastullato col bicchiere di porto molto più del tollerabile, sentii picchiare sui tasti, e anziché in soggiorno mi diressi verso la sala da musica, dove trovai Melissa alla tastiera, bagnata nella luce delle candele. Era così bella che trattenni il respiro. Lei mi sentì, sollevò lo sguardo, e mi rivolse un meraviglioso sorriso. «È un pezzo che ho buttato giù oggi. Ti andrebbe di girarmi le pagine?» mi chiese con quella sua paradisiaca voce roca.

Attraversai la stanza come un morto vivente. La musica sembrava scritta per il teatro kabuki, ma finché potevo guardare, come stavo facendo, le magnifiche spalle, le braccia, la *poitrine* di Melissa, fosse stata *Jingle Bells* sarebbe andata bene lo stesso.

«*Adesso,* per favore» sussurrò Melissa.

Mi chinai tremante, pronto a cingere d'assedio quella deliziosa gola: ma la porta si spalancò di colpo. «Ah, sei qui!» gridò zia Mame. Al suo fianco, manco a dirlo, c'erano Melissa e Miranda. «Splendido, giusto in tempo per un piccolo concerto. Continua a suonare, Melissa». Si accesero le luci, e girai pagine fin quasi a mezzanotte.

Margot leggeva e scriveva. Sapeva tutto dell'esistenzialismo, di Sartre e di Kafka. Ardendo dal desiderio, la guardavo avanzare verso il pergolato nel suo fluttuante abito bianco (le ragazze erano sempre e solo in bianco), con una pila di libri francesi rilegati in giallo, carta gialla e matite gialle. Il mio cuore grondava ammirazione. Ma riuscire a restare solo con lei era un altro discorso.

Una sera, non so come, ce la feci. Dalla cucina arrivava la voce di zia Mame, che comunicava al mondo la sua opinione a proposito di una certa salsa. Melissa e Miranda si stavano vestendo. Quatto quatto, mi avvicinai al pergolato dove sapevo di trovare Margot.

«Oh! Mi hai spaventato» disse con la sua meravigliosa, meravigliosa voce.

Siccome spaventata non lo sembrava neanche un po', presi coraggio. «Scrivi?» le chiesi come un idiota.

«Oh, non saprei» rispose con uno sguardo che mi fece piegare in due. «È solo una piccola monografia su Kafka, ma è un po' difficile, perché la scrivo in francese, e in versi». Corbezzoli, pensai. «Peccato che non troverò mai un editore» aggiunse con una certa tristezza.

«Be', che diamine,» provai a buttar lì «un mio ex compagno di scuola adesso lavora alla Harbinger Press, una casa editrice estremamente sofisticata». Stavo cercando di guadagnare tempo. «Fammi dare un'occhiata. Il mio francese è così così, ma forse insieme – insieme al mio amico, anche – potremmo andare a colazione e...». Mi chinai su di lei e le misi un braccio intorno alle spalle. Dopo una settimana in cui ero stato rigorosamente tenuto alla larga da quelle stupende tentatrici ero pronto a usare le tattiche più vergognose, già sperimentate con quella poveraccia di Sal, che appena arrivata all'agenzia dal Raymond College andava a letto con il capo, due clienti, uno scultore di Jane Street, il suo fidanzato, il sottoscritto e più o meno chiunque passasse di lì.

Mi sforzavo di trattenermi, ma non era facile. «Senti, Margot... Ahia!». Una zanzara.

«Eccoci qui! Giusto in tempo!». Zia Mame si presentò armata di spray, e ovviamente accompagnata da Miranda e Melissa. Mi spruzzò addosso una quantità tale di insetticida che a momenti ammazzava me, quindi si mise comoda, e mi chiese di leggere, nel mio francese del St. Boniface, vari estratti del libro di Margot. La cena era praticamente rovinata.

Questa massa di frustrazioni si concentrò in un periodo di tempo molto ristretto, perché zia Mame mi centellinava le sue straordinarie padrone di casa. La maggior parte delle volte – mattina, pomeriggio o sera non faceva differenza – le sorelle Maddox erano invitate, mi spiegava zia Mame, da uomini un po' più importanti di me, e quindi potevo ritenermi libero di fare quello che volevo. Bella consolazione, avevo solo una possibilità, chiudermi in stanza e chiedere a Pegeen di prepararmi uno dei suoi manicaretti.

Ogni volta che Pegeen entrava cercavo di attaccare briga, ma lei era fantastica, mi stroncava con una battuta e scappava via, lasciandomi annaspare in cerca di una risposta. Più tardi, riacquistato il controllo, scendevo al bar e tentavo una conversazione con lei e suo padre, ma niente da fare, il signore e la signorina Ryan di me non ne volevano sapere. Più tardi ancora, quando la passione per questa o quella sorella Maddox si faceva incontrollabile, andavo alla spiaggia e tentavo di calmarmi nelle acque del Maine, che erano sempre un bel po' sotto lo zero. Ma l'unico risultato tangibile, oltre ai geloni, fu una diffida dello sceriffo a non esporre in modo indecente le mie nudità.

Dopo nove giorni ero allo stremo delle forze. Il decimo mi alzai alle sei e rimasi a mangiarmi le unghie fino al momento in cui ero sicuro che zia Mame fosse sveglia. Alle undici feci irruzione nella sua camera da letto, le strappai la mascherina dagli occhi e la feci tornare in sé.

«Patrick, caro,» disse sbattendo le palpebre «non dovresti essere qui. Le ragazze...».

«Le ragazze sono sulla loro porca barca a vela. Se una sola di loro fosse nei paraggi credi che sarei entrato nella *tua* stanza?».

«Adulatore!».

«Senti, zia Mame, io sto uscendo pazzo. Dovete per forza muovervi sempre in formazione? Non è che una può rimanersene un po' per conto suo, una volta, in modo che un poveraccio...».

«Cosa intendi dire, caro?».

«Lo sai benissimo. Da quando sei stata in Messico con queste ragazze ti comporti come una chioccia. E visto che sei stata tu a inventarti questa faccenda del matrimonio, mi dovresti spiegare perché ogni volta che rimango solo con una di loro per più di cinque secondi arrivano gli altri tre cavalieri dell'Apocalisse e...».

«Matrimonio?» disse zia Mame arrossendo e sgranando gli occhi, come se ancora potessi cascarci. «Scusa, ma chi mai ti ha messo in testa un'idea...».

«Piantala, buffona. Quando mi lasci solo con una di loro?».

«Uff, che peccato, caro. A saperlo, che avevi un qualche interesse, ti avrei invitato a colazione oggi. Purtroppo le ragazze stanno andando a una festa sulla spiaggia dai Sears. Eh sì, è proprio un peccato. Pensavo che conoscessi i ragazzi Sears. Sono...».

«Su questa stramaledetta isola non conosco un accidente di nessuno, e tu lo sai!».

«Piano, piano, bambino mio, sono scioccata. Non mi immaginavo che tu potessi avere sentimenti, o addirittura emozioni di questa...».

«Ma stai zitta!».

Mi fissò cambiando di colpo sguardo e voce. «Quale ti interessa?».

Mi aveva preso alla sprovvista, e in quel momento le Maddox mi sembravano indistinguibili l'una dall'altra. «Margot» dissi deglutendo.

«Bene bene, caro» disse rianimandosi. «Ti organizzo un incontro con Margot questo pomeriggio stesso. A che ora?».

«Subito dopo la festa dai Lodge».

«Dai Cabot, caro, dai Cabot. Alle due e mezzo?».

Riuscii solo a fare sì con la testa.

Alle due in punto ero dai Maddox. Discorrendo animatamente di pentole da aragoste e tesori nascosti, zia Mame, Melissa e Miranda si calcarono in testa i loro sombreri messicani e partirono per chissà dove. Il silenzio che si lasciarono dietro faceva quasi paura. Andai sotto una delle torri e gettai qualche sassolino contro la finestra di Margot, che mi aprì immediatamente, con un gran sorriso. «Sei tu, Patrick? Stavo leggendo un interessantissimo articolo su Sartre. Pare che...».

«Perché non lasci Sartre su e scendi giù?».

«Va bene» disse, e sparì. In un paio di minuti era di sotto, col rossetto dato di fresco e il vestito bianco. Bellissima. «Dove sono Mame e le ragazze?» chiese.

«Ah, se ne sono andate».

«Senza chiamarci? Accidenti, bella roba».

«Potremmo organizzare qualcosa per conto nostro. Che ne dici di una gita in barca?».

«Mi piacerebbe, come no, però non capisco perché le mie sorelle se ne sono andate senza dirmi una parola. Facciamo sempre tutto insieme... da sempre».

«Mio Dio, ma siete appena state insieme alla grigliata. Non è che per una volta...».

«Non andavo a una grigliata da anni. Speravamo che venissi anche tu e...».

Era il segnale che aspettavo. La abbracciai, e le diedi un bacio talmente appassionato che dovette smettere di parlare. E alla fine del bacio parlai io: «Sai che da quando sono qui è la prima volta che stiamo da soli?».

«S-sì». In dispensa, Ito se la ridacchiava. Presi Margot sottobraccio e la portai alla spiaggia. Se solo la si separava dalle altre diventava tenera come il burro. Tempo mezzora, ed era tutto deciso.

Non ci credevo, che Margot avesse accettato di sposarmi così, senza batter ciglio. Mi aveva lasciato talmente esterrefatto che non riuscivo neanche a camminare dritto. Che una ragazza così bella, così intelligente, così corteggiata mi avesse sempre amato, come io avevo sempre amato lei, mi sembrava incredibile. Ma del resto tutta quella vacanza era incredibile.

«Lo dirai alle altre?» le chiesi mentre camminavamo sul prato, mano nella mano.

E Margot, con la sua splendida voce, mi rispose: «Sono sicura che Miranda e Melissa hanno già capito, ma a cena darò l'annuncio ufficiale. Ne saranno felici, così come tua zia, *sono sicura*». Lo disse in un modo che non mi piaceva per niente.

In effetti ne furono tutte felici. Miranda mi baciò, Melissa mi baciò, e mi baciò anche zia Mame. Poi tutti baciarono tutti. Zia Mame ingiunse a Ito di aprire una mezza dozzina di bottiglie di champagne, con le quali brindammo a ogni essere vivente e a ogni buona causa disponibile.

Mi sembrava stesse andando tutto per il verso giusto. Cominciavo a sentirmi di casa, e mi piaceva moltissimo. «Domani sera vorrei dare una festa. Da Mickey sul retro c'è una specie di terrazza, e Pegeen è una cuoca straordinaria».

«Divino!» esclamò zia Mame.

Le ragazze sembravano turbate.

«Ci stai chiedendo di venire in città e mischiarci coi nativi?» chiese Margot.

«Oh, sarebbe *sublime*!» disse zia Mame.

«E vorrei invitare anche i vostri amici» aggiunsi in un accesso di espansività. «Potreste portare i Sears, o i Lodge, o chi vi pare. Noi siamo cinque, magari arriviamo a otto».

Le sorelle mi squadrarono impassibili.

Zia Mame corresse subito il tiro. «Sai, a pensarci bene sarebbe molto meglio se rimanesse una cosa in famiglia. Solo noi cinque».

Non avevo nessuna voglia di discutere. «Mi accompagni al cancello?» chiesi a Margot, stringendole la mano.

«Ma certo, tesoro».

La cinsi con il braccio e ci incamminammo sul sentiero. Ma non eravamo soli. Miranda, Melissa e zia Mame ci seguivano a un passo di distanza.

L'indomani mattina non vedevo l'ora di alzarmi, scendere di sotto e ordinare una cena da favola a Pegeen. La trovai in tinello, che asciugava i bicchieri.

«Pegeen, puoi farmi le congratulazioni. Sto per sposarmi».

«Ma và!» disse con quell'aria che mi faceva imbestialire. «E quale delle cacciatrici ti ha impallinato, Miranda?».

«No, Margot» risposi seccato.

«Strano. Di solito quella la tengono per i signori più anziani».

«Ma che dici?».

Non raccolse. «Vediamo se indovino. Vuoi dare una festa qui dietro, stasera. E pensavi di ordinare filet mignon, broccoli con besciamella...».

Rimasi a bocca aperta. «E tu come lo sai?».

«Semplice, è quello che hanno sempre ordinato i tuoi predecessori. Tranne in tempo di guerra, col razionamento hanno dovuto accontentarsi del pollo. Dunque, sarete tu, tua zia e le ragazze. Cinque in tutto. È pur sempre un cambiamento, di solito ci sono solo il fidanzato e le tre ragazze».

«Io veramente pensavo di invitare qualche altro ragazzo – i Sears, i Cabot e...».

«Allora devi sbrigarti a disseppellirli. Non se n'è visto uno in giro da quando ero ragazzina. Senti, di solito si comincia con la vichyssoise fredda, quindi il filetto, quindi...».

«Be' stasera proprio no» dissi alzando la voce. «Stasera si mangiano frutti di mare del Maine. Crostacei, aragosta...».

«Come preferisci. Magari a Margot le porta bene». E si ritirò in cucina.

Il sabato da Mickey era già la serata di gala, e la mia festicciola segnò un ulteriore salto di qualità. Il bar era pieno di nativi e villeggianti, più alcuni omaccioni sbarcati da un cutter della guardia costiera. Anche nella loro versione da sera, le Maddox erano in bianco, mentre zia Mame aveva saggiamente optato per il nero. Nonostante i fischi di approvazione al loro passaggio, le ragazze ostentarono una sovrana indifferenza – benché zia Mame, se non avevo visto male, avesse rivolto uno sguardo non ostile a un guardacoste biondo.

Con la bassa marea il portico di Mickey puzzava decisamente di granchi, e quella sera la marea era bassa. Le Maddox annusarono l'aria un po' schifate, ma senza fare commenti, mentre zia Mame, che ormai non si distingueva in nulla da una matrona di

Beacon Hill, si portò inutilmente alle narici un fazzoletto di pizzo intriso di essenze.

«Ma ci credi che i nativi ci hanno fischiato?» disse Melissa.

«*Noblesse oblige,* cara» commentò Miranda.

Pegeen ridacchiò. Era sulla porta, pronta a prendere le ordinazioni.

«Buona sera, Pegeen» disse Miranda con una certa gentilezza.

«Buona sera, signorina Maddox» rispose Pegeen con un veloce inchino. Seguì una pausa piuttosto imbarazzante.

«Che cosa bevete, ragazze?» dissi per smuovere le acque.

Nessuna sembrava saperlo. La più indecisa di tutte era Miranda, che alla fine ordinò in francese. E in francese le rispose Pegeen.

«Ma è canadese?» chiesi appena uscì.

«Santo cielo, no, è una nativa» rispose Margot.

«Una nativa come le altre» chiosò Melissa.

«Però con una sua bellezza preraffaellita...» concesse Miranda.

«Se sei di bocca buona...» intervenne Melissa.

«Le ho chiesto un milione di volte di posare per me, ma...».

«Non lo farà mai, figurati» disse Margot. «I nativi hanno le loro idee sulle barriere di classe...».

«E siccome noi siamo le Maddox,» continuò Melissa «è ovvio che Pegeen si sente a...».

«Piano, per favore» disse zia Mame.

Pegeen tornò con i bicchieri, e prima che ci sedessimo a tavola feci in modo che ciascuna delle mie ospiti se ne bevesse almeno un paio.

Era la prima volta che vedevo le Maddox in trasferta, e non so perché ma avevo la sensazione di avere scelto la sera sbagliata, il posto sbagliato, il cibo sbagliato, il vino sbagliato. Pensavo che col vino le cose sarebbero andate un po' meglio, ma mi ero illuso. Mentre stavamo affrontando la squisita zuppa di pesce di Pegeen, Melissa si prese la bellissima testa fra le bellissime mani e disse: «Oh, oh, oh! Com'è che lo chiamate quell'orribile affare, il coso box?».

«Juke» disse Pegeen portandoci gli involtini incandescenti.

«Ecco, Jute. È tutto il giorno che ho in testa una linea atonale per il balletto sul *Processo* di Kafka, ma con quell'infernale arnese che strilla – chi è che per così dire canta, Pegeen?».

«Jo Stafford».

«Che vocino da femmina» commentò Melissa.

«Forse dipende dal fatto che *è* una femmina» sibilò Pegeen. Zia Mame si lasciò sfuggire una risatina, ma rientrò immediatamente nel ruolo.

«Non potresti dirgli di spegnerlo, Pegeen? Mi rovina completamente il senso della composizione e poi...».

«Mi spiace, Miss Maddox, ma il tasto "Silenzio" non c'è» concluse Pegeen uscendo.

«Senti, caro...» attaccò Margot.

«Qualcuno vuole un altro po' di vino?» chiesi.

«Mah, è un tale *vinaccio*» disse Miranda sollevando il bicchiere. «L'anno scorso, quando siamo andate a trovare i Chalfonte a Chantilly...».

«Non dire stupidate» intervenne zia Mame, picchiettando Miranda col ventaglio. «È un vinello delizioso, anche con una sua pretesa».

«Miranda, per favore» disse Margot nervosa.

«Oh, io odio questo posto. È tutto freddo, austero e povero» le rispose Miranda vuotando il bicchiere fino all'ultima goccia. E meno male che il vino non le piaceva. «Ridatemi *mon belle France*».

«*Ma* belle France» si sentì qualcuno dire a voce bassissima. Era Pegeen, che stava portandoci su un enorme vassoio il burro schiarito e le aragoste.

«*Ma,* certo» continuò Miranda, senza capire da chi le fosse arrivata la correzione. «La Francia, la mia Francia, dove mi sento libera di dipingere, dipingere e ancora dipingere». E sollevò le braccia in un gesto che sembrava voler stringere a sé la Francia intera, ma invece colpì Pegeen, proprio sotto il gomito. Un frastuono assordante accompagnò la visione delle signorine Miranda e Melissa inondate di aragoste, patate fritte, insalata verde, più qualche gallone di burro schiarito. Era una scena talmente agghiacciante che rimasi a fissarla in silenzio.

Non così Melissa e Miranda.

Miranda saltò in piedi, e si parò di fronte a Pegeen con occhi di brace: «Lurida, miserabile, goffa straccione irlandese. Guarda cosa mi hai fatto!».

«Cos'ha fatto a te?» urlò Melissa. «Cos'ha fatto a me, piuttosto. E lo ha fatto apposta. Questi indigeni sono...».

«Calma, calma,» provai a dire «è stato solo un incidente. Tu in fondo hai alzato...».

«Miranda, ricordati chi siamo!» intervenne Margot.

«So benissimo chi siamo noi, e so chi è lei. È per questo che lo ha fatto, perché noi siamo le Maddox e lei è solo una...».

«Una volgare puttanella indigena» concluse Melissa scrollando i riccioli. La cosa più affascinante era che aveva un'aragosta sulla testa, e le chele, una per parte, ricordavano vagamente gli orecchini più oltraggiosi di zia Mame. «Sei...».

«Melissa,» disse Margot «smettila immediatamente, non c'è alcuna ragione di abbassarsi al...».

«Ragazze!» gridò zia Mame alzandosi in piedi. «Per favore. Non è stata colpa di nessuno. È stato solo...».

«Tu stanne fuori!» strillò Miranda. «Tu non conosci gli indigeni, e non conosci i loro trucchetti. L'ha fatto apposta per umiliarci, e la pagherà cara».

«Signorina Miranda, lasci che le tolga questa patatina dalla spalla» disse Pegeen a denti stretti, facendosi avanti con un tovagliolo.

«Levami le tue sporche manacce di dosso» strepitò Miranda. E subito dopo le mollò un ceffone.

«Al suo posto non ci riproverei» disse Pegeen senza alzare la voce. Poi le appioppò un manrovescio da farla andare lunga.

Be', era troppo. Melissa si gettò nella mischia, e per qualche secondo, fra le aragoste volanti e i capelli di Pegeen, vidi solo rosso.

«Basta, per favore, basta!» gemeva Margot. «Non vedete che state rovinando tutto?».

«Ragazze!» urlò zia Mame. Nonostante lo spavento, e la rabbia, riusciva a mantenere il tono da sorella maggiore. «Se non la smettete immediatamente sarò costretta...».

Qualunque cosa si sentisse costretta a fare, le fu impedita da Mickey in persona, che arrivò urlando, e senza alzare un dito accompagnò fuori zia Mame, Margot, Melissa e Miranda. Quindi rientrò e, in modo assai meno garbato si occupò di me. Mi fece sfilare davanti a nativi, villeggianti e guardacoste, e mi lasciò in strada.

Accompagnai le signore a Maddox House senza aprire bocca per tutto il tragitto. Il silenzio era comunque la scelta migliore, perché fra gli strepiti delle Maddox e i lamenti di zia Mame non sarei comunque riuscito a piazzare una parola, sempre ammesso che mi fosse venuto in mente qualcosa da dire. Al ritorno da Mick era tutto spento. Davanti alla porta d'ingresso c'erano le mie valigie, preparate con estrema cura, e accompagnate da un biglietto: «Il conto si considera pagato».

Passai la notte sotto un molo, tremando nello smoking estivo.

L'indomani mattina mi svegliai duro come uno stoccafisso, e profondamente infelice. Per un attimo sperai di aver fatto solo un brutto sogno, ma un'occhiata al molo, alle valigie e ai ghiaccioli che mi si erano formati addosso bastò a convincermi che era tutto vero. Fra un brivido e l'altro cercai di rendermi presentabile, e ripresi penosamente la strada dell'albergo. Nonostante fosse giorno di chiusura, la porta di Mickey era aperta. Dentro era tutto buio, freddo e deserto. C'era solo Pegeen, che lavava i bicchieri dietro il bancone.

«Buon giorno».

«La domenica siamo chiusi. A parte questo papà potrebbe arrivare da un momento all'altro, e se ti vede qui hai idea di cosa può farti? Ti prego, non ho nessuna voglia di finire per avvocati».

«Sono venuto a pagare».

«Non pensarci neanche. Pa' è molto generoso con i vagabondi».

«E volevo anche scusarmi per il modo...».

«Un Maddox che chiede scusa a una Ryan? Non si è mai visto!».

«Non sono un Maddox!» dissi alzando la voce.

«Ma stai per diventarlo».

«Su, piantala e dammi una birra».

«Ma certo, Mr Maddox, con piacere, Mr Maddox, sempre felice di servirla, Mr Maddox. Ai suoi ordini, Mr Maddox. Però vede, noi indigeni la domenica siamo chiusi».

«Pegeen, per favore, la pianti? Ti ho detto che mi voglio scusare. E non sono responsabile di quello che fanno Miranda e Melissa».

«Oh, scusa, hai ragione. Solo che sai, con le Maddox è sempre difficile capire chi è responsabile di chi».

«Questa è una cattiveria inutile. Che cos'hai contro Margot? Non è sempre stata carina con te?».

«Oh, uno zucchero. E non c'è niente che mi disponga meglio verso una persona che essere trattata dall'alto in basso ogni estate che Dio manda in terra. Sì, Miss Maddox, no, Miss Maddox, felice di saperla di nuovo sull'isola, Miss Maddox. Quanto di sapere che è scoppiata un'epidemia di colera, Miss Maddox».

«Ma cos'è questa roba di Miss Maddox? Non puoi chiamarla Margot?».

«Non esiste. Noi indigeni non ci mischiamo coi villeggianti – specie coi Maddox, che sono i padroni dell'isola, o meglio lo erano, prima di finire sul lastrico. Dopotutto mio nonno era il giardiniere del nonno della signorina Margot. Te lo avrà detto, immagino».

«Non ne ha mai fatto parola» dissi abbastanza seccato. «Ma è roba di tre generazioni fa. I tempi sono cambiati».

«Ma le Maddox no. Hanno solo meno soldi, mentre i Ryan ne hanno di più. Però loro sono ancora le aristocratiche e noi gli indigeni. Ogni volta che incrociavamo una Maddox mia madre mi obbligava a fare la riverenza. Agli indigeni tocca, no?».

«Adesso non fare la comunista. Ma a parte tutto, cos'è questa scemenza degli indigeni? Chi ti ha detto che sei un'indigena?».

«Sei sempre l'indigeno di dove nasci, no? E io sono nata qui, ergo sono un'indigena».

«Ergo, tergo. Per venire da una famiglia di pescatori parli piuttosto bene».

«Oh, le brezze della terraferma arrivano anche da noi, cosa credi. Comunque sono stata al college. Borse di studio, divise, trattamento completo. Ma se non altro mi sono laureata».

«Be', mi pare il minimo».

«Margot non c'è riuscita. L'hanno sbattuta fuori da Bennington al secondo anno. Ma naturalmente Bennington è un'università molto migliore di quella in cui sono andata io, e comunque Margot era talmente colta e fine di suo che i professori non avevano un granché da insegnarle».

«Mi sembra di capire che Margot non ti piace».

«Un ragazzo intuitivo, eh? Ora, guarda che non scherzo. Togliti dai piedi, se papà ti trova qui finisce male. Ci sono regole molto precise sui rapporti fra ragazze indigene e signorini in vacanza».

«Ma io non capisco...».

«Ci sono parecchie cose che non capisci, mi sembra».

«Sì, ma adesso non capisco perché, con tutto quello che hai studiato...».

«Faccio la cameriera?».

«E piantala di mettermi le parole in bocca! Volevo dire, passi tutto l'anno sull'isola a lavorare per tuo padre?».

«No, d'inverno insegno francese in una scuola a New York. È una buona scuola, imparerebbe qualcosa persino Miranda, con un po' di aiuto. Ma l'estate torno. Papà non ha nessun altro al mondo, e a parte questo stare qui mi serve, mi aiuta a ricordare da dove vengo».

«Credevo di averti detto di startene alla larga, tu e quelle gnegnè delle tue amichette». Era Mickey, che urlava dalla porta.

«Lascia perdere, pa', se ne sta andando».

«Ecco, quanto vi de...».

«Offre la casa».

Mi trascinai in strada. Faceva caldo, e non morivo dalla voglia di andare dalle Maddox. Rimasi per un po' a girellare intorno all'emporio. L'unica cosa da guardare, in vetrina, era una fila di borse dell'acqua calda. Le guardavo imbambolato pensando solo, va tutto di schifo. Non ricordo quanto tempo passai davanti alla vetrina. Penso finché non arrivò Pegeen Ryan. Si era infilata guanti e cappello, e camminava a passo di marcia. «Non proprio la vetrina di Bonwit, eh, cittadino?». Lo disse senza smettere di camminare.

«Ehi, dove stai andando?».

«Cinema».

«Sola?».

«Sola. Danno *I migliori anni della nostra vita*».

«Posso venire anch'io?».

«È un edificio pubblico, non sono in grado di impedirtelo».

«E posso sedermi vicino a te?».

«Non ci sono posti assegnati. Nemmeno per le Maddox e i loro amici. Solo non parlare durante lo spettacolo. E non entrare insieme a me. Non vorrei che gli altri indigeni pensassero che ho perso la mia virtù con un villeggiante».

«E non posso offrirti il biglietto?».

«Certo che no. E sia ben chiaro, non stiamo uscendo insieme. Non mi azzarderei mai a sconfinare in territorio Maddox». Sbatté il denaro alla cassa ed entrò. La seguii a rispettosa distanza.

Alle fine del film uscimmo insieme. «Bene, arrivederci» disse Pegeen.

«Senti, non posso offrirti da bere o qualcosa?».

«No. L'unico posto dove si può bere sull'isola è il nostro, e la domenica è chiuso. Tornatene dalle Maddox».

«Allora ti vedo presto».

«Sì, col cannocchiale. Domani prendo il traghetto – *Petit Larousse*, *Candide*, *Le malade imaginaire*, eccetera eccetera. Comincia la scuola».

«Mannaggia. Però magari ci possiamo vedere a New York».

«Come no, ce ne usciamo tutti e cinque, Melissa,

Miranda, Margot e io. Più tua zia come accompagnatrice, dimenticavo. Grazie del pensiero, e buona fortuna».

Pegeen se ne andò, e io mi trascinai dalle Maddox. Per una ragione o per l'altra non avevo nessuna fretta di arrivare. Margot era allungata sull'amaca di zia Mame a leggere una copia di «Circle 6». Mise giù la rivista e mi guardò con gli occhioni sgranati. «Tesoro, ma dove sei stato? Eravamo tutte preoccupatissime. Miranda voleva mostrarci i costumi per una possibile rappresentazione di *Amerika*, che un gruppo molto sperimentale di amici suoi, bravissimi, dovrebbe mettere in scena. In questo momento li sta facendo vedere alla povera Mame».

«Perché povera? Che problemi ha, a parte i disegni di Miranda?».

«Si è presa un accidente. Dove sei stato tutto il giorno?».

«Al cinema».

«Al cinema? Stai scherzando?». Doveva trovarlo buffissimo, a giudicare dalla risata. «Non danno mai niente di vedibile, solo roba da indigeni».

«Invece il film di oggi era interessantissimo. Sai, l'ha girato un gruppo sperimentale di Minnehaha Falls. Si tratta di una nuova edizione, estremamente coraggiosa, di *Leda e il Cigno* – parole di Gertrude Stein e musica di Virgil Thomson e Bix Beiderbecke».

«No! Ma perché non me l'hai detto? Ci sarebbe stato utilissimo vederlo...».

«Leda la fa una ragazzina di tredici anni, gobba. Per i ruoli minori hanno preso Laurel, Hardy, i Fratelli Ritz, Bela Lugosi e Buster Keaton. Le scenografie sono di Dalí e i costumi di Christian Bérard».

«Davvero? Certo Bérard non è il primo che mi sarebbe venuto in mente, però... Oh, ma mi stai prendendo in giro, vero?».

«Ascolta, Margot. Voglio parlarti, e di cose serie. Voglio parlarti da sola, e subito».

«Perfetto, anch'io. Abbiamo appena discusso i nostri progetti con Melissa e Miranda».

«Ecco, loro sono una delle cose di cui voglio parlarti».

«... mentre eravamo in barca. E ci è venuta una grande idea...».

«Non credi che i tuoi progetti dovresti discuterli con me?».

«... che sarebbe una soluzione perfetta per te, per me, per Melissa e per Miranda, e garantirebbe a tutti quanti una vita piena, interessante, colta...».

«Io trovo la mia vita abbastanza piena, interessante e colta, almeno quando riesco a viverla». Ma evidentemente Margot non ascoltava una sola parola. Andava avanti come un treno.

«Penso che dovremmo sposarci alla fine di settembre, come avevamo programmato. Poi potremmo partire per l'Europa...».

«Non sono sicuro di potermi allontanare dall'ufficio».

«... e al ritorno dall'Europa ci sistemeremo tutt'e quattro...».

«Margot, hai sentito quello che ho detto?».

«Ma certo, tesoro. Dunque, Melissa propone Capri, ma lì c'è sempre una tale confusione che è impossibile lavorare, quindi pensavamo di chiedere a Mame di affittare una casa a Ischia e...».

«Di cosa stai parlando?».

«Di noi» disse con voce neutra.

«Di te e di me?».

«Ovvio. Di te, di me, di Melissa e di Miranda».

«Non credo che la mia agenzia abbia una sede distaccata a Ischia, o a Capri. Anzi, sono sicuro che ha solo quella di New York. Sai, è piccola».

«Ma questo non ha importanza, tesoro».

«È la mia vita, il mio lavoro».

«Lavoro! Sfornare banalità per un piatto di lenticchie lo chiami lavoro?».

«Sì. Forse perché gli dedico gran parte della giornata, dev'essere per quello» dissi irrigidendomi un po'.

«Ma non ne hai nessun bisogno. I soldi non mi sembrano un problema. Tu ne hai un sacco, e Mame addirittura ci sguazza».

«E?».

«E, Patrick caro, perché togliere lavoro a chi ne ha veramente bisogno?». Diceva sul serio. «Come stavo cercando di farti capire, il tuo non è un lavoro adatto a una persona intelligente».

«E tu Margot che lavoro fai?».

«Io? Uh guarda, non ho un momento libero».

«Perché, cosa fai?».

«Innanzitutto leggo tantissimo. Studio le lingue, l'arte, la musica, le idee nuove. Ho un'insaziabile sete di conoscenza».

«È per questo che ti hanno cacciato da Bennington?».

«... e so godermi lo spettacolo della vi... *Chi te l'ha detto?*». Era la prima volta che la vedevo alterata, e non era un bello spettacolo.

«Pegeen Ryan».

«Pegeen Ryan? Vuoi dirmi che hai dato ascolto a quella serva ignorante e mezza irlandese? È solo un'indigena!».

«Un'indigena che ha fatto l'università».

«E quella del Maine tu la chiami un'università?».

«Io sì».

«Comunque la laurea è sopravvalutata. A volte si impara molto più dalla vi... no, ma tu pensa la faccia marcia di quella sciacquetta irlandese. Lo sai che suo nonno era il giardiniere del mio?».

«Me l'ha detto lei».

«Come hai potuto intrufolarti da quella puttanella alle mie spalle...».

«Sono andato a scusarmi per il pandemonio provocato da te e dalle tue sorelle ieri sera. E anche per pagare il conto».

«Chiedere scusa a una Ryan da parte di una Maddox! Ah ah ah. Che bella scena!».

«Proprio una bella scena, Margot, soprattutto perché la maleducazione delle Maddox ieri sera è stata imperdonabile. Infatti non mi hanno perdonato, e non hanno neppure voluto i soldi».

«Cosa hai detto della maleducazione?».

«Mi hai sentito. Adesso, per una volta, io parlo e tu mi ascolti, va bene? Io ti amo, Margot. Ti amo nonostante le tue pretese intellettuali, nonostante ti comporti come un'erede al trono in pubblico e come una monaca in privato». E mentre lo dicevo, improvvisamente, mi resi conto che non la amavo affatto. Non mi piaceva neanche.

«Come osi...».

«Ho detto che per una volta, una sola, parlo io. Nonostante mi abbiate fatto passare una settimana non so bene se all'asilo d'infanzia o a teatro, e nonostante la vostra sceneggiata di ieri sera, voglio ancora sposarti. Ma voglio sposare te – non Melissa e Miranda, e neanche Kafka. E neppure una delle cose che ho trovato qui. Voglio che sia il *nostro* matrimonio. Niente vita in comune, e neppure lavoro creativo su un'isola, a meno che l'isola non sia Manhattan. Vivremo insieme, certo, ma tu e io – da soli – come un marito e una moglie qualsiasi. Io uscirò per andare in ufficio alle nove, e tornerò alle sei. E fra le nove e le sei tu potrai fare tutto il lavoro intellettuale che vuoi...».

«Come un contabile piccolo borghese con i polsini di celluloide» sputò Margot.

«Esattamente come un contabile piccolo borghese, a parte il fatto che non è il mio mestiere. Come un piccolo contabile con alcuni bambini e una vita normale, cioè il tipo di vita che fin qui non sono mai riuscito a vivere. Zia Mame è perfettamente in grado di badare a se stessa. Lo è sempre stata. E lo stesso vale per Miranda e Melissa».

«Badare a se stesse? E come pensi che possa trovargli marito con una vitarella come quella che mi proponi? Io devo portarle in ambienti dove possano incontrare uomini...». Era a un passo da una crisi isterica. Balbettava, come non riuscisse a trovare le parole. «... intelligenti, di mondo, bennati».

«Intendi ricchi?».

«Be', sì. Una Maddox non sposa certo il primo che passa. Per te è diverso. Tu hai del tuo, sei l'erede universale di una ricca signora. Non sai cosa significa avere avuto tutto per poi vedere tuo padre dilapidare una fortuna. Noi non siamo come gli altri, non possiamo adattarci a...».

«Scusa, quando è sparita questa fortuna, Margot?».

«Nel ventinove. Prima avevamo tre governanti e maggiordomi e...».

«Nel ventinove tu avevi otto anni. Le tue sorelle erano ancora più piccole. Avete avuto quindici lunghi anni per abituarvi alla vita reale, e non ci siete riuscite. In realtà, prima tu e le tue sorelle mettete da parte le vostre manie di grandezza, e l'idea di essere un faro della civiltà per diritto di nascita, prima imparate a cucinare e a trattare gli altri come esseri umani e non come schiavi del defunto impero Maddox, meglio è...».

«Taci!» urlò. «Per dieci generazioni la famiglia Maddox ha deciso tutto a Salem, e qualche volta anche a Boston. E per *tutto* intendo la vita sociale, artistica, intellettuale. Tutti quelli che fanno parte del nostro giro dicono che...».

«E chi fa parte del vostro giro, Margot?».

«Nessuno che tu conosca».

«Di questo sono sicuro. Ma se nel tuo giro, come lo chiami tu, ci sono tre uomini ricchi, fai una cosa, agguantali e tienteli stretti. Io ho passato la vita fra persone di una certa educazione, e in genere piene di talento, e ti assicuro che voi tre non avete né l'una né l'altro. E se pensi che io abbia voglia di sposarti e di passare il resto della vita a fare il magnaccia tuo e delle tue sorelline, ti stai...».

«Sposarmi, tu? Tu, un ritardato di Madison Avenue con una zia sciroccata e pretenziosa convinta di potersi comprare l'aristocrazia e il talento che non ha!».

«Scusa scusa, aspetta un secondo».

«Io non ti sposerei per tutto l'oro del mondo. Io metterò me stessa e le mie sorelle al vertice della vita intellettuale, dovesse essere l'ultima cosa che faccio».

«E probabilmente lo sarà».

«Vai al diavolo, e vattene di qui. Vai fuori dalla mia proprietà! Immediatamente!».

«D'accordo, Margot, me ne vado. Solo una cosa. Dal punto di vista legale, non è la tua proprietà. Fino al 1° settembre è proprietà di zia Mame».

«Questa proprietà è mia, come è mia l'isola. Sono una Maddox, e una Maddox è...».

«Addio, Margot. E salutami i ragazzi di Ischia».

Attraversai il prato di corsa, deciso a uscire il prima possibile dalla proprietà dei Maddox. Ma appena passai davanti alla casa, zia Mame spalancò la finestra della camera. «Patrick, aspetta!» gridò con quanto fiato aveva in corpo.

Un attimo dopo mi stava correndo incontro, tutta avvolta in scialli e coperte.

«Sì, Lady Macbeth?» le chiesi.

«Oh, tesorino, zia Mame sta malissimo. Quell'orribile scenata di ieri sera mi ha distrutto. Poi mi è venuto questo spaventoso malanno e... ma tu dove sei stato? E dove stai andando con quella...».

«Sono stato nel paese delle meraviglie con te, come al solito. Invece adesso vado a New York, col prossimo traghetto».

«Ma tu... tu e Margot, caro? I vostri progetti? È tutto il pomeriggio che mi parla del mio regalo di nozze. Dice che le piacerebbe una villetta su misura per due piccioncini, due sorelle più piccole, e una cara zietta. Sembrava un'idea così divertente che Margot si è fatta prendere dall'entusiasmo e mi ha detto che le piacerebbe anche un pied-à-terre a Parigi, e...».

Quel tono sognante non mi andava giù, anche perché era finto. «Ti comunico che Margot e io, prrrrr».

«Margot e tu cosa?».

«È un rumore che fanno i cavalli, e le comunicazioni disturbate. Vuol dire che è tutto finito».

«Finito? Ma Patrick, e i miei progetti per te? La mia estate dorata? I miei nipotini? Ma come, passo sei mesi a coltivarmi queste ragazze stupende, intellettuali, di ottima famiglia, te le butto fra le braccia, faccio di te un Paride dei giorni nostri e...».

«Paride aveva più fiuto di me».

«Ma il mio insegnante di psicologia mi ha detto che...».

«Il tuo insegnante di psicologia non poteva immaginare che andassi a cacciarti in un tale nido di vipere. Però se avesse chiesto a me gliel'avrei spiegato, che fra tutte le femmine suonate, sentimentali, ingenue che esistono al mondo tu eri quella più a rischio di finire nelle grinfie di queste patrizie venali, perfide e ipocrite che non hanno né l'educazione né la decenza...».

«Ecco, ammetto che lo scambio di ieri sera con quella deliziosa rossa è stato orripilante, ma sai, questi vecchi aristocratici...».

«Orripilante è la parola. È stata la zuffa più squallida e più rumorosa nella storia dell'uomo. Il tipo di cose che ti aspetti da una banda di mignotte in un basso di Barcellona. È...».

«Vero come l'oro, caro» disse con una calma esasperante.

«E spero ammetterai che le sorelle Maddox ti hanno succhiato il sangue dalla prima volta che ti hanno visto».

«Be', diciamo che al ristorante fanno una certa fatica a trovare il borsellino. Eppure è al solito posto, nella borsetta».

«E lo sai bene anche tu, mi auguro, che non hanno più talento di quanto ne abbia io. Margot non distingue Kafka da Elinor Glyn e Miranda è una copiona...».

«Tesoro, hai mai notato che la *Fuga in Re* di Melissa è *Ramona* eseguita al contrario, e in Do, cioè nell'unica tonalità che Melissa sa usare?». Tutto quel garbo cominciava a darmi sui nervi.

«E in realtà temo che nessun uomo presentabile le voglia. Ti sei inventata...».

«Questo perché non tutti i maschi sono suonati, sentimentali e ingenui come te. A quanto pare queste qualità abbondano nella nostra famiglia, almeno quanto presunzione, avidità, snobismo e pretese scorrono nel sangue dei Maddox».

«E tu volevi che sposassi uno di quei vampiri?» strillai.

«Io non ti ho mai chiesto di sposare Margot. Non ti ho mai chiesto di sposare nessuna di loro. Se vuoi saperlo le trovo noiosissime, senza contare che pensano solo ai soldi, e non hanno neppure la compiacenza di sdebitarsi – fisicamente, dico – per il disturbo...».

«Ma santo cielo, tu sapevi tutto e te ne stavi seduta lì ad aspettare che quelle arpie mi sbranassero? Eri pronta ad avvolgerti nelle piume e a piangere al matrimonio? Eri pronta...».

«Caro, il mio insegnante di psicologia mi ha detto che...».

«Be' puoi dire al tuo insegnante di psicologia, da parte mia, che la prossima volta che mi innamoro tenterò di affidarmi solo ed esclusivamente alla biologia – e comunque non a te!».

«Splendido. Era precisamente quello che volevo sentirti dire» rispose piccata.

«Che stai dicendo? Sei tu quella che...».

«Io sono quella che ti ha sempre cavato dai guai nei quali insisti a cacciarti, anche se ammetto che forse un paio di volte sei stato tu a parare, come dire, i piccoli scherzi che il destino ha voluto giocare a me. Ti ricordo solo quella stronza della Upson e quell'altra dolce creatura, Bubbles. Ma ormai hai quasi trent'anni, e per citare un brillante editor di mezza età che so io, è tempo che tu esca dal tuo carapace e affronti il mare aperto della vita adulta...».

«Zia Mame, davvero hai pianificato tutto? Tu...».

«Vola, mio piccolo uccellino, dopo tutti gli anni trascorsi nella mia gabbia dorata ormai conosci il mondo, vola!» disse mimando un arioso battito d'ali.

«Va bene, carogna. Me ne vado. Me ne vado in questo preciso istante».

«Perfetto, caro, aspetta solo che sbatta due cose in valigia. Sono da te in un secondo. Questo obitorio mi fa venire i brividi. Ci metto dieci minuti, massimo quindici...». In quel momento sentii il fischio del traghetto, che stava arrivando.

«Mi spiace, non ho quindici minuti, e neanche dieci. Addio. E attenta al portafoglio. Ah, e grazie». La abbracciai forte, e le diedi un bacio.

«Un attimo, un attimo, giovanotto. Dopo tutto quello che ho fatto per te, non vorrai lasciarmi qui con queste tre furie». Era indignata.

«Per citare il tuo attempato conoscente nel mondo editoriale, mi sto liberando dal carapace, e sono pronto per il mare aperto. E intendo affrontarlo adesso, prima di passare un'altra notte sotto il molo».

«Patrick, non vorrai lasciarmi sola in questa orribile casa!».

«Tu ci sei entrata, e adesso tu te ne tiri fuori – psicologicamente, intendo. Arrivederci, e grazie ancora». E schizzai via.

Il tempo di arrivare al cancello, e Melissa uscì allo scoperto. Era molto pallida e aveva un'aria estremamente determinata. Inoltre indossava un abito rosso decisamente corto. Era uno schianto.

«Ferma, Patrick» disse fremendo. «Ho sentito quello che hai detto a Margot. E hai ragione, Margot è una donna tremenda, venale, e fra l'altro di Kafka non sa niente. Ma io sono diversa da lei, e anche da Miranda. Prendi me, e ti prometto che non le vedrai mai più. Possiamo andare a Roma insieme. A me basta la mia musica, mi basti tu». Il traghetto emise un secondo, lancinante fischio. «Io posso farti felice. Mi piace la pubblicità, mi piace la gente comune e...».

Il resto della dichiarazione andò perduto, perché mi misi a correre come un pazzo giù per la strada polverosa che tagliava in due Maddox Island.

Arrivai al molo proprio mentre la lancia cominciava a muoversi. C'era un bel salto da fare, ma pazienza. Mi feci largo fra i villeggianti che tornavano a casa, trascinandomi dietro la valigia fino a quando non andai praticamente a sbattere contro una stupenda ragazza, in un impeccabile completo da viaggio. Aveva una meravigliosa massa di capelli rossi al vento, e naturalmente era Pegeen Ryan. «Bu!» le feci da dietro.

«Ah, sei tu».

«Sì. Io ragazzo di città – tu ragazza indigena».

«Oh, ma c'è da crepare dal ridere. Hai una carriera in televisione».

«Piantala, irlandese».

«Vai a Bangor a comprare la fede per Margot?».

«No, vado a Bangor a comprare un biglietto per tornare a casa. A casa mia, intendo».

«Oh» disse alzando un sopracciglio.

«Già, oh».

Per un po' rimanemmo in silenzio.

«Ti spiace se mi siedo vicino a te, Pegeen?».

«È un traghetto pubblico».

«E ti spiace se mi siedo vicino a te sul taxi che prendiamo alla prossima isola?».

«È un mezzo di trasporto pubblico».

«E sul traghetto per Eastport?».

«È un altro traghetto pubblico».

«Dopo il traghetto, ti ricordo, c'è la corriera per Bangor, che è pubblica anche lei, e poi l'aereo per New York, sempre pubblico, e poi la macchina pubblica fino al terminal, e poi...».

«Tutto molto pubblico, no?» disse Pegeen. Ma stavolta con un sorriso.

«Forse potremmo andare a cena. Non so, vogliamo fare stasera? In un ristorante pubblico, naturalmente».

«Forse».

Le misi un braccio intorno alle spalle, e guardammo insieme Maddox Island sparire nel tramonto.

## 11
## ZIA MAME RIVEDUTA E CORRETTA

Le vicende dell'Indimenticabile erano così appassionanti che finii per addormentarmi. Alle quattro venni svegliato dal telefono. Mi alzai per rispondere, ma ci aveva già pensato Pegeen.

«È per te» disse coprendo la cornetta. «Quella matta di tua zia».

«Impossibile, è in India» sussurrai.

«Vuol dire che la linea è particolarmente buona. Tieni».

«Sì?» dissi con una certa cautela.

«Tesoro, tesoro, sono io!» trillò zia Mame.

«Ma dove sei?».

«Al St. Regis. Sono atterrata stamattina, ma mi trattengo solo un paio di giorni. Non ti ho scritto che ero in arrivo?».

«Veramente no».

«Oh be', volevo farlo».

«Com'era l'India?» chiesi tanto per dire qualcosa.

«Oh, divina, caro, assolutamente divina. Non vedo l'ora di raccontarti il mio nuovo lavoro. È importantissimo, sai? Secondo Nehru, ho fatto più io per liberare la mente indiana dal comunismo che...».

«Scommetto che a forza di averti intorno avranno finito per trovare niente male anche il Pakistan».

«Come dici, caro?».

«Niente».

«Senti, caro, esigo di vederti. Voglio vedere te, Pegeen e il vostro adorabile bambolotto. Insomma, mi fai un bambino e io neanche lo vedo. Va bene che ho dovuto dare una mano all'Europa e all'Asia a rimpannucciarsi, ma dico. Non puoi metterlo in una cesta e calarmelo?».

«Zia Mame, ha sette anni. È talmente grande che mi ci mette lui in una cesta».

«Santo cielo, come passa il tempo quando uno è così occupato. Ma allora venite voi! Do una piccola festa di benvenuto da me».

«Quando?».

«Appena puoi. Viene un sacco di gente molto interessante. Molto internazionale, sai. Presto, caro, vieni. Muoio dalla voglia di vedervi».

«Va bene, ci provo. Siamo lì in un'ora».

«*À bientôt,* amore mio». E riagganciò.

«Be'?» chiese Pegeen.

«Era zia Mame».

«Questo l'avevo capito».

«È al St. Regis. È appena tornata. Vuole che la raggiungiamo immediatamente».

«Me lo sentivo che non poteva durare. Sette, otto anni di pace, e già ci risiamo».

«Su, mettiti il cappello, andiamo. Vuole vedere anche il bambino».

«Pensi di presentarti al St. Regis con quel vecchio accappatoio?».

«Oh santo cielo, non me n'ero accorto. Be', tempo che prepari il bambino e sono pronto».

«Però ricordati una cosa» disse Pegeen con un'aria estremamente seria. «Tua zia sarà anche un personaggio, una maga, un'incantatrice, tutto quello che vuoi, ma non intendo permetterle di toccare mio figlio. Può guardarlo, fargli biri-biri, dirgli oh ma come sei grande, come somigli a papà, insomma tutto quello che ci si aspetta da una zia, ma non può...».

«Dài Pegeen, ma nemmeno vuole. Ha già una vita abbastanza piena, le mancano anche i bambini».

Non dovevo averla convinta del tutto, se davanti alla porta della suite Pegeen si sentì in dovere di tornare sull'argomento: «Ricorda!». Suonai il campanello e Ito, in turbante, ci fece un profondo inchino.

«Ito!» dissi afferrandogli la mano. I capelli che gli spuntavano da sotto il turbante si erano ingrigiti, ma a parte questo, e il costume di scena, era sempre lo stesso, con lo stesso sorriso felice.

«Entrate. Madame molti affari. Madame molto vuole vedere bambino».

L'interessato aveva gli occhi fuori dalle orbite. Mi tirò la mano: «È come Punjab in *Little Orphan Annie*?».

«No, Mike, lavora solo per tua zia» gli risposi.

Per i pochi giorni che doveva trascorrere in città, zia Mame aveva preso un numero ragguardevole di stanze, al momento occupate da una specie di delegazione delle Nazioni Unite. C'erano un sacco di indiani in completo occidentale e turbante, e diverse indiane in sari. Mike non aveva mai visto nulla del genere.

La prima persona in cui mi imbattei era Vera, che si era tinta i capelli di un biondo piuttosto aggressivo. Al compimento del sessantesimo anno aveva deciso che i giorni da *ingénue* erano finiti per sempre. Adesso interpretava perlopiù giovani matrone trentacinquenni, e le sue matinée erano sempre esaurite. E siccome la morte aveva bussato alla porta dei Fitz-Hugh, e l'onorevole Basil era diventato conte a pieno titolo, Vera faceva il possibile per interpretare da par suo Vostra Grazia. Il tocco di autenticità britannica era affidato al linguaggio, diventato un ibrido molto vicino a una forma d'arte: «Patrick, te-so-ro, sono mòlto, mòlto felice di ve-dèrti, dopo tutti quèsti ànni. Certo sei in-vècchiato, ragazzo mio».

«Ciao Vera, hai visto zia Mame?».

«Oh, certo. È un fiò-re».

«Sì, ma dov'è?».

Alla mia volta stava avanzando una visione che ero certo essere zia Mame. Indossava un sari elaboratissimo, drappeggiato in modo stravagante per far risaltare al meglio la sua figura ancora snella. I capelli, ormai completamente grigi, da vicino avevano un'elegantissima sfumatura pervinca. Aveva parecchio kohl intorno agli occhi, e un segno di casta sulla fronte.

«Ciao, Fatima» le dissi.

«Patrick! Caro, oh, caro ragazzo!». Mi si buttò fra le braccia e mi coprì di baci. «E Pegeen!». Dato che i loro rapporti fin lì erano stati brevi e cordiali, ma niente di più, le due ragazze si limitarono a un rapido bacetto. «E il bambino dov'è?».

«Qui» dissi appoggiando una mano sui capelli rossi di Mike.

«Tesoro!» disse zia Mame con tutta l'enfasi possibile. «Sono tua zia Mame!». Quindi baciò e abbracciò anche lui.

«Tua *pro*-zia Mame» specificò Pegeen.

«E si chiama Michael in onore dell'arcangelo Michele, vero?» trillò zia Mame.

«No, in onore di mio padre Mick» disse piatta Pegeen.

«Oh, Patrick, ma è divino. È preciso identico a te da bambino, solo che ha i meravigliosi, meravigliosi capelli di Pegeen. Anzi, sono persino più belli di quelli di Pegeen, a quanto vedo». Schiacciò il naso contro quello di Michael, e lo guardò negli occhi. «A-more mio, sai che non ho mai visto dei capelli di questo colore? Sono così rossi!».

«Neanch'io ne ho mai visti del colore dei tuoi. Sono così blu!» disse Mike.

Zia Mame lo onorò con una risata squillante. «Per essere così piccolo hai uno spiccato senso di osservazione, vero?».

«Cosa dici?» chiese Mike, con gli occhi sgranati.

«Che hai uno spiccato senso di osservazione».

«Mi spiace, ma non so cosa significa».

«Oh santo cielo, bambino mio. Tuo padre non ti aiuta col vocabolario?».

«Col cosa?».

«Il vocabolario. Le parole che usiamo. Guarda tesoro che ogni persona veramente colta deve avere un vocabolario ricco e versatile».

«Non li capisco tutti questi paroloni».

«Certo che no, povero caro, come potresti, se non ti danno mai modo di usarli? Sai cosa faccio? Ti regalo un blocco uguale a quello che aveva tuo padre, così ogni volta che senti una parola che non capisci la scrivi, e io ti spiego cosa significa e come usarla. Ci divertiremo un sacco, vero?».

«P-penso di sì» rispose Mike.

Cominciavo a innervosirmi. «Senti, zia Mame, se sei solo di passaggio non credo che avrai tutto questo tempo per lavorare sul vocabolario di Mike, quindi...».

«E chi può dirlo? Anche se in India hanno molto bisogno di me, il sangue non è acqua e... Oh, Michael caro, cosa sai dell'India? Lo sai dov'è?».

«Un po'».

«Oh, amorino mio, se solo potessi mostrartela – il colore, lo splendore, il mistero!».

«I misteri mi piacciono».

«Anche a me, amore mio. E mi piacerebbe vederli attraverso i tuoi giovani occhi azzurri. Sai che in India nella giungla ci sono leoni e leopardi, e le strade sono piene di elefanti?».

«Come al circo, zia Mame?» chiese Mike, che sembrava parecchio interessato.

«Sì, caro, come al circo. Ma molto meglio, perché li puoi toccare, e ci puoi anche andare a cavallo».

«A cavallo su un elefante?» strillò Mike.

«Certo, caro. Quando stavo dal maragià di Ghitagodpur andavamo dappertutto sugli elefanti. In qualità di sua ospite avevo un elefante tutto per me».

«Tutto per te?».

«Ma certo, caro. Ti piacerebbe, eh?».

«Oh cavolo! Quando vai in India di nuovo se vuoi prendo il treno e ti vengo a trovare. Tanto l'ho già preso il treno da solo. Sono andato da Verdant Green alla Grand Central per andare a colazione con papà, e poi siamo andati a teatro».

«Ma certo che voglio, caro. Solo che io di solito per andare in India volo».

«Su un aeroplano?».

«Su una scopa» mormorò Pegeen.

«Cavolo. Magari posso venire presto. La scuola è finita...».

«Mike, piano» gli dissi.

«Scusa, zia Mame» disse Mike. «Hai un vestito molto bello».

«Grazie, caro, vedo che ci sai fare con le signore. Hai ragione, il sari è il vestito più grazioso che una signora possa indossare. In valigia ne ho una dozzina e... Oh, ora che ci penso ho anche qualcos'altro. Qualcosa che secondo me a un bambino come te dovrebbe proprio piacere».

«Cos'è, zia Mame?».

«Una scimitarra».

«E cos'è una scimitarra?».

«O be', una specie di spada curva. L'ho trovata

curiosando in un bazar. Veramente è un'arma musulmana, più che indù, ma la decorazione sull'impugnatura mi piaceva talmente che...».

Mike capiva un terzo di quello che gli diceva zia Mame, ma la parola spada gli aveva fatto girare la testa.

«Ti piacerebbe, caro?».

«Oh, magari!».

«Non pensi che possa essere un po' pericolosa per un bambino di...» provò a dire Pegeen.

«Ma cara, è talmente poco affilata che non riusciresti nemmeno a tagliarci il formaggio. Però ha una sua bellezza. Perché voi due non vi fate un giro, così porto il bambino nella mia stanza e...». I due sparirono prima ancora che potessimo rispondere.

«Ascoltami bene,» disse Pegeen «ricordati solo che un conto è una rimpatriata, un altro che quella pazza metta le grinfie su mio figlio. È un bambino perfettamente normale. È intelligente, ma non ha nulla di straordinario, e intendo che così rimanga. Non voglio che me lo rovini con un mucchio di...».

«Scusa, ma cosa intendi per "rovinare"?» le dissi un po' seccato. «Zia Mame mi ha tirato su, no? E mi trovi un eccentrico? Mi sembra che tu e io stiamo vivendo una vita assolutamente felice e normale...».

«Esatto. E tale voglio che rimanga».

Per un po' girammo fra i vecchi amici dei giorni di New York e quelli nuovi, delle notti di Bombay. Era una festa in grande stile, che ricordava i fasti di zia Mame negli anni Venti. Per un attimo provai una punta di nostalgia per i tempi del Proibizionismo a Beekman Place, e per quel fantastico appartamento di Washington Square, che ormai non esisteva più. Anche Pegeen, che certo non era tenera con zia Mame, sembrava piuttosto colpita.

«Be', almeno ammetti che la ragazza sa stare al mondo» le dissi.

«Oh, se è per questo potrebbe vendere ghiaccioli agli eschimesi. Guarda che mi piace, dico davvero, ma... Oh mio Dio».

Seguendo il suo sguardo orrificato vidi Mike uscire dalla stanza di zia Mame. Aveva la testa avvolta in un immenso turbante bianco, e si trascinava dietro una scimitarra.

«Guardate, cari! Guardate il mio piccolo indianino. Fai salaam a mamma e papà, come ti ha insegnato zia Mame».

Mike fece salaam. Tutti gli indiani presenti risposero, mentre le signore indiane ridacchiavano in uno sventolio di sari. «Anche se siamo parsi, e battezzati da cinque generazioni,» mi disse una di loro «vedere il piccolo americano con la cara Mame è...».

«Allora è deciso» disse zia Mame con aria risoluta, venendo verso di noi.

«Che cosa?» le chiesi.

«Torniamo in India insieme. Se gli fate fare un paio di vaccinazioni possiamo partire a fine settimana. Devo dire che è un bambino adorabile. Hai fatto un lavoro splendido, Pegeen, assolutamente spl...».

«Chi va in India, scusa?» tuonai.

«Noi, papà» disse Mike. «Zia Mame e io saliamo su un grosso aeroplano e andiamo in visita da un re che ha gli elefanti e spara alle tigri e gioca a polo e incontrerò anche un uomo religioso che ha insegnato a zia Mame a respirare e a concentrarsi – è una parola nuova, papà – e lo insegnerà anche a me... come hai detto che si chiama quell'uomo, zia Mame?».

«Yogin, caro. Ma non credo che a tuo padre interessi in questo momento...».

«Ecco, yogin, e zia Mame e io...».

«Tu no».

Se gli avessi mollato una sberla l'avrebbe presa meglio. «M-ma papà».

«Mike, caro, non se ne parla neanche» disse Pegeen. «È lontano e pericoloso. E se tu te ne andassi io sarei molto triste».

«L'estate scorsa sono stato via e tu eri felicissima. Ti ho sentito, l'hai detto tu che non vedevi l'ora che mi togliessi di torno e andassi a Camp Yahoo. Hai detto...».

«Mike, comportati bene» intervenni.

«M-ma papà...».

«Patrick, caro, ma come puoi privare il bambino di quest'avventura?» disse zia Mame. «È come sbattergli in faccia la porta della conoscenza. Ha un'opportunità splendida di vedere uno dei paesi più interessanti del mondo – pieno di colore e mistero e turbolenze politiche –, senza contare che lo vedrebbe dall'interno, non come un turista, e tu...».

«Zia Mame, è così piccolo...».

«È una proposta bellissima, Mame, una delle più generose che abbia mai...» intervenne Pegeen.

«Mamma» disse Michael. Il labbro inferiore gli tremava, e gli occhi erano più blu dei capelli di zia Mame. «Per favore, posso andare? Non sono mai stato da nessuna parte, solo alle Bermuda e a Maddox Island e a Camp Yahoo. Per favore, posso andare?». Be', Mike sa come spezzarti il cuore con un solo sguardo.

«Mike, senti, ecco... fammi parlare con papà».

«Buonissima idea» disse tutta garrula zia Mame. «Le coppie devono discutere fra loro dei loro problemi, tirarli fuori e affrontarli a viso aperto. Se lo facessero di più non ci sarebbero tutte quelle liti e quei divorzi. Andate a parlarne in camera mia. Adesso». Praticamente ci spinse dentro, e chiuse la porta.

«Be'...» dissi.

«Non lo so» fece Pegeen. «Da una parte mi vengono in mente circa diecimila obiezioni a questo fantastico programma. Tua zia è frivola, svitata, possessiva, prepotente, e Mike è un bambino molto sensibile...».

«E l'India è molto pericolosa. Insetti velenosi e rettili, almeno credo. Però non ci sono mai stato, e devo ammettere che suona...».

«Naturalmente è una meravigliosa opportunità per Mike, non sarò certo io a negarlo. Sarebbe un'esperienza che porterebbe con sé per il resto della sua vita. E tuttavia...».

«Sai, non credo che avrebbe tutti questi problemi. A suo modo, zia Mame è affidabile. Certo è lontano...».

«Non è questo che mi preoccupa, Pat, è che se... se gli dico di no, e non cambio idea, mi sentirò terribilmente in colpa, e lui per tutta la vita potrà...».

«Be', deciditi. Ma certo se gli dicessi di no gli spezzeresti il cuore. Lui è pazzo di zia Mame, si vede, e...».

«Oh, e va bene,» sospirò Pegeen «tanto ce l'ha sempre vinta lei. Le diremo questo: Mike può andare, ma a un'unica condizione, che torni ai primi di settembre. Quello che deve essere ben chiaro è che non voglio che perda un solo giorno di scuola...».

«E niente yoga. Su questo non transigo».

«Assolutamente niente yoga. So che è una pazzia, ma...».

Aprimmo la porta e ci ritrovammo davanti i due – Mike in turbante e zia Mame in sari. Mike ricorse agli occhi blu, come sempre. «Posso andare?». Sapevo benissimo che avevano origliato, ma non volevo dare a zia Mame la soddisfazione di dirglielo.

«Sì, puoi andare».

«Evviva!» Mike ci saltò addosso, coprendoci di baci.

«Ma ci sono un paio di cose, zia Mame, che vorrei fossero estremamente chiare».

«Sì, caro?» disse con il suo sguardo più liliale.

«Deve tornare ai primi di settembre, per la Festa del Lavoro».

«Oh ma certo caro, la Festa del Lavoro fuori città è talmente suggestiva».

«... e guai a te se lo porti dallo swami...».

«Dove andiamo c'è una piccola chiesa episcopale. Sarà mia cura spedircelo tutte le domeniche. Tuttavia, privarlo della possibilità di incontrare un uomo di intelletto superiore come il mio guru, e non concedergli di abbeverarsi alla fonte di quella forza, di quella saggezza...».

«E, ultima cosa, moderati».

«Moderarmi? Una signora che ha passato i quarant'anni... Cosa vuoi...».

«Lo sai benissimo. Niente pazzie. Portalo in India e riportalo indietro, senza fuori programma, non so, i panorami tibetani, le fumerie d'oppio...».

«Sei tale e quale a tuo padre, Patrick. A volte mi dico che con te ho proprio fallito».

«Ecco, cerca di fallire anche con Mike. Il bambino sta vivendo una vita tradizionale in un ambiente tradizionale. Sta frequentando una scuola tradizionale e...».

«Ah, di questo sono sicura. Pegeen, pensi che venerdì possa andar bene per partire?».

«Venerdì? Be', io...».

«Perfetto. Prendiamo l'aereo di mezzogiorno».

«Ma davvero posso andare?» disse Mike.

«Sì, ma solo per l'estate. Zia Mame sa che, caschi il mondo, deve riportarti indietro per la scuola».

Zia Mame prese la mano di Mike, e lo guardò amorevolmente negli occhi. «Dimmi, caro, ti piace la scuola dove ti mandano?».

«No».

«Sai, qui c'è un signore interessantissimo. Viene da Madras. Ha un'idea dell'educazione completamente nuova. La sua scuola è interrazziale, cioè ci sono bambini di tutti i paesi e di tutti i colori. Si studia all'aperto, e invece dei libri...».

«Ho detto che deve tornare per la Festa del Lavoro» esplosi.

«Questo signore è proprio qui alla festa, caro, e sarebbe felice di conoscerti. Vieni con me, andiamo a cercarlo. Divertitevi, voi due!» disse voltandosi un attimo.

«Dio mio, finalmente ho capito. È il Pifferaio Magico» sospirò Pegeen.

Con la mano di Mike nella sua, e il sari al vento, zia Mame sparì tra la folla.

## ZIA MAME E «CEDIE»

### DI MATTEO CODIGNOLA

*A Bianca e Livia,*
*loro dovrebbero sapere perché*

*Good authors too who once knew better words*
*Now only use four-letter words*
*Writing prose,*
*Anything goes.*

COLE PORTER, *Anything Goes*

*I always start writing with a clean paper and a dirty mind.*

PATRICK DENNIS

«Chi abbia qualche consuetudine con le note biografiche avrà probabilmente già capito, dalle evidenti lacune della presente, che la vera identità dell'autore è circondata da un fitto mistero. Lo è al punto che dei suoi dati anagrafici non fanno parte né il nome né il cognome usati qui. Se qualche lettore volesse provarsi a indovinare chi effettivamente sia Patrick Dennis, può rivolgersi all'editore, che sarà lieto di ascoltarlo. Ma a patto che il lettore stesso non pretenda dall'editore un cenno di smentita o di conferma».

Grossomodo, quanto segue si può considerare un'iscrizione, fuori tempo massimo, al gioco lanciato dal risvolto della prima edizione di *Zia Mame*, ma il lettore di oggi, rispetto al suo predecessore del 1955 che brancolava nel buio, ha un piccolo punto d'appoggio, la certezza che Patrick Dennis si chiamava, in realtà, Edward Everett Tanner III. È quasi più di quello che l'interessato sapesse di se stesso, ed è comunque quanto basta per accostare una vicenda che, fortunatamente, può essere ricostruita a partire da un momento qualsiasi. Ad esempio da un freddo mattino di febbraio del 1943, sul ponte della motonave *Atlantis*.

Salpata da New York, l'*Atlantis* trasportava in Nordafrica un contingente dell'American Field Service, il corpo non tanto scelto di cui, volendo, entrava a far parte chi era stato ritenuto inabile al servizio attivo. Anche solo a vedersi – a vedere le uniformi dei Desert Rats, modificate da ciascuno secondo il proprio gusto personale –, gli elementi testé arruolati non dovevano sembrare, agli ufficiali chiamati a inquadrarli, particolarmente compresi nel ruolo: e probabilmente per questo, dopo qualche giorno di navigazione, il comandante aveva deciso che dal mattino dopo, quasi all'alba, la truppa dovesse fare una sana mezzora di reazione fisica (sarebbe il nome militare della comune ginnastica) all'aperto.

La decisione in sé non era sbagliata, quello che lasciava a desiderare era la valutazione dei singoli. Nessuna delle reclute, infatti, appariva troppo addomesticabile, e il meno docile era il più gaio di tutti, quello spilungone di Tanner, già segnalatosi per l'imitazione impeccabile di alcuni numeri di Carmen Miranda e la conoscenza enciclopedica del copione di *Pal Joey*. In effetti, da un aspirante infermiere che girava per la nave tagliando i capelli ai commilitoni con sfumature non precisamente tattiche e chiedendosi a voce alta come mai i militari volessero a tutti i costi trasformare la guerra in un'esperienza così *spiacevole* era abbastanza ovvio aspettarsi una qualche forma di insubordinazione. Non coreografica né contagiosa, però, come quella del mattino in cui, all'ordine di correre sul posto, Tanner, in ultima fila, aveva attaccato a cantare, e naturalmente a ballare, il *Cancan* di Offenbach: seguito all'istante da tutta la truppa, e poco dopo dal comandante, costretto a cambiare in corsa (appunto) il progr[illegible] addestrativo con un rassegnato «E va bene, [illegible] *can*!».

Non è mai stato del tutto chiaro cosa intendesse Susan Sontag affermando che l'essenza del *camp* fosse lo «spodestamento del serio», anche perché non si capisce perché mai una vasta progenie di scrittori, da Luciano di Samosata a Tristan Tzara, non potesse rientrare dalla finestra in questa variante anni Cinquanta della dissacrazione. Ma se i limiti del camp sono arbitrari, nulla impedisce di trovare al fenomeno una data e una circostanza di nascita altrettanto arbitrarie: ad esempio, quel mattino di febbraio del '43, a bordo dell'*Atlantis*.

Spodestare il serio, per Tanner, si era rivelata una coazione precoce, e in parte indotta. A non fargli prendere sul serio il suo nome, tanto per dire, era stato il suo (serissimo) padre, che prima ancora della nascita aveva deciso di chiamare il bambino sempre e solo Pat – e questo in onore del più improbabile dei patroni, Pat Sweeney, un peso massimo irlandese all'epoca celeberrimo. Per contrappasso, negli anni a venire Pat non avrebbe preso sul serio i vizi paterni, e all'ennesimo collasso del genitore al rientro da una notte brava gli avrebbe semplicemente sfilato i calzini, smaltato le unghie di rosso, e rimesso i calzini – lasciando che il reprobo al risveglio si chiedesse, presumibilmente invano, cosa diavolo aveva combinato nelle ore precedenti. Insomma, se Edward, Patrick, Pat deve a tutti i costi identificarsi con un tratto psicologico – ma questo come vedremo è un problema nostro, più che suo –, il primo candidato è lo scarto istintivo dalle reazioni più prevedibili. Al fronte – e non su un fronte qualsiasi, nell'inferno di Montecassino – Pat dimostra un sor-

[illegible] ezzo del pericolo, guidando imperter- [illegible] nbulanza sotto il fuoco nemico, ma [illegible] ferito a una gamba, e un collega in- [illegible] nna a tagliargli i bermuda per proce- [illegible] icazioni, ha un attacco di panico con- [illegible] ollega si ferma, cerca di calmare il pa- [illegible] chiede spiegazioni: per sentirsi rispondere che le braghette vengono dal più esclusivo negozio di uniformi del Cairo, e che non c'è modo, a breve, di procurarsene altre.

Ai bermuda – sopravvissuti alle forbici – Pat deve essere comunque molto legato, se per tutto il 1945 non indosserà praticamente altro. Dimesso dall'esercito in seguito a un'improvvisa, gravissima depressione, Pat decide di lasciare per sempre Chicago e cercare lavoro a New York. Nonostante i bermuda viene assunto da un'importante agenzia letteraria, la McIntosh & Otis, per la quale prepara schede di lettura. Poco dopo – *grazie* probabilmente ai bermuda, al barbone fluente che si è fatto crescere e al cranio raso – viene notato da Franklin Spier, inventore e padrone di un'agenzia che fornisce prodotti editoriali e libri chiavi in mano a clienti di prima fascia, come Doubleday. Il nuovo datore di lavoro di Pat ha un'alta tolleranza per le eccentricità (del resto, percorre il parquet degli uffici facendo picchiettare sul medesimo una gamba di legno, coperta di tatuaggi), che tende a considerare il sintomo di un possibile talento. E infatti poco dopo l'assunzione affida al nuovo arrivato la stesura di *There's a Fly in This Room!*, raccolta di aneddoti non sempre divertenti che nel 1946 esce a firma di un giornalista piuttosto noto, Ralf Kircher.

Dopo un biennio di apprendistato, Pat lascia Spier per una piccola casa editrice aperta da poco, la Creative Age Press. Il nome promette bene, e per dimostrarsi all'altezza Pat agisce in due direzioni: sul piano del comportamento, introduce in ufficio una forma inedita di ginnastica postprandiale, che consiste nel trascorrere le prime due ore del pomeriggio, chiunque si abbia davanti, a testa in giù; su quello della professione, si dimostra in grado di trattare per esteso anche argomenti di cui non ha conoscenza diretta – come il primo anno di matrimonio di una giovane coppia, tema centrale di *The Doctor Has a Baby*, romanzetto allegro scritto nel 1949 per conto di una certa Evelyn Barkins.

La stesura del libro è da considerarsi in qualche modo propiziatoria, dato che l'anno dopo Pat, a dispetto dei vari indizi che non sembrano indirizzarlo a uno stile di vita ordinario, sposa un'aristocratica e bellissima ragazza, Louise Stickney, che gli darà due figli e passerà accanto a lui, in varie forme, il resto della vita. Nello stesso periodo, Pat viene cercato da una rivista imprevedibilmente austera, «Foreign Affairs». È una proposta impossibile da rifiutare, e Pat non solo la accetta, ma tenta di calarsi nel ruolo, decidendo addirittura di tagliarsi la barba. Purtroppo per lui, però, sbarbato e vestito come un frequentatore abituale di Savile Row, Pat sembra il candidato ideale per un lavoro che va al di là della pubblicistica, e infatti viene richiesto come «uditore» (qualcosa fra l'interprete e lo stenografo) dal Council, un'emanazione della rivista che organizza convegni e seminari per diplomatici, politologi, statisti. Per una specie di impossibilità fisica a pronunciare la parola «no», Pat acconsente, anche se dopo un paio di sessioni fa l'unica cosa sensata – si lascia ricrescere la barba, in quegli anni incompatibile con qualsiasi tipo di incarico ufficiale.

Da quel momento in poi, il suo ruolo al Council sarà forzatamente marginale – ma si dà il caso che i margini siano, o stiano per diventare, il punto d'osservazione preferito di Pat. Se ne ha la conferma nel 1952, quando Thomas Crowell pubblica un libro che secondo il risguardo «getta una luce inedita sulle tattiche del comunismo» e soprattutto «non avrebbe potuto essere scritto da nessun altro che dal suo autore», un ex diplomatico ungherese, Nicholas Nyaradi. Come si sa, delle presentazioni troppo enfatiche o tautologiche è sempre bene diffidare, e infatti il libro (così come il risguardo) è stato scritto per intero da Pat, che oltre a una rispettabile provvigione incassa gli encomi dello «Herald Tribune», stupito di vedere «gli intrighi del comunismo denunciati con tanta grazia, tanto umorismo, tanto charme».

Qui Pat capisce che se è riuscito a farsi passare per un funzionario magiaro nulla gli impedisce di impersonare, e non più per conto terzi, una scrittrice di intrattenimento, sì, ma con un certo uso sia del mondo che delle lettere. Ed ecco spuntare dal nulla (o meglio, dalle Virginia Rounds, le sigarette preferite di Pat) Virginia Rowans, autrice di *Oh, What a Wonderful Wedding!*, altra commedia a sfondo matrimoniale di cui gran parte della stampa nota, insieme allo smalto comico, l'inconfondibile, e acutissimo, «realismo femminile». Rowans sembra avviata a una luminosa, e soprattutto prolifica, carriera. A dodici mesi di distanza dal debutto pubblica un secondo romanzo, *House Party*, di ambiente e tono analogo al precedente. Stavolta però, come accade quasi sempre alle opere seconde, l'accoglienza è più tiepida. Miss Rowans, sostengono i critici, sa indubbiamente scrivere scene anche molto divertenti: ciò di cui si dubita è che sappia creare un personaggio capace di trasformare una successione di capitoli in un romanzo, e di trovarsi un posto nella memoria del lettore.

Ah, sì? Davvero?

«Caro, quel cialtroncello di mio nipote Patrick ha scritto un libro su di me che trovo estremamente scurrile. E soprattutto per nulla veritiero. Pensa, racconta che una volta mi sarei fatta beccare nuda in un dormitorio di Princeton. Smentisco nel modo più categorico: non era Princeton, era Yale». Nel caso i suoi predecessori fossero effettivamente stati troppo discreti, il nuovo personaggio di Pat, Mame Dennis, prende addirittura la penna e scrive, su una carta intestata che ha gli stessi colori (rosa, bianco e nero) e gli stessi caratteri del volume, una lettera ai librai. E dalla chiusa della medesima si intuisce che di Mame non sarà tanto facile liberarsi, ammesso di volerlo: «Dunque, sappi che farò causa a Patrick. Farò causa alla Vanguard Press. E, nel caso tu venda una sola copia del libro, farò causa anche a te. Baci baci baci, Mame».

Ai librai non è immediatamente chiaro chi abbia scritto quelle righe, e il dubbio che si tratti di una persona in carne e ossa accompagnerà a lungo sia loro che i lettori. È un'incertezza in parte voluta da Pat stesso, e che contribuirà in misura molto significativa alla leggenda del libro. L'autore del romanzo risulta infatti chiamarsi Patrick Dennis, nome pescato dall'elenco del telefono, ma che per sventura è anche quello del narratore – e per quante avvertenze uno incameri prima di cominciare la lettura, la sensazione di avere per le mani una storia vera non si dissolve tanto facilmente. A qualche tempo dall'uscita, stufo di sentirsi rivolgere domande troppo personali, Pat cercherà di cavarsi d'impaccio dichiarando a «Life» che, siccome «i lettori tendono a considerare vero quello che gli presentiamo come una finzione, l'unico modo per rendere una finzione credibile è presentarla come se fosse vera». Ma ormai è troppo tardi: i lettori hanno cominciato a sperare che da qualche parte Mame e gli altri personaggi esistano realmente.

Col tempo e lo spazio sufficienti, si potrebbe anche dimostrare come quelle aspettative non fossero del tutto infondate. Nel romanzo l'atletico padre di Patrick non si ritrova le unghie smaltate, ma in compenso muore a pagina 2, anche se per regolare i sospesi Pat lo fa reincarnare nel personaggio più bigotto e indisponente del libro, Mr Upson. Agnes Gooch, l'impresentabile segretaria di zia Mame che all'occorrenza si trasforma in vamp, è la controfigura di una segretaria di Pat alla Creative Age, e così via, fino ad arrivare a quello che un legale chiamerebbe il caso di specie: l'alias di Mame Dennis.

Marion Tanner, zia di Pat per parte di madre, era nata a Buffalo come Mame, e come Mame si era poi trasferita a New York, dove nei primi tempi, per mantenersi, aveva insegnato una disciplina che non è dato sapere dove avesse appreso: l'hockey su ghiaccio. In seguito, Marion avrebbe lavorato come commessa e poi tentato, con modesta fortuna, la strada del cinema. Nel frattempo, da due mariti eliminati in sequenza, aveva ricavato il necessario ad aprire e mantenere una casa, in cui oltre a praticare ogni disciplina orientale allora nota in Occidente riceveva più o meno chiunque: artisti veri o presunti, sedicenti membri dell'intelligencija, mondani di vario livello, e in misura sempre maggiore anche vagabondi, e soprattutto ragazzini di strada. I quali dormivano dove capitava, mangiavano quello che c'era, e secondo i testimoni dimostravano, verso i servizi igienici comunemente intesi, un sovrano e incorreggibile disprezzo. Ma per la padrona di casa, peraltro dispotica quanto e più di Mame, non faceva tutta questa differenza: ai suoi occhi gli adulti erano una massa indistinta, mentre i più giovani potevano almeno vantare il privilegio di un nome, anche se uguale per tutti: Patrick.

Negli anni, Marion avrebbe procurato vari grattacapi al nipote, ripetutamente costretto a tappare le falle che un treno di vita così scriteriato avrebbe aperto in qualsiasi amministrazione. E proprio il permanente dissesto finanziario le suggerisce, sul finire degli anni Cinquanta, di presentarsi al quiz televisivo del momento, *The Big Surprise*, nei panni della «vera zia Mame», per rispondere a domande sulla propria, presunta o no, biografia. Una materia che Marion dimostra in ogni caso di conoscere piuttosto bene, e che le fa guadagnare una somma tutt'altro che disprezzabile – 20.000 dollari. Oltre alla stizza di Pat, naturalmente. Convinto che l'unico volto pubblico della sua creatura dovesse essere quello della sua interprete ufficiale in teatro e poi al cinema, «l'unica e sola Rosalind Russell», Pat non prende affatto bene il *coming out* della sua congiunta, che di Russell non aveva né lo spirito, né il flair, né tanto meno la silhouette. Eppure, il fatto piuttosto inconsueto di un personaggio letterario (o presunto tale, non importa) che arriva (sulle sue gambe) in prima serata avrebbe dovuto indurlo a riflettere sulla natura e i risultati del proprio lavoro. Sui quali solo due o tre anni prima, come dimostra il seguente flashback, nessuno avrebbe scommesso.

Nel 1955 il manoscritto di *Zia Mame* era stato rifiutato da diciannove editori, che col fiuto e la lungimiranza tipici della categoria lo avevano giudicato invendibile. «Invendibile», per chi non lo sapesse, è un giudizio che in editoria si applica a tipologie di opere molto diverse, fra le quali spiccano, nell'ordine, alcuni titoli che di lì a poco verranno stampati in milioni di copie, quasi tutti i libri illustrati e tutte le raccolte di racconti, senza distinzione. Purtroppo per Pat, *Zia Mame* in origine era, per l'appunto, una raccolta di racconti, il che spiega sia i rifiuti, sia la decisione presa da Vanguard Press, cioè comprare il libro e trasformarlo in qualcosa che si potesse, non importa quanto artatamente, presentare come «romanzo». Per fortuna di Pat, della missione si incarica un giovane e brillante editor, Julian Muller, che in una settimana o giù di lì inventa – andandolo a pescare, prodigi della creatività in articulo mortis, sulle pagine di «Selezione» – l'escamotage vincente. Pat capisce al volo che l'idea del confronto tra Personaggi Indimenticabili funziona, mette sotto le sue due dattilografe (Vivian Weaver e Elaine Adam, cui il libro è dedicato), e in quindici giorni consegna la versione di *Zia Mame* che oggi conosciamo. Dal punto di vista editoriale, gli interventi sono finiti. Da tutti gli altri, cominciano adesso.

La lettera citata prima ha qualche effetto, nel senso che spinge il responsabile di tutte le librerie Doubleday, George Hecht, a leggere il libro in una sera, e a chiamare immediatamente James Murphy, direttore commerciale di Vanguard, per sollecitare un lancio degno di questo nome. Sull'onda dell'entusiasmo, Hecht si dichiara pronto a stampare a sue spese una locandina in cui le librerie promettono ai clienti insoddisfatti di *Zia Mame* un rimborso di due libri contro quello restituito, ma Murphy è tiepido. Crede talmente poco alle possibilità del romanzo da averne programmato l'uscita per la zona più morta dell'anno, metà gennaio, e il massimo dello sforzo creativo che concepisce è una scatola di fiammiferi identica alla copertina, dove però si legge «Have you read Auntie Mame?».

Il problema – per Murphy, evidentemente – è che il libro si muove subito. E appena escono le prime recensioni, tutte entusiastiche, Muller e Pat riprendono in prima persona l'idea di Hecht, proponendo ai librai, in cambio di congrui rifornimenti, una copia omaggio ogni dieci vendute. È quasi inutile, dal momento che a poca distanza dall'uscita il libro fa la sua comparsa nella classifica dei primi dieci più venduti pubblicata dal «New York Times», dove si tratterrà per 112 settimane. Casomai qualcuno dovesse leggere distrattamente le cifre, sono più di due anni.

Da qui in avanti, la vicenda di *Zia Mame* non è più solo editoriale, e sembra rispettare un copione noto, solo coi tempi convulsi di una comica nel muto. A ventiquattr'ore dall'uscita della recensione più temuta, quella del «New York Times», Robert Fryer, forse il più importante produttore di Broadway, compra, dopo le inevitabili manfrine dell'agente di Pat («Ho altre offerte, sto pensando a un'asta»), i diritti teatrali del libro. Dentro di sé Fryer ha anche già scelto la sua protagonista, che poteva essere solo la più elegante, spiritosa, linguacciuta fra le (quasi) ex star di Hollywood: Rosalind (Roz) Russell. Le manda subito il romanzo, che da quel giorno stesso e per il resto della vita Russell considererà cosa *sua* – e di nessun altro, con buona pace delle innumerevoli aspiranti alla successione, da Greer Garson a Angela Lansbury fino a Lucille Ball. Per questo, o anche per questo, il making di *Zia Mame* sarà talmente movimentato da fornire, in sé, materia di romanzo, e chi volesse verificarlo di persona deve solo leggere le memorie di Roz, che oltre al titolo (*Life Is a Banquet!*, motto di Miss Dennis) prendono da *Mame* tutto il resto, a cominciare dall'inattendibilità – e adorabilità – della voce narrante, al punto da sembrare un rifacimento del romanzo, stavolta raccontato direttamente dalla protagonista.

Ancora, a stretto giro di passaparola zia Mame (anzi Mame e basta) viene cooptata nel pantheon che più di ogni altro garantisce, a un personaggio, la sopravvivenza di lungo periodo, quello delle icone gay. Negli anni Cinquanta la cultura omosessuale non aveva la visibilità che ha oggi, anzi lottava per uscire allo scoperto, quindi aveva un disperato bisogno di portavoce autorevoli: e per ragioni evidenti nessun candidato al ruolo appariva più idoneo di Mame e, o, delle sue interpreti (poi *dei suoi* interpreti) in scena.

Da tutto questo, incredibilmente, Pat non sembra turbato. Sul successo del libro non ha ovviamente nulla da ridire, ma la cosa strana è che non ha nulla da ridire neppure sugli adattamenti che il libro sta subendo. Il plurale va inteso alla lettera, perché il primo scrittore incaricato di preparare un copione, Sumner Locke Elliott, tributa al libro un odio senza quartiere, che traspare dal lavoro ultimato. Inorriditi, Fryer e Russell chiedono a Pat di metterci mano. Lui accetta, e dopo alcune settimane comunica entusiasta di avere quasi finito – le prime cinquecento pagine, s'intende, cioè il primo atto. Si arriva a una rapida transazione, e il lavoro passa a due professionisti di prim'ordine, Jerome Lawrence e Robert Lee, con Pat in veste di consulente. Un consulente di straordinario buon carattere, però, che a dispetto dell'enorme semplificazione del plot (pretesa in gran parte da Roz), e della decisa virata al mélo, ripete solo che tutto quanto gli sembra perfetto – ed è persino probabile che lo pensi. Sta di fatto che il 31 ottobre 1956, a poco più di un anno dall'uscita del libro, lo spettacolo va in scena. Sarà il più costoso non-musical mai prodotto a Broadway, ma anche uno dei dieci maggiori incassi di tutti i tempi.

Pat intanto è passato ad altro, in particolare alla stesura di una specie di guida turistica per un ranch nel New Mexico che una sua amica ha comprato, faticosamente ristrutturato, e intende trasformare in una sorta di agriturismo (o nel suo equivalente di allora). Chiunque abbia sentito anche solo un conoscente intrattenere l'uditorio sui prodromi e i postumi di un rogito non può non pensare con un brivido di sgomento a un tema del genere, eppure *Guestward Ho!*, uscito nel 1956, scala rapidamente le classifiche, andando addirittura a insidiare il primato di *Zia Mame*. A questo punto il successo, per Pat, somiglia un po' troppo a una condanna: e, come si poteva prevedere, scatena una reazione che persino i suoi amici, nei rari intervalli di sobrietà, trovano eccessiva. Denti e capelli, per Pat, erano da tempo un cruccio, che un uomo ormai affluente avrebbe tuttavia potuto risolvere senza sostituire i primi con un parrucchino da teatro e i secondi con una dentiera della mutua, comodamente estraibile, e continuamente estratta. E non avendo Pat un fisico così irresistibile, nessuno capiva davvero perché nelle circostanze meno appropriate dovesse esporlo integralmente, strappandosi, o quasi, di dosso principe di Galles e gardenia.

L'unico a dimostrargli una qualche comprensione, in effetti, è Cris Alexander. Attore (anche in *Zia Mame*), fotografo, ballerino e non si sa più cos'altro, Cris è un gay fiammeggiante di inarginabile vitalità, specializzato nell'atto fondativo della cultura camp, il *travesti*. All'inizio quelli che Cris propone, e Pat asseconda, sono giochi innocui. A una festa dai Tanner, Cris riesce a farsi passare da tutti per una cameriera di colore arruolata alla bisogna, almeno fino a quando si accosta all'orecchio di Roz e si produce nello stesso numero che eseguiva alla perfezione in scena, un rutto squassante e inconfondibile. Ma di lì a poco il velo di innocenza cadrà.

Nelle more di questa festa mobile, comunque, Pat salta un giro, e manda avanti Virginia. Sempre nel

1956, Rowans pubblica infatti un nuovo romanzo, *The Loving Couple*: e il suo pubblico scopre di averla, fin qui, largamente sottovalutata. A partire da uno spunto che non si segnala per originalità – un giorno nella vita di una giovane coppia suburbana –, Virginia costruisce una strepitosa commedia di costume che poggia sull'unità di tempo (tutto si svolge nelle ventiquattr'ore successive a una discussione per futili motivi), ma scardina quella di spazio, o almeno scardina lo spazio del libro. *The Loving Couple* è infatti rigorosamente diviso in due: ha due punti di vista, due sezioni («His Story», «Her Story»), due copertine, due frontespizi – identici, ma capovolti uno rispetto all'altro. Di conseguenza, ha due versi di lettura. Assomiglia a un libro, ma anche a un cubo di Rubik, che non si arriva mai a comporre. Si comincia a leggere cosa pensa John, ma dopo un paio di pagine si rovescia il volume per sentire la voce di Mary, poi si torna a John. E se anche ci si sforza di seguire prima una giornata e poi l'altra, col passare dei minuti, e delle pagine, ci si chiede inevitabilmente cosa sta succedendo dall'altra parte: e il rompicapo ricomincia. Alla fine magari ci si perde, ma non prima di avere conosciuto un tipo di tensione narrativa finora ignoto: si sente spesso dire che un certo filo conduttore, un certo tema, un certo stile attraversano un libro, ma quasi mai si intende, come qui, che lo attraversano da parte a parte.

Pur avendo anche l'aspetto della stravaganza che è, *The Loving Couple* viene accolto benissimo, e tallona in classifica i due titoli di Pat – tre su dieci forse non è un record, ma poco ci manca. Patrick e Virginia convivono indisturbati per un altro paio d'anni, finché uno sciagurato articolo di «Life» svela l'inganno, e Pat, molto contrariato, deve rinunciare al privilegio, o all'illusione, di avere un'anima più riflessiva (Rowans) e una più scapricciata (Dennis).

Virginia scriverà comunque un altro paio di romanzi, ma con tutta evidenza il gioco è finito.

La voglia di giocare del resto passa presto, a chi supera il milione di copie vendute – e se non passa a lui passa ai suoi committenti. Dal suo nuovo (e importante) editore, Harcourt Brace, Pat sa di non potersi presentare a mani vuote, e infatti appena arrivato firma un contratto per il sequel di *Zia Mame*. Questo significa che incassa un anticipo impegnandosi a consegnare un manoscritto – di cui per ora esiste solo il titolo, *Around the World with Auntie Mame* – entro un certo termine, e che a partire da quel momento la macchina infernale volta a far prenotare ai librai, e possibilmente far comprare ai lettori, il maggior numero possibile di copie si è messa in moto, e niente può fermarla. Niente, tranne ovviamente la mancata consegna del manoscritto.

Qualche giorno prima della scadenza Julian Muller, anche lui passato a Harcourt, chiama il suo autore, che sa in partenza per l'Europa, per chiedergli se abbia novità. Si sente rispondere di passare quella sera a casa Tanner, dove oltre alla consueta settantina di invitati in differenti stadi di ottundimento troverà una bella sorpresa. E una sorpresa indubbiamente Muller la trova: l'elegante pacco regalo appoggiato sul prato contiene un manoscritto, ma anche un biglietto d'accompagnamento, in cui Pat gli comunica di non avere avuto il tempo di finire il lavoro, e lo prega di provvedere di persona. Avendo già scritto il finale (lieto, e un po' fiacco) di *The Loving Couple*, Muller si spaventa meno di quanto ci si sarebbe potuti aspettare, e una volta uscito il libro vende comunque centotrentamila copie – però è chiaro che Pat ha in mente qualcosa. Forse non sa ancora *cosa*, ma lo scopre un pomeriggio del 1961, entrando nello studio – o per essere più precisi, nel bagno – di Cris Alexander, sede legale (lo studio, non il bagno) della neonata Lancelot Leopard.

Cos'era la Lancelot Leopard? Be', in effetti è meglio spiegarlo, trattandosi di un prototipo societario destinato a rimanere un pezzo unico. Era una casa di produzione letteraria, che riproduceva fedelmente la struttura di quelle cinematografiche, ma che invece di film doveva consegnare all'intermediario – l'editore, inteso come l'equivalente naturale del distributore – libri. Detto così potrebbe sembrare l'ennesimo soprassalto di goliardia di Pat e della sua ghenga, ma non lo è: come dipendenti della società, Patrick e Virginia, per fare due nomi a caso, versavano al fisco una quota di diritti molto minore rispetto a quella che si sarebbe pretesa da due liberi professionisti, dunque sia l'uno che l'altra prendevano le riunioni della Lancelot (di cui faceva parte anche Cris) molto sul serio. E proprio nell'intervallo di un dibattito fra soci, si diceva, Pat entra in bagno, e trova le pareti coperte di foto scattate durante la lavorazione di un super8 in cui Cris e i suoi amichetti impersonavano altrettante infermiere di non si sa quale sanatorio.

È una visione degna di un gotico Hammer, ma per la posterità ha il merito di suggerire – istantaneamente – a Pat l'idea del suo prossimo lavoro, l'autobiografia (anche per immagini) di una diva del burlesque, poi del muto, poi di Broadway, poi di Hollywood che risponde al nome (apparentemente fantasioso, ma in realtà solo denotativo) di Belle Poitrine. Lo schema e soprattutto il tono del libro riproducono quella forma di mendacio a mezzo stampa che in altri tempi sarebbe stata passibile di azioni legali, ma che nel Novecento (specie nella prima parte) veniva considerata il migliore coronamento possibile della carriera di una star: la variante è che mentre le opere ridicolizzate da Pat poggiavano su uno strato – per quanto esilissimo – di realtà, qui tutto è rigorosamente inventato (anche se, al solito, si presenta come vero).

*Little Me* è un libro di cui si conoscono pochissimi antecedenti (forse uno solo, anche se illustre, *My Royal Past* di Cecil Beaton, presunto memoriale di un cadetto di casa Windsor) e ancor meno imitazioni, ma che a qualche anno di distanza andrebbe ripreso in mano. Oggi la presenza di immagini nel testo certifica di per sé la radicalità dell'operazione, e i quarti di nobiltà dell'autore, ma agli albori del grafismo poteva succedere che un racconto scritto fosse davvero concepito insieme alle immagini, e senza immagini non avesse senso. Belle Poitrine è la sorella più inetta, ma in compenso più simpatica e scaltra, di Ed Wood, e tutto ciò su cui ci intrattiene è in ovvio, stridente contrasto con l'accaduto. Il lettore se ne rende conto grazie alle infinite scuciture a vista, cioè ad esempio sa perché il marito di Belle, un produttore, commenti sempre e solo nella sua «lingua natia» – l'yiddish – la proiezione dei giornalieri, così come immagina benissimo cosa contengano le lettere con cui Joyce e Gertrude Stein replicano a Belle, che chiede loro di collaborare alla sceneggiatura di una *Lettera scarlatta* trasposta nel mondo del football: e lo sa, o lo immagina, anche se Belle, nell'ordine, garantisce che il suo coniuge ogni sera ha un accesso di entusiasmo tale da non potersi esprimere in inglese, o commenta che due figuri incapaci di scrivere una lettera comprensibile difficilmente potrebbero mettere mano a un copione. Eppure, senza i fotomontaggi di Cris (eseguiti applicando alla lettera le istruzioni di Pat, e realizzati attraverso lunghe e spesso estenuanti sedute, col coinvolgimento di tutti o quasi i conoscenti dei due), senza quell'universo visivo di serie B completo (ed esilarante) in ogni sua parte, il gioco riuscirebbe soltanto a metà.

Qui come altrove, Pat si rivela un virtuoso dell'ambiguità, e il suo frenetico interscambio fra realtà e rappresentazione semina volutamente incertezze anche nel lettore più avvertito. L'interprete di Belle, ad esempio, è molto, quasi *troppo* vicina al suo personaggio. Il suo vero nome, Gladys Tinfawichee, sembrava inventato, e con quello d'arte, Jeri Archer, era nota, più che per le ripetute comparse in film minori, per quelle sui calendari, che in un'epoca ormai lontana erano preclusi alle dilettanti, e invece appannaggio di serie professioniste. Un metro e ottanta, misure che le foto non cercano di nascondere, una confidenza con la chirurgia plastica in anticipo sui tempi, Gladys compare in ogni scatto del libro, legando il racconto alla sua ingombrante fisionomia. Eppure, uno fra i suoi molti comprimari, in apparenza il meno minaccioso, finisce per rubarle la scena. Accade a un terzo circa del libro, quando nel camerino di Belle si insinua un gentiluomo timido e allampanato, convinto di entrare nel bagno dei signori, e più in generale che il locale, l'Audubon, sia la sede dell'omonima, celeberrima congrega ornitologica. L'intruso è un aristocratico britannico affetto da timidezza patologica: oltre che di birdwatching si occupa solo di poesia elisabettiana, non nutre alcun tipo di interesse per l'altro sesso (ma neppure per le possibili alternative) e ha un nome – Cedric Roulstoune-Farjeon – che sembra uno dei celebri pseudonimi di Edward Gorey. Dalle poche parole che i due si scambiano, tuttavia, Belle capisce che «Cedie» possiede, oltre al rango, smisurate ricchezze: e, palesemente contro la sua volontà, lo sposa.

La parentesi inglese è una delle parti più spassose del libro, non solo e non tanto per i prevedibili sconquassi che la presenza di Belle causa nei dintorni di Westminster, quanto per le tribolazioni inflitte al povero Cedie, col quale il lettore finisce per solidarizzare, non necessariamente sapendo che quella specie di Jeeves con i polsi penduli e l'aria terrorizzata è, in realtà, Pat stesso, reso quasi irriconoscibile da un espediente semplicissimo – la dentiera, sempre lei, portata al contrario. Ora, sulla postura e le sembianze in cui gli artisti, da Vermeer a Hitchcock, usavano scavarsi una nicchia nelle proprie composizioni, è giustamente fiorita un'intera ermeneutica: ma trovare un autoritratto così crudele e impietoso, che il tono farsesco rende soltanto più crudele, è abbastanza raro. Se poi ci si volesse soffermare sul significato ultimo di questo libro – che è molte cose, tra le quali una veemente caricatura di *Zia Mame* – e sul complesso rapporto che Pat intratteneva con le sue emanazioni, si arriverebbe probabilmente molto lontano: ma quel che conta è che questo sberleffo autoinflitto va preso, come vedremo fra poco, molto sul serio.

A prescindere da ciò che preannuncia, l'uscita di *Little Me* conferma in ogni caso lo straordinario talento di Pat per l'autopromozione. Accade infatti che il libro debba essere presentato per la prima volta a una convention di librai in programma al Waldorf Astoria di New York, e che per qualche ragione una radio nazionale abbia deciso di trasmetterla. Per l'occasione, Pat e Cris montano e interpretano un minimusical ispirato a *Little Me*, talmente riuscito che all'indomani accade l'imponderabile, e cioè una delle reti televisive nazionali chiede ai due di replicarlo in diretta, e in prima serata. È un fatto inaudito, ma non quanto il rifiuto di Pat, che lascia tutti interdetti, e che la spiegazione fornita qualche tempo dopo in un'intervista alla «Saturday Review» rende più malinconico, senza chiarirlo fino in fondo: «Ci sono autori che parlano e autori che scrivono. Io vorrei essere un autore che scrive».

Per scrivere Pat, poveraccio, scrive. Poco dopo *Little Me*, che oltre a piacere ai suoi lettori di sempre lo ha fatto passare di status – da compagno di strada a idolo pagano – presso la comunità gay, pubblica un romanzo tanto tradizionale quanto irresistibile. Si tratta di *Genius*, geniale (appunto) caricatura di un regista che estorce denaro a chiunque incontri, per devolverlo alla realizzazione di un film insopportabilmente *arty* votato, per statuto, alla catastrofe. Insieme a Orson Welles, palese ispiratore del protagonista, la satira investe, e corrode, tutta un'idea di cinema, ed è talmente efficace che Otto Preminger compra subito i diritti del libro, chiamando Pat a collaborare alla sceneggiatura di un film che, se realizzato, avrebbe rischiato di strappare a *Viale del tramonto* il titolo di film su Hollywood più abrasivo di tutti i tempi. Solo che il film resta sulla carta, a differenza dello spettacolo tratto da *Little Me*, che arriva a Broadway come *Zia Mame* e come la commedia tratta da *The Loving Couple*. Difficilmente le cose potrebbero andare meglio. *Quindi*, subito dopo l'uscita di *Genius* Pat tenta il suicidio, e viene ricoverato d'urgenza in un ospedale psichiatrico.

È molto probabile che all'instabilità nervosa di Pat abbiano contribuito cause extraprofessionali, come la prima manifestazione cosciente di un'omosessualità a lungo soffocata, che quando esplode assume la forma, tristemente consueta, di una passione devastante per la persona sbagliata – nella fattispecie Guy Kent, un costumista molto poco coinvolto dall'entusiasmo di Pat, e più che altro interessato a trarne gli ovvi vantaggi. La crisi è comunque lunga e profonda, e il Pat che esce dalla clinica, e dall'elettroshock, è una persona diversa.

Appena libero Pat – Psychopatrick, come lui stesso preferisce ormai essere chiamato – abbandona, nel modo più civile possibile, la famiglia, e va a vivere da solo. Nello stesso periodo, presenta al suo editore il libro che ha cominciato a scrivere in clinica, una specie di sequel di *Little Me*. Si chiama *First Lady*, e stavolta le foto di Cris ritraggono la parabola di una donna molto vicina a un presidente americano. I miracoli però non riescono due volte, e il lavoro è una fiacca ripetizione del precedente, anche se a posteriori la parte finale, tutta ambientata in un manicomio, e con Pat nei panni di un internato, aggiunge uno struggente tassello all'autoritratto masochistico abbozzato in *Little Me*.

Ciò che più colpisce, negli ultimi dieci anni di Pat, è tuttavia la cura meticolosa con cui Dennis prepara la propria uscita di scena, un passo dopo l'altro – senza che chi lo circonda mostri di capire cosa succede o perché, e senza che i soliti sospetti (l'alcol, o il sesso) forniscano elementi di prova conclusivi. Di fatto, Pat spende una quantità impressionante di denaro, si copre di ridicolo (spogliandosi, perlopiù) in una quantità impressionante di circostanze, e ripete un numero impressionante di volte commenti meno articolati di quelli cui aveva abituato i suoi lettori: che la vita è proprio un casino, ad esempio. Poi, come sempre senza preavviso, chiude casa a New York e si trasferisce a Città del Messico.

Il perché non è chiaro, anche se nel 1965 Città del Messico ospitava una fiorente e allegra colonia di artisti, avventurieri e transfughi, sia americani che europei, da vite andate male, o così così. Ad attrarre Pat dev'essere proprio la prospettiva di gavazzi permanenti e low cost, dal momento che del posto non trova nulla di cui scrivere a casa (quando i suoi due figli ormai adolescenti si dichiarano sazi di sartorie indigene, e lo supplicano di accompagnarli in visita a qualche rovina, Pat acconsente, ma una volta in loco chiede all'amica che si è portato dietro di provvedere lei, e passa le due ore dell'itinerario chiuso in macchina). Fra una festa e l'altra continua a lavorare, anzi produce ben tre romanzi in cinque anni, l'ultimo dei quali ha un titolo che suona come una rappresaglia a lungo meditata contro i critici che da sempre lo accusano di partorire personaggi a due dimensioni. *3-D* esce nel 1972, viene lapidato più o meno all'unanimità, e sarà l'ultimo romanzo di Patrick Dennis. Ma il congedo – in grande stile – dal mondo dell'arte è avvenuto in realtà quattro anni prima, e per la precisione nel 1968, quando incautamente l'Istituto di Cultura Anglo-Messicano chiede a Pat di curare l'allestimento della sacra rappresentazione natalizia, un'innocua messa in scena della Natività che da tempo immemorabile veniva riprodotta sulle cartoline di auguri destinate principalmente all'Inghilterra. Si ignora se quell'anno le cartoline siano state effettivamente preparate (è sperabile di sì), mentre si sa per certo che lo spettacolo, di cui Pat aveva scritto testo e musiche, disegnato scene e costumi, e che naturalmente aveva diretto, si chiamava *Turkish Delight*, era ambientato fra Londra e Costantinopoli nel 1222, e narrava le gesta (non si capisce in che modo connesse all'idea corrente di presepe, animato o no) di una certa Queen Sadistica, feroce padrona e tormentatrice di un manipolo di schiavi – uno dei quali era... be', non c'è bisogno di dirlo.

Lo scalpore suscitato dall'evento rimane la traccia più durevole della presenza di Patrick in città, anche perché le altre (la sua prima, monumentale dimora, e la villa che passò due anni a farsi costruire, rivendendola in fretta e furia prima che fosse portata a termine) non esistono più. Ma neanche Patrick Dennis, dopo sei anni di Messico, esiste più.

Al rientro negli Stati Uniti, Pat ripete appunto a chiunque incontri che Patrick Dennis è morto. Tutti pensano a uno scherzo macabro, che in realtà è precisamente quanto Pat ha in serbo. Non avendo più un soldo (il denaro sopravvissuto alla sciagurata avventura architettonica era sparito, fino all'ultimo centesimo, nelle tasche del suo domestico messicano), Pat è costretto, dopo trent'anni, a cercare lavoro. Il primo che trova, come socio e gestore di una galleria d'arte, sarebbe anche potuto durare, non avesse comportato vuoi il rapporto col pubblico (che Pat non è più in grado di sostenere, dal momento che inanella gaffe a ripetizione), vuoi il trasferimento in una città che non gli consente, per ragioni facilmente immaginabili, possibilità di sopravvivenza: Kansas City. Dopo qualche mese si licenzia, e a questo punto è davvero pronto. Vende tutto quanto gli è rimasto, si taglia per l'ultima volta la barba, si rifà il guardaroba, compra una decappottabile e parte per Palm Beach. Appena arrivato, fa circolare un curriculum in cui un certo Edwards Tanner, vantando ventott'anni di esperienza nel ramo, e una lista di referenze lunga da qui a lì (fra le quali spiccano quelle di Patrick Dennis), si offre, a chi ne avesse bisogno, come maggiordomo.

Il primo a farsi avanti è un ex diplomatico di primo piano, Stanton Griffis, che di Edwards è subito entusiasta. A ragione, probabilmente: Edwards è talmente impareggiabile, talmente perfetto per la parte, che una sera serve a tavola un suo amico dei tempi di New York senza farsi riconoscere. E di Edwards Pat è particolarmente orgoglioso: se il suo aspetto attuale non lo convince («Sembro un incrocio fra una tartaruga degli abissi e John Gielgud»), la vita che conduce, e che ha tante volte raccontato nei suoi romanzi, gli corrisponde alla perfezione. E, oltre a procurargli un'inattesa serenità, gli regala un ultimo momento di gloria, verosimilmente più lusinghiero di molti altri. Quando il «Chicago Tribune» decide di pubblicare un ampio servizio su un mestiere deplorevolmente vicino all'estinzione, il maggiordomo di vecchia scuola britannica, uno dei dieci intervistati è proprio Edwards, passato intanto al servizio di Ray Kroc – nome che a nessuno oggi in Italia dice nulla, ma che apparteneva all'inventore e proprietario di un'impresa commerciale già allora piuttosto fortunata: McDonald's.

Al «Tribune», Edwards svela diversi trucchi del mestiere, ed è più aperto dei colleghi, sia sulle proprie idiosincrasie (mai in smoking, lo smoking è per camerieri e barman), sia su alcuni raggiungimenti filosofici, cui sostiene di essere approdato dopo una vita spesa in società: «Vede, quando uno passa trent'anni ad ascoltare conversazioni fatue, servire a tavola gli sembra molto meglio che chiacchierare». Più oltre Edwards non avrebbe potuto andare, senza compromettersi. O forse sì, avrebbe potuto elencare gli unici tre possedimenti terreni che aveva portato con sé dalla sua vita precedente, e in compagnia dei quali passava quasi tutto il tempo libero, nelle sue stanze imprevedibilmente (o forse no) claustrali: un manuale di enigmistica, un galateo e una prima edizione, molto consunta, della *Fiera delle vanità.*

# GLI ADELPHI

ULTIMI VOLUMI PUBBLICATI:

350. Georges Simenon, *La pazienza di Maigret* (3ª ediz.)
351. Antonin Artaud, *Al paese dei Tarahumara*
352. Colette, *Chéri · La fine di Chéri* (2ª ediz.)
353. Jack London, *La peste scarlatta* (3ª ediz.)
354. Georges Simenon, *Maigret e il fantasma* (4ª ediz.)
355. W. Somerset Maugham, *Il filo del rasoio* (3ª ediz.)
356. Roberto Bolaño, *2666* (4ª ediz.)
357. Tullio Pericoli, *I ritratti*
358. Leonardo Sciascia, *Il Consiglio d'Egitto* (2ª ediz.)
359. Georges Simenon, *Memorie intime* (2ª ediz.)
360. Georges Simenon, *Il ladro di Maigret* (2ª ediz.)
361. Sándor Márai, *La donna giusta* (5ª ediz.)
362. Karl Kerényi, *Dioniso* (2ª ediz.)
363. Vasilij Grossman, *Tutto scorre...* (4ª ediz.)
364. Georges Simenon, *Maigret e il caso Nahour* (5ª ediz.)
365. Peter Hopkirk, *Il Grande Gioco* (3ª ediz.)
366. Moshe Idel, *Qabbalah* (2ª ediz.)
367. Irène Némirovsky, *Jezabel* (4ª ediz.)
368. Georges Simenon, *L'orologiaio di Everton* (2ª ediz.)
369. *Kāmasūtra*, a cura di Wendy Doniger e Sudhir Kakar (2ª ediz.)
370. Giambattista Basile, *Il racconto dei racconti*
371. Peter Cameron, *Un giorno questo dolore ti sarà utile* (11ª ediz.)
372. Georges Simenon, *Maigret è prudente* (3ª ediz.)
373. Mordecai Richler, *L'apprendistato di Duddy Kravitz*
374. Simone Pétrement, *La vita di Simone Weil*
375. Richard P. Feynman, *QED* (3ª ediz.)
376. Georges Simenon, *Maigret a Vichy* (2ª ediz.)
377. Oliver Sacks, *Musicofilia* (3ª ediz.)
378. Martin Buber, *Confessioni estatiche*
379. Roberto Calasso, *La Folie Baudelaire*
380. Carlo Dossi, *Note azzurre*
381. Georges Simenon, *Maigret e il produttore di vino* (4ª ediz.)
382. Andrew Sean Greer, *La storia di un matrimonio* (3ª ediz.)
383. Leonardo Sciascia, *Il mare colore del vino* (2ª ediz.)
384. Georges Simenon, *L'amico d'infanzia di Maigret* (3ª ediz.)
385. Alberto Arbasino, *America amore* (3ª ediz.)
386. W. Somerset Maugham, *Il velo dipinto* (2ª ediz.)
387. Georges Simenon, *Luci nella notte*

388. Rudy Rucker, *La quarta dimensione*
389. C.S. Lewis, *Lontano dal pianeta silenzioso*
390. Stefan Zweig, *Momenti fatali*
391. *Le radici dell'Āyurveda*, a cura di Dominik Wujastyk
392. Friedrich Nietzsche-Lou von Salomé-Paul Rée, *Triangolo di lettere*
393. Patrick Dennis, *Zia Mame* (5ª ediz.)
394. Georges Simenon, *Maigret e l'uomo solitario* (3ª ediz.)
395. Gypsy Rose Lee, *Gypsy*
396. William Faulkner, *Le palme selvagge*
397. Georges Simenon, *Maigret e l'omicida di rue Popincourt* (3ª ediz.)
398. Alan Bennett, *La sovrana lettrice* (2ª ediz.)
399. Miloš Crnjanski, *Migrazioni*
400. Georges Simenon, *Il gatto* (3ª ediz.)
401. René Guénon, *L'uomo e il suo divenire secondo il Vêdânta*
402. Georges Simenon, *La pazza di Maigret* (2ª ediz.)
403. James M. Cain, *Mildred Pierce* (2ª ediz.)
404. Sándor Márai, *La sorella*
405. Temple Grandin, *La macchina degli abbracci*
406. Jean Echenoz, *Ravel*
407. Georges Simenon, *Maigret e l'informatore* (2ª ediz.)
408. Patrick McGrath, *Follia* (3ª ediz.)
409. Georges Simenon, *I fantasmi del cappellaio* (2ª ediz.)
410. Edgar Wind, *Misteri pagani nel Rinascimento*
411. Georges Simenon, *Maigret e il signor Charles* (4ª ediz.)
412. Pietro Citati, *Il tè del Cappellaio matto*
413. Jorge Luis Borges-Adolfo Bioy Casares, *Sei problemi per don Isidro Parodi*
414. Richard P. Feynman, *Il senso delle cose*
415. James Hillman, *Il mito dell'analisi*
416. W. Somerset Maugham, *Schiavo d'amore*
417. Guido Morselli, *Dissipatio H.G.*
418. Alberto Arbasino, *Pensieri selvaggi a Buenos Aires*
419. Glenway Wescott, *Appartamento ad Atene*
420. Irène Némirovsky, *Due*
421. Marcel Schwob, *Vite immaginarie*
422. Irène Némirovsky, *I doni della vita*
423. Martin Davis, *Il calcolatore universale*
424. Georges Simenon, *Rue Pigalle* (2ª ediz.)
425. Irène Némirovsky, *Suite francese*
426. Georges Simenon, *Il borgomastro di Furnes*
427. Irène Némirovsky, *I cani e i lupi*
428. Leonardo Sciascia, *Gli zii di Sicilia*

FINITO DI STAMPARE NEL GENNAIO 2013
DA L.E.G.O. S.P.A. STABILIMENTO DI LAVIS

*Printed in Italy*

GLI ADELPHI
Periodico mensile: N. 393/2011
Registr. Trib. di Milano N. 284 del 17.4.1989
Direttore responsabile: Roberto Calasso